초등 사회 자습서

개념 톡톡

체계적인 **교과서 정리**와 **활동 풀이!**

1. 옛 사람들의 삶과 문화
2. 사회의 새로운 변화와 오늘날의 우리

금성출판사

이렇게 공부해요

구성과 특징

1 교과서의 핵심 내용이 담긴 배움 영상을 QR 코드로 담았습니다.

2 교과서와 똑같은 구성으로 체계적인 자기 주도 학습이 가능하도록 구성했습니다.

3 과정 중심 평가와 수행 평가를 대비하도록 다양한 유형의 문제를 준비했습니다.

BOOK 1 개념 톡톡

체계적인 교과서 정리와 활동 풀이

교과서 내용을 충실하게 정리하여 빈틈없이 학습할 수 있습니다.

단원 열기

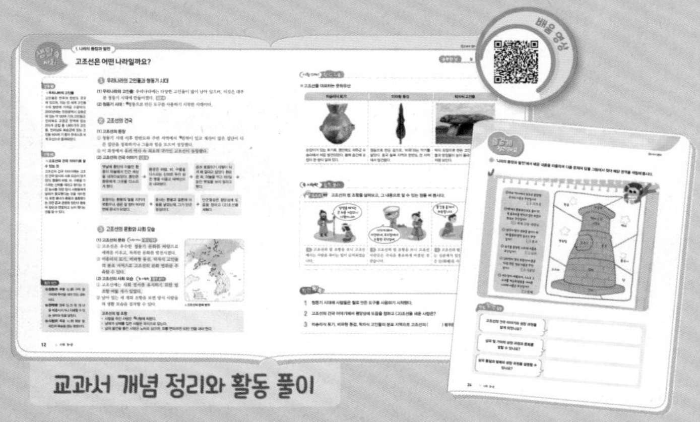

교과서 개념 정리와 활동 풀이

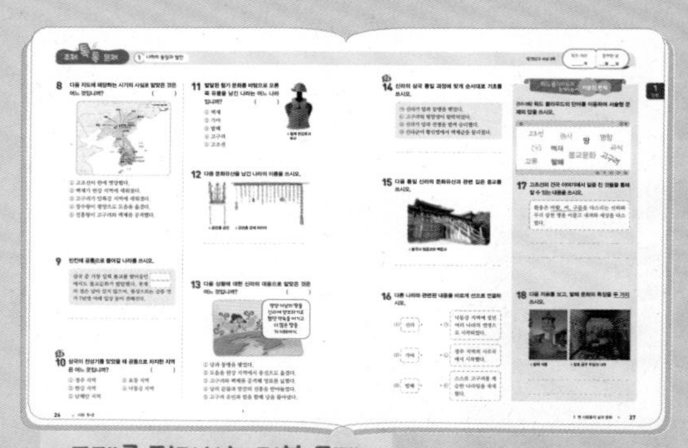

주제를 정리하는 기본 문제

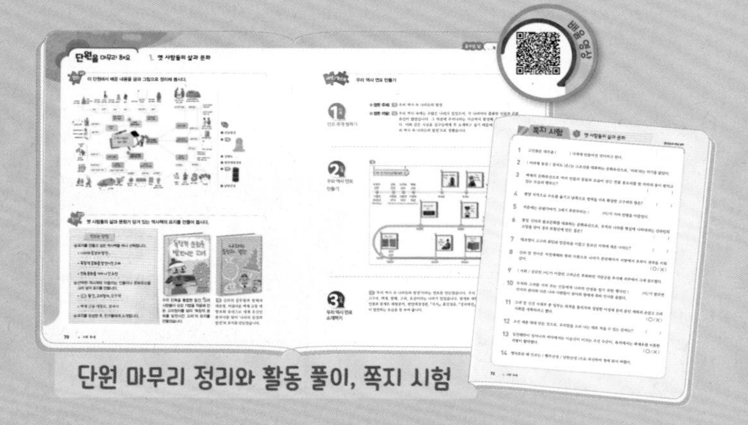

단원 마무리 정리와 활동 풀이, 쪽지 시험

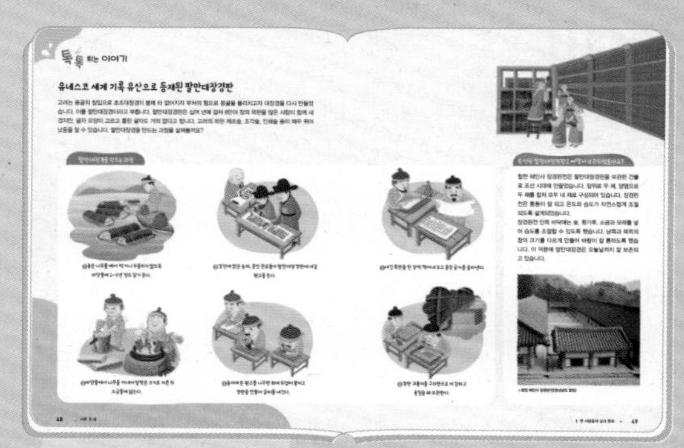

톡톡 튀는 이야기

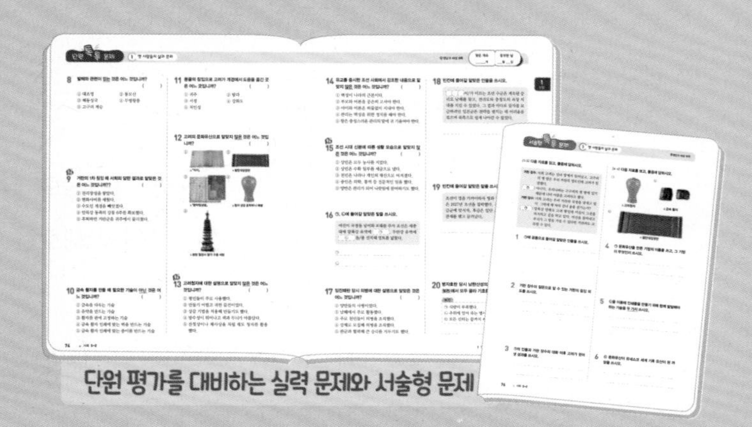

단원 평가를 대비하는 실력 문제와 서술형 문제

BOOK 2 문제 톡톡

학교 시험 완벽 대비

다양한 유형의 문제를 풀면서 시험에 자주 출제되는 내용을 알아볼 수 있습니다.

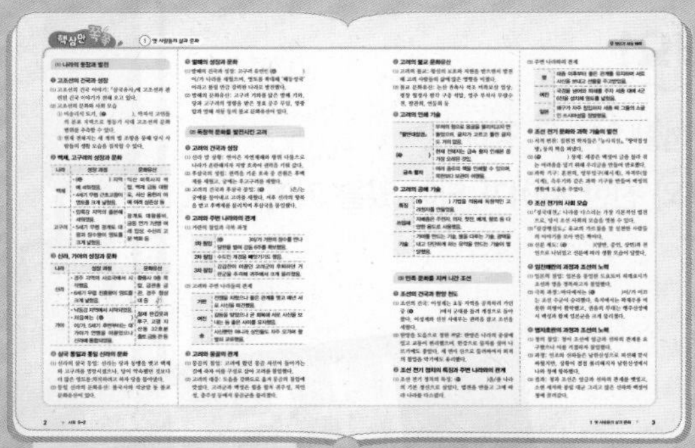

교과서 핵심 정리

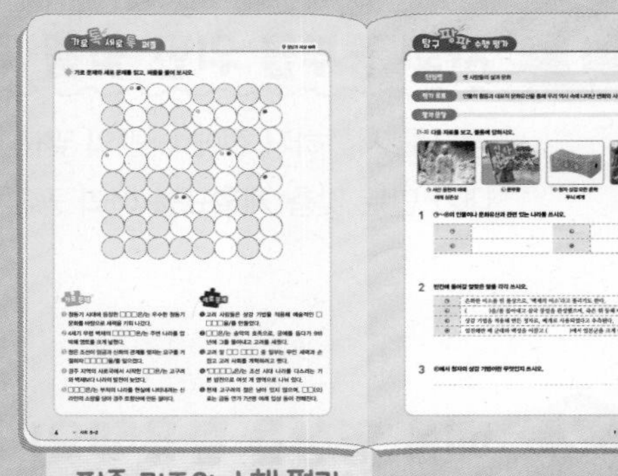

퍼즐 퀴즈와 수행 평가

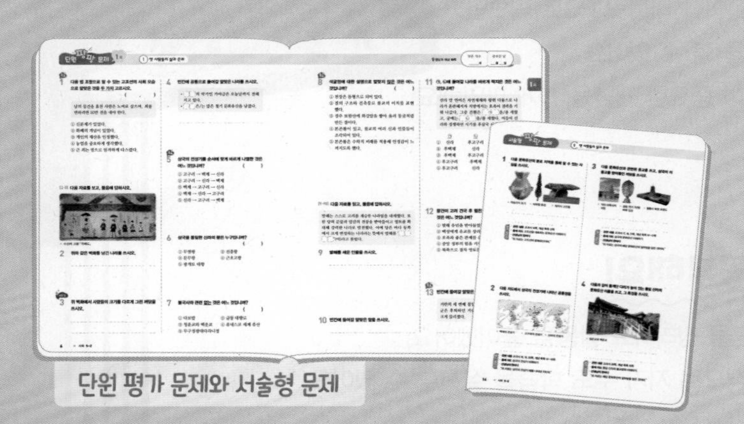

단원 평가 문제와 서술형 문제

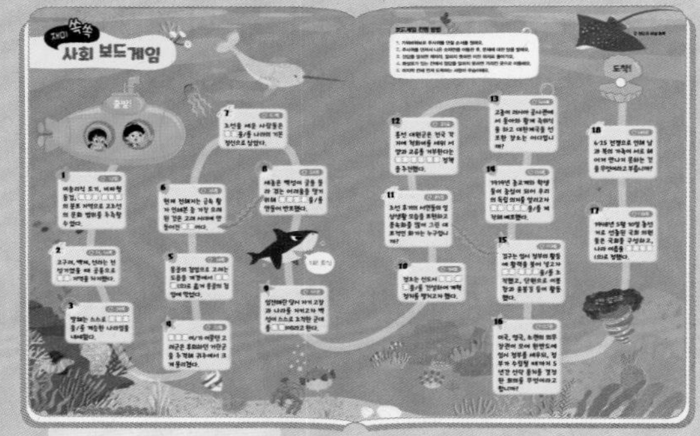

사회 보드 게임

BOOK 3 정답 톡톡

정확한 정답과 친절한 해설

정답과 해설로 실력을 점검하고 부족한 개념은 한눈에 쏙쏙 으로 보충할 수 있습니다.

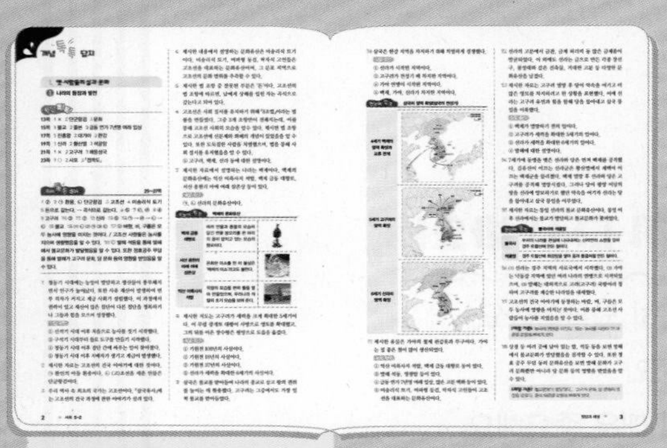

개념 톡톡 정답과 해설

문제 톡톡 정답과 해설

사회와 나를 친한 사이로 만드는

공부 비법

비법 1 사회 공부를 위한 맞춤 계획표를 작성해요!

공부를 시작하기 전에 나만의 맞춤 계획표를 작성하여 실천할 약속을 정해요.
내가 만든 맞춤 계획표를 따라 공부하다 보면 어느새 사회와 친한 사이가 되어 있을 거예요.

비법 2 배움 영상을 활용해요!

'개념 톡톡'에 있는 QR 코드를 스마트폰이나 태블릿 PC로 찍으면
교과서의 핵심 내용이 담긴 배움 영상을 볼 수 있어요.
공부를 시작하기 전에 배움 영상을 보며 중요한 개념을 쉽게 파악해요.

비법 3 학교 진도에 맞춰 꾸준히 공부해요!

교과서와 똑같은 순서와 구성으로 개념을 정리하고 활동을 풀이했어요.
학교 진도에 맞춰 공부하다 보면 체계적으로 자기 주도 학습을 실천할 수 있어요.

비법 4 '문제 톡톡'으로 시험을 대비해요!

학교 시험이 다가오면 '문제 톡톡'에 있는 단원 핵심 정리 내용과
다양한 문제를 풀어 보며 실력을 확인해요.

비법 5 맞은 문제는 빠르게, 틀린 문제는 꼼꼼히 다시 봐요!

공부를 마친 후에 맞은 문제는 빠르게, 틀린 문제는 꼼꼼히 되돌아봐요.
특히 틀린 문제는 꼭 표시해 두었다가 다시 풀어 봐야 해요.
사회와 친해지기 위해서는 복습하는 습관을 들이는 것이 매우 중요해요.

꾸준한 사회 공부를 위한 맞춤 계획표

공부 약속:

스스로 공부할 분량과 날짜를 적고,
계획표에 맞춰 공부한 후에 표시를 합니다.

○ 1일차 월 일 ~ 쪽	○ 2일차 월 일 ~ 쪽	○ 3일차 월 일 ~ 쪽	○ 4일차 월 일 ~ 쪽	○ 5일차 월 일 ~ 쪽
○ 6일차 월 일 ~ 쪽	○ 7일차 월 일 ~ 쪽	○ 8일차 월 일 ~ 쪽	○ 9일차 월 일 ~ 쪽	○ 10일차 월 일 ~ 쪽
○ 11일차 월 일 ~ 쪽	○ 12일차 월 일 ~ 쪽	○ 13일차 월 일 ~ 쪽	○ 14일차 월 일 ~ 쪽	○ 15일차 월 일 ~ 쪽
○ 16일차 월 일 ~ 쪽	○ 17일차 월 일 ~ 쪽	○ 18일차 월 일 ~ 쪽	○ 19일차 월 일 ~ 쪽	○ 20일차 월 일 ~ 쪽
○ 21일차 월 일 ~ 쪽	○ 22일차 월 일 ~ 쪽	○ 23일차 월 일 ~ 쪽	○ 24일차 월 일 ~ 쪽	○ 25일차 월 일 ~ 쪽
○ 26일차 월 일 ~ 쪽	○ 27일차 월 일 ~ 쪽	○ 28일차 월 일 ~ 쪽	○ 29일차 월 일 ~ 쪽	○ 30일차 월 일 ~ 쪽
○ 31일차 월 일 ~ 쪽	○ 32일차 월 일 ~ 쪽	○ 33일차 월 일 ~ 쪽	○ 34일차 월 일 ~ 쪽	○ 35일차 월 일 ~ 쪽
○ 36일차 월 일 ~ 쪽	○ 37일차 월 일 ~ 쪽	○ 38일차 월 일 ~ 쪽	○ 39일차 월 일 ~ 쪽	○ 40일차 월 일 ~ 쪽
○ 41일차 월 일 ~ 쪽	○ 42일차 월 일 ~ 쪽	○ 43일차 월 일 ~ 쪽	○ 44일차 월 일 ~ 쪽	○ 45일차 월 일 ~ 쪽
○ 46일차 월 일 ~ 쪽	○ 47일차 월 일 ~ 쪽	○ 48일차 월 일 ~ 쪽	○ 49일차 월 일 ~ 쪽	○ 50일차 월 일 ~ 쪽

차례

1 옛 사람들의 삶과 문화

공부 계획표

- 자신의 일정에 맞게 계획을 세워 보고, 실제 학습일을 적어 봅시다.
- 학습을 마무리한 후 얼마나 학습 목표를 달성하였는지 스스로 점검해 봅시다.

	주제	쪽수	계획일	달성
단원 열기	옛 사람들의 삶과 문화	8~11쪽	월 일	
1 나라의 등장과 발전	고조선은 어떤 나라일까요?	12~13쪽	월 일	
	백제와 고구려는 어떻게 성장하고 문화를 발전시켰을까요?	14~15쪽	월 일	
	신라와 가야는 어떻게 성장하고 문화를 발전시켰을까요?	16~17쪽	월 일	
	신라는 어떻게 삼국을 통일하고 불교문화를 꽃피웠을까요?	18~19쪽	월 일	
	발해는 어떻게 세워지고 해동성국이 되었을까요?	20~21쪽	월 일	
	고대 국가의 역사를 벽화로 표현해 볼까요?	22~23쪽	월 일	
	즐겁게 정리해요, 주제 톡톡 문제	24~27쪽	월 일	
2 독창적 문화를 발전시킨 고려	고려는 언제, 어떻게 세워졌을까요?	30~31쪽	월 일	
	고려는 주변 나라와 어떻게 지냈을까요?	32~33쪽	월 일	
	고려는 몽골과 어떤 관계를 맺었을까요?	34~35쪽	월 일	
	고려의 불교문화를 대표하는 문화유산을 살펴볼까요?	36~37쪽	월 일	
	고려의 인쇄 기술을 알 수 있는 문화유산을 살펴볼까요?	38~39쪽	월 일	
	고려의 공예 기술을 알 수 있는 고려청자를 살펴볼까요?	40~41쪽	월 일	
	고려의 역사를 인쇄물로 소개해 볼까요?	42~43쪽	월 일	
	즐겁게 정리해요, 주제 톡톡 문제	44~47쪽	월 일	
3 민족 문화를 지켜 나간 조선	조선은 언제, 어떻게 세워졌을까요?	50~51쪽	월 일	
	조선은 어떻게 나라를 다스리고 주변 나라와 관계를 맺었을까요?	52~53쪽	월 일	
	조선 전기 문화와 과학 기술의 발전을 알아볼까요?	54~55쪽	월 일	
	조선 전기의 사회 모습을 살펴볼까요?	56~57쪽	월 일	
	임진왜란이 일어난 과정과 당시 조선의 노력을 살펴볼까요?	58~61쪽	월 일	
	병자호란이 일어난 과정과 당시 조선의 상황을 살펴볼까요?	62~63쪽	월 일	
	조선 전기의 역사를 기록으로 정리해 볼까요?	64~65쪽	월 일	
	즐겁게 정리해요, 주제 톡톡 문제	66~69쪽	월 일	
단원 마무리	단원을 마무리해요, 쪽지 시험	70~72쪽	월 일	
	단원 톡톡 문제, 서술형 톡톡 문제	73~76쪽	월 일	

단원 열기 1. 옛 사람들의 삶과 문화

인물과 문화유산을 책 속으로 돌려보내자!

인물과 문화유산을 책 속으로 돌려보내자!

배움 영상

인물과 문화유산을 책 속으로 돌려보내자!
전쟁 중에 어디 가셨지?
광개토 대왕

인물과 문화유산을 책 속으로 돌려보내자!
석굴암 본존불
불상이 없어졌어!

통일을 축하 드려야 하는데……
인물과 문화유산을 책 속으로 돌려보내자!
왕건

대장경판이 없어졌어!
팔만대장경판

예술가가 사라졌구나.
인물과 문화유산을 책 속으로 돌려보내자!
신사임당

훈민정음이 사라져 글을 배우기 어려워.
인물과 문화유산을 책 속으로 돌려보내자!
훈민정음

우리가 길 잃은 인물과 문화유산을 찾아 원래 있던 곳으로 돌려보내 주자.
좋아!

교과서 9~10쪽

역사책 속 사람들의 이야기를 보고 각 시대에 어떤 일이 있었는지 상상해 봅시다.

예
- 광개토 대왕이 살던 시대에는 전쟁이 많았습니다.
- 신사임당은 뛰어난 예술 작품을 많이 남겼습니다.

도움 도서관에서 역사 속의 인물과 문화유산을 찾아보아요.

이 단원에서 나는

교과서 11쪽

고대 국가의	인물을	알고 싶어요.
고려의	문화유산을	탐구하고 싶어요.
조선의		조사하고 싶어요.

예
- 고대 국가의 인물을 알고 싶어요.
- 고려의 문화유산을 탐구하고 싶어요.
- 조선의 인물을 조사하고 싶어요.

도움 제시된 낱말을 연결해 나만의 학습 계획을 세워 보아요.

미리 맛보는 교과서 흐름

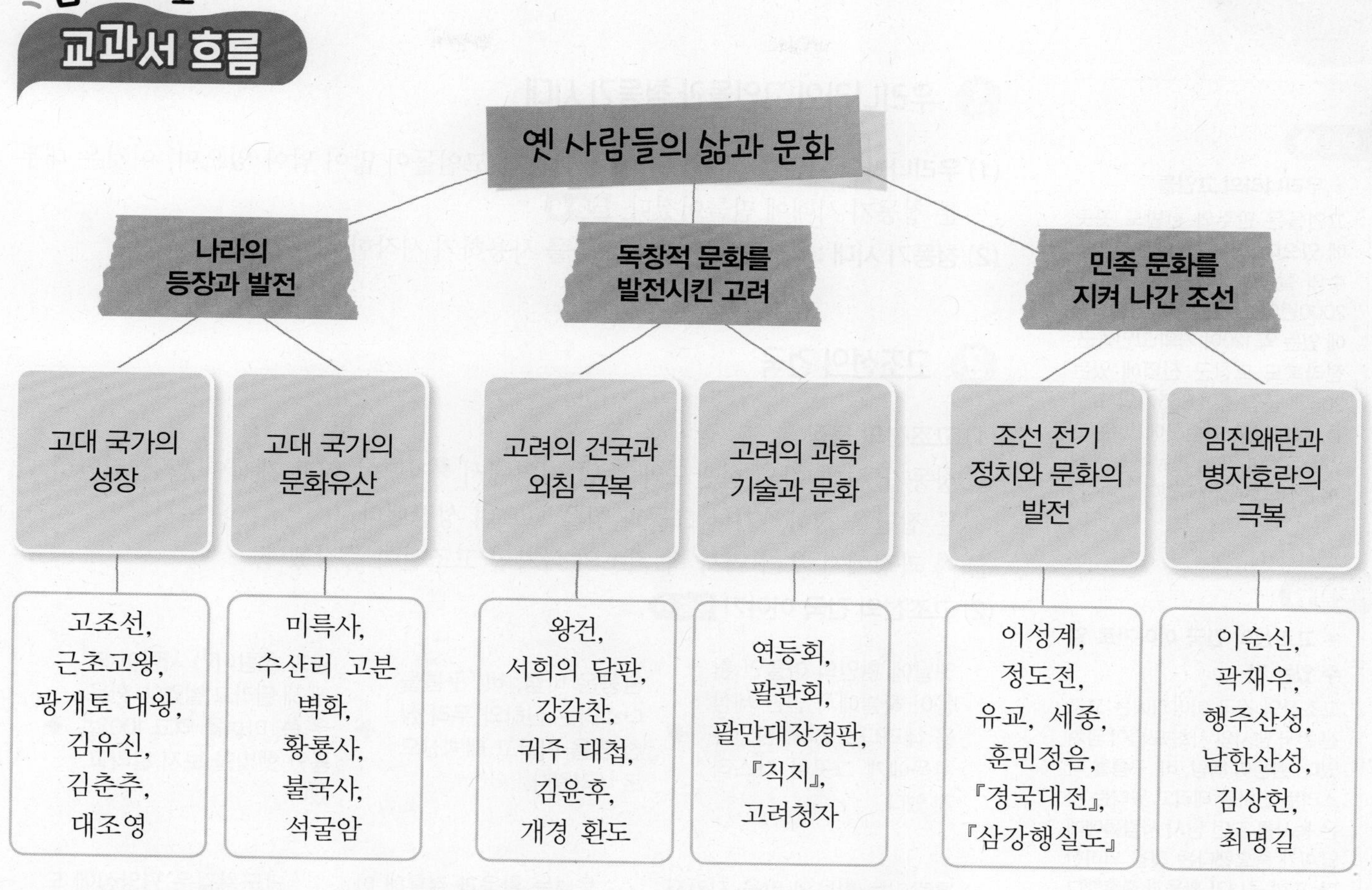

- 인물과 문화유산으로 고대 국가의 성장 과정과 고대 문화의 우수성을 알 수 있어요.
- 인물과 문화유산으로 고려의 건국과 외침 극복 과정 및 고려 문화의 우수성을 알 수 있어요.
- 인물과 문화유산으로 조선 전기 정치와 문화의 발전 모습 및 위기 극복 과정을 알 수 있어요.

미리 맛보는 핵심 용어

❶ 역(歷) 지날 역 / 사(史) 역사 사

❶ 과거에 살았던 사람들의 이야기를 뜻합니다. 여기에서 이야기란 과거에 실제 일어난 사실에 바탕을 두고 있습니다.

❷ 세(世) 세대 세 / 기(紀) 벼리 기

❷ 100년을 단위로 하는 기간을 뜻합니다. 1년부터 100년까지를 1세기, 2001년부터 2100년까지를 21세기라고 합니다.

❸ 건(建) 세울 건 / 국(國) 나라 국

❸ 나라가 세워지거나 나라를 세우는 것을 뜻합니다.

고조선은 어떤 나라일까요?

❶ 우리나라의 고인돌과 청동기 시대

(1) 우리나라의 고인돌: 우리나라에는 다양한 고인돌이 많이 남아 있으며, 이것은 대부분 청동기 시대에 만들어졌다. 보충 ❶

(2) 청동기 시대 : ❶청동으로 만든 도구를 사용하기 시작한 시대이다.

❷ 고조선의 건국

(1) 고조선의 등장

① 청동기 시대 이후 한반도와 주변 지역에서 ❷권력이 있고 재산이 많은 집단이 다른 집단을 정복하거나 그들과 힘을 모으며 성장했다.

② 이 과정에서 우리 역사 속 최초의 국가인 고조선이 등장했다.

(2) 고조선의 건국 이야기 보충 ❷

옛날에 환인의 아들인 환웅이 하늘에서 인간 세상을 내려다보았다. 환인은 환웅에게 그곳을 다스리게 했다. → 환웅은 바람, 비, 구름을 다스리는 신하와 무리 삼천 명을 이끌고 태백산으로 내려왔다. → 곰과 호랑이가 사람이 되게 해 달라고 빌었다. 환웅은 쑥, 마늘을 먹고 100일 동안 햇빛을 보지 말라고 했다. → 호랑이는 환웅의 말을 지키지 못했으나, 곰은 잘 참아 여자로 변해 웅녀가 되었다. → 웅녀는 환웅과 결혼해 아들을 낳았는데, 그가 단군왕검이다. → 단군왕검은 평양성에 도읍을 정하고 (고)조선을 세웠다.

❸ 고조선의 문화와 사회 모습

(1) 고조선의 문화 (시험 대비 핵심 자료)

① 고조선은 우수한 청동기 문화를 바탕으로 세력을 키우고, 독특한 문화를 발전시켰다.

② 미송리식 토기, 비파형 동검, 탁자식 고인돌의 분포 지역으로 고조선의 문화 범위를 추측할 수 있다.

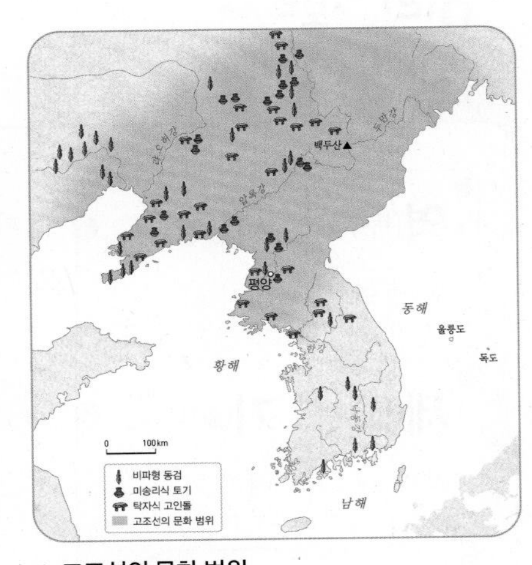

▲ 고조선의 문화 범위

(2) 고조선의 사회 모습 (속 시원한 활동 풀이)

① 고조선에는 사회 질서를 유지하기 위한 법 조항 여덟 개가 있었다.

② 남아 있는 세 개의 조항을 보면 당시 사람들의 생활 모습을 짐작할 수 있다.

고조선의 법 조항

- 사람을 죽인 사람은 ❸사형에 처한다.
- 남에게 상해를 입힌 사람은 곡식으로 갚는다.
- 남의 물건을 훔친 사람은 노비로 삼으며, 죄를 면하려면 50만 전을 내야 한다.

보충 ❶

◉ **우리나라의 고인돌**

고인돌은 만주와 한반도 곳곳에 있으며, 이는 전 세계 고인돌 수의 절반에 가까운 수량이다. 2000년에는 인천광역시 강화군에 있는 약 120여 기의 고인돌군, 전라북도 고창군 전역에 있는 205개 군집 총 1,665기의 고인돌, 전라남도 화순군에 있는 고인돌 500여 기 등이 유네스코 세계 유산으로 등재되었다.

보충 ❷

◉ **고조선의 건국 이야기로 알 수 있는 것**

고조선의 건국 이야기에는 고조선 건국 당시의 사회 모습이 담겨 있다. 환웅이 바람, 비, 구름을 다스리는 신하를 데리고 왔다는 것은 농사를 짓던 당시 사람들에게 날씨가 중요했다는 것을 의미한다. 또한 웅녀가 환웅과 결혼했다는 것은 곰과 관련된 집단이 환웅의 집단과 연합하고 싶어 했다는 것을 알 수 있다.

용어 사전

❶ **청동**(靑: 푸를 청, 銅: 구리 동): 구리에 주석을 섞어 만든 금속이다.

❷ **권력**(權: 권세 권, 力: 힘 력): 남을 복종시키거나 지배할 수 있는 권리와 힘을 말한다.

❸ **사형**(死: 죽을 사, 刑: 형벌 형): 죄인의 목숨을 끊는 형벌이다.

1 단원

시험 대비 핵심 자료

● 고조선을 대표하는 문화유산

미송리식 토기	비파형 동검	탁자식 고인돌
손잡이가 있는 토기로, 평안북도 의주군 미송리에서 처음 발견되었다. 몸체 중간에 손잡이 한 쌍이 달려 있다.	청동으로 만든 검으로, '비파'라는 악기를 닮았다. 중국 동북 지역과 한반도 전 지역에서 발견된다.	탁자 모양으로 만든 고인돌로, 땅 위에 윗돌과 받침돌이 높이 올라와 있어 마치 탁자처럼 보인다.

속 시원한 활동 풀이

스스로 활동 고조선의 법 조항을 살펴보고, 그 내용으로 알 수 있는 점을 써 봅시다.

예 고조선의 법 조항을 보니 고조선에서는 사람을 죽이는 일이 금지되었습니다.

예 고조선의 법 조항을 보니 고조선 사람들은 곡식을 중요하게 여겼던 것 같습니다.

예 고조선의 법 조항을 보니 고조선에는 신분제가 있었으며, 고조선 사람들은 돈(화폐)을 사용했습니다.

확인 톡!톡!

정답과 해설 2쪽

1 청동기 시대에 사람들은 철로 만든 도구를 사용하기 시작했다. (O | X)

2 고조선의 건국 이야기에서 평양성에 도읍을 정하고 (고)조선을 세운 사람은? (   )

3 미송리식 토기, 비파형 동검, 탁자식 고인돌의 분포 지역으로 고조선의 (   ) 범위를 추측할 수 있다.

백제와 고구려는 어떻게 성장하고 문화를 발전시켰을까요?

❶ 삼국의 성장과 문화

(1) **고조선의 멸망:** 고조선이 한에 멸망한 이후 한반도와 주변에 여러 나라가 등장했다.
(2) **삼국의 성장:** 고구려, 백제, 신라는 왕의 권력을 강화하고 ❶율령을 만들며 성장했다.
(3) **삼국의 문화:** 삼국은 불교를 받아들여 나라의 종교로 삼고 왕의 권위를 높이는 데 활용했으며, 많은 절을 짓고 탑, 불상 등을 만들었다.

❷ 백제와 고구려의 성장 과정

(1) 백제의 성장 과정 보충 ❶

① 농사를 짓고 다른 나라와 교류하는 데 유리한 한강 지역에 세워졌다.
② 4세기 무렵 근초고왕이 영토를 크게 넓혔고, 중국 동진 및 왜와 활발히 교류했다.

내용+ 근초고왕은 남쪽 지역으로 영토를 넓히고 고구려를 공격해 북쪽으로 진출했다.

(2) 고구려의 성장 과정 보충 ❷

① 압록강 유역의 졸본에 세워졌으며, 이후 교통이 편리한 국내성으로 도읍을 옮겼다.
② 5세기 무렵 광개토 대왕이 사방으로 세력을 넓혔다.
③ 장수왕이 평양으로 도읍을 옮기고 한강 지역까지 영토를 넓혔다. → 백제는 도읍을 웅진으로 옮기고, 이후 사비로 다시 옮겼으며, 나라 이름을 '남부여'로 바꾸었다.

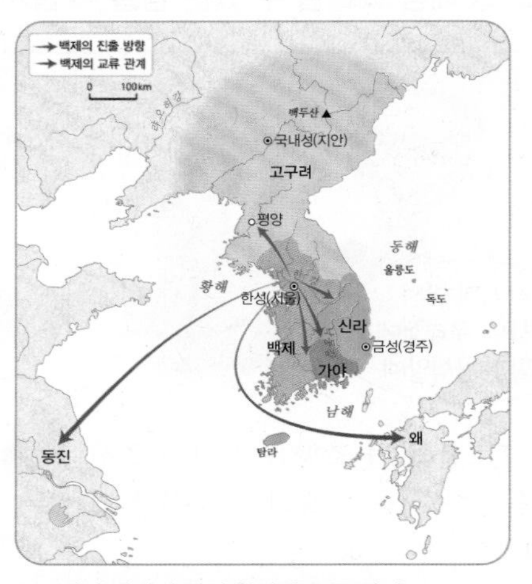

▲ 4세기 백제의 영역 확장과 교류 관계

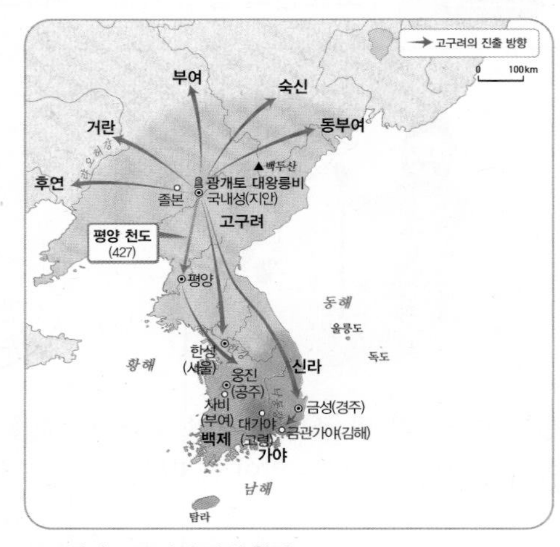

▲ 5세기 고구려의 영역 확장

❸ 백제와 고구려의 문화유산

(1) 백제의 문화유산 시험 대비 핵심 자료

① 익산 미륵사지 석탑, 서산 용현리 마애 여래 삼존상 등의 불교 문화유산을 남겼다.
② ❷고분, 백제 금동 대향로와 같은 각종 공예품 등도 남겼다.
③ 문화유산으로 백제 문화의 독창성과 백제인의 화려하고 섬세한 솜씨를 알 수 있다.

(2) 고구려의 문화유산 시험 대비 핵심 자료 속 시원한 활동 풀이

① 금동 연가 7년명 여래 입상을 만드는 등 불교문화가 발달했다.
② 고분과 고분 벽화를 통해 고구려인의 생활 모습과 생각을 짐작할 수 있다.

보충 ❶

◉ **서울 풍납동 토성**

서울특별시 송파구에 위치한 흙으로 쌓은 평지성이다. 1925년 대홍수 때 당시 지배층이 사용한 많은 유물이 출토되면서 주목받았다. 이후 발굴 조사를 거치며 백제의 첫 도읍인 하남 위례성으로 알려졌다.

보충 ❷

◉ **고구려의 영토 확장**

광개토 대왕	서쪽으로 요동 지역을 차지하고, 남쪽으로 백제의 영역이었던 한강 지역으로 세력을 확장했다.
장수왕	광개토 대왕릉비를 세워 광개토 대왕의 업적을 기념했고, 평양으로 수도를 옮기고 남쪽으로 영역을 확장했다.

용어 사전

❶ **율령**(律: 법 률, 令: 명령할 령): 죄를 처벌하거나 나라를 다스리는 것과 관련된 제도이다.
❷ **고분**(古: 옛 고, 墳: 무덤 분): 옛 사람들의 무덤을 말한다.

시험 대비 핵심 자료

● 백제의 문화유산

● 고구려의 문화유산

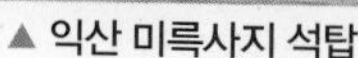
▲ 익산 미륵사지 석탑

▲ 백제 금동 대향로

▲ 광개토 대왕릉비

▲ 금동 연가 7년명 여래 입상

백제의 문화유산	고구려의 문화유산
백제의 불교문화를 대표하는 익산 미륵사지 석탑은 우리나라 석탑의 초기 모습을 잘 보여 준다. 백제 금동 대향로는 여러 인물과 동물의 모습이 담긴 연꽃 봉오리를 한 마리의 용이 받치고 있는 모습의 향로이다.	광개토 대왕릉비는 장수왕이 자신의 아버지인 광개토 대왕의 업적을 기념하기 위해 세운 비석이다. 금동 연가 7년명 여래 입상은 고구려의 대표적 불상으로, 뒷면에 불상을 만든 시기가 적혀 있다.

속 시원한 활동 풀이

스스로 활동 고구려 고분 벽화를 감상하고, 다음 문장을 상상하여 완성해 봅시다.

▲ 수산리 고분 「곡예도」(복원)

예 사람들의 크기를 다르게 그린 까닭은 신분이 다르기 때문입니다. 시중을 드는 사람들을 작게 그렸습니다.

잠깐! 확인해요

고구려의 광개토 대왕은 평양 지역으로 도읍을 옮겼다. (O | X) (X)

확인 톡!톡!

정답과 해설 2쪽

1 삼국은 (불교 / 도교)를 받아들여 나라의 종교로 삼고 왕의 권위를 높이는 데 활용했다.

2 고구려는 압록강 유역의 (   )에 세워졌다.

3 고구려의 대표적 불상으로, 뒷면에 불상을 만든 시기가 적혀 있는 문화유산은? (   )

신라와 가야는 어떻게 성장하고 문화를 발전시켰을까요?

❶ 신라와 가야의 성장 과정

(1) 신라의 성장 과정 (속 시원한 활동 풀이) 보충 ❶

① 경주 지역의 사로국에서 시작했다.

② 6세기 무렵 진흥왕이 고구려와 백제를 공격해 영토를 넓혔다.

③ 한강 지역을 차지해 중국과 교류할 길을 확보했다.

④ 가야 연맹을 완전히 정복했으며, 점령한 지역에 ❶순수비를 세웠다.

(2) 가야의 성장 과정

① 낙동강 지역에 있던 여러 나라의 ❷연맹으로 시작되었다.

② 처음에는 금관가야가, 5세기 후반부터는 대가야가 연맹을 이끌었다.

③ 삼국의 공격에 힘이 약해진 가야는 결국 신라에 통합되었다.

◀ 6세기 신라의 영역 확장

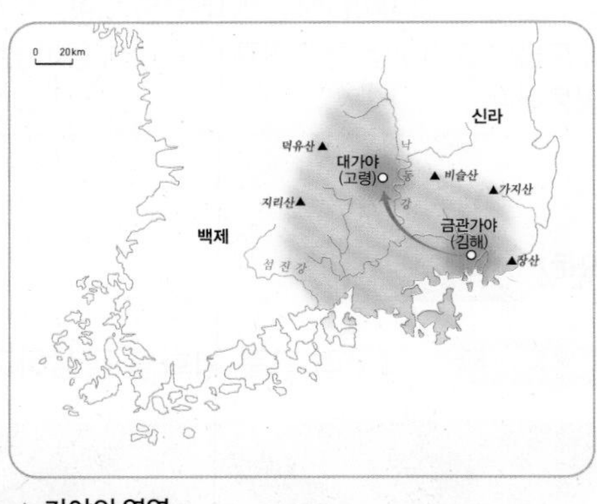

▲ 가야의 영역

보충 ❶

◉ **신라의 전성기(6세기 진흥왕)**

진흥왕은 백제 연합군과 함께 고구려가 차지했던 한강 유역을 빼앗았고, 이후 백제와 전쟁을 벌여 한강 유역을 차지했다. 또한 대가야를 흡수하고 가야 연맹을 정복했으며, 여러 지역에 신라의 영토 경계를 알려 주고자 순수비를 세웠다.

보충 ❷

◉ **경주 첨성대**

하늘의 별, 해와 달의 위치 등을 관찰하던 신라의 천문 관측 시설로 알려져 있다. 당시 왕들은 자신의 권위를 하늘과 연결하려고 했다.

보충 ❸

◉ **가야의 철기 문화**

가야는 철기를 만들어 백제, 왜 등 다른 나라와 교역했다. 가야 유적에서 발견된 덩이쇠는 철제품의 재료로 쓰이거나 물건을 사고팔 때 화폐처럼 사용되었다.

❷ 신라와 가야의 문화유산

(1) 신라의 문화유산 (시험 대비 핵심 자료)

① 황룡사와 황룡사 9층 목탑은 신라의 대표적 불교 문화유산이다.

내용+ 황룡사는 고려 시대까지 거대한 9층 목탑과 함께 남아 있었지만, 몽골의 침입으로 불타 버리고 지금은 그 터만 남아 있다.

② 금관총 금관, 금관총 금제 허리띠 등 금으로 만든 각종 장신구를 남겼다.

③ 첨성대와 같은 건축물과 거대한 고분 등 다양한 문화유산을 남겼다. 보충 ❷

④ 남아 있는 문화유산을 통해 신라인의 생각과 정교한 솜씨를 엿볼 수 있다.

(2) 가야의 문화유산 (시험 대비 핵심 자료)

① 가야의 고분에서 철로 만든 갑옷과 투구 등 많은 철기 문화유산이 나왔다. 보충 ❸

② 철기 문화유산 외에도 금동 관, 다양한 모양의 토기 등을 살펴보면 당시 사람들의 생활 모습을 짐작할 수 있다.

③ 가야의 악기였던 가야금이 오늘날까지 전해지고 있다.

내용+ 우륵은 가야가 혼란해지자 신라로 가서 살았는데, 어느 날 진흥왕이 그에게 가야금을 연주하게 했다. 우륵의 연주에 감동한 진흥왕은 이후 관리를 보내 그에게서 음악을 배우게 했다.

용어 사전

❶ **순수비**(巡: 돌 순, 狩: 사냥할 수, 碑: 비석 비): 왕이 나라 안을 보살피며 돌아다닌 곳을 기념하기 위해 세운 비석을 말한다.

❷ **연맹**(聯: 연이을 연, 盟: 맹세 맹): 같은 목적을 가진 조직을 가리키는 말이다.

시험 대비 핵심 자료

● 신라의 문화유산	● 가야의 문화유산
 ▲ 황룡사 복원 모형  ▲ 금관총 금관	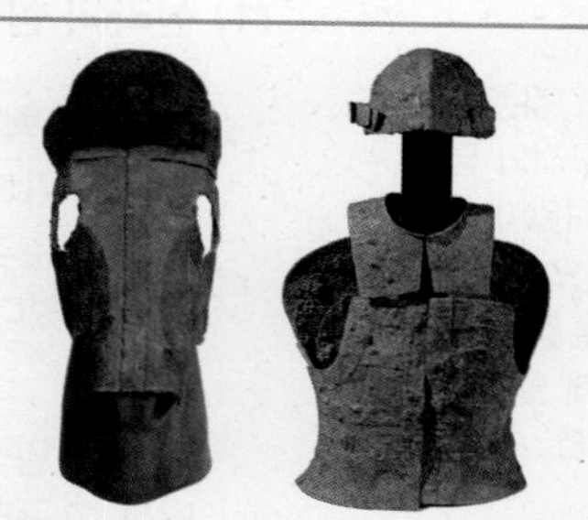 ▲ 철제 말머리 가리개(좌)와 철제 판갑옷과 투구(우)
신라는 불교를 받아들인 후 많은 절과 탑을 만들었다. 지금은 남아 있지 않지만 황룡사와 황룡사 9층 목탑이 대표적 사례이다. 황룡사는 진흥왕 때, 황룡사 9층 목탑은 선덕 여왕 때 세워졌다. 금관총 금관은 신라의 고분에서 발굴된 문화유산으로, 신라의 고분에서는 금관, 금제 허리띠 등 금제품이 많이 발견된다.	가야는 삼국과 달리 산등성이에 고분을 많이 만들었다. 가야 고분에서는 철로 만든 갑옷과 투구 등 많은 철기 문화를 바탕으로 다양한 문화유산이 나왔다. 가야는 철기를 만들어 백제, 왜 등 다른 나라와 교역하면서 발전했다.

속 시원한 활동 풀이

다 함께 활동

1 붙임① 에 삼국이 영역을 확장하며 공통으로 차지한 지역을 표시해 봅시다.

예 백제, 고구려, 신라가 영역을 확장하며 공통으로 차지한 지역은 한강이 있는 지역입니다.

2 삼국이 그곳을 두고 다툰 까닭을 이야기해 봅시다.

예
- 삼국이 그곳을 두고 다툰 까닭은 강을 타고 바다로 나가 다른 나라와 교류하기에 유리했기 때문입니다.
- 삼국이 그곳을 두고 다툰 까닭은 넓은 들판이 있어 농사짓기에 알맞아 빠른 성장에 유리했기 때문입니다.

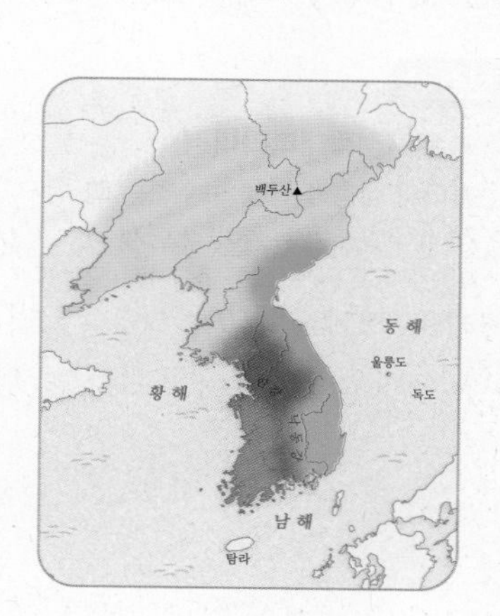

잠깐! 확인해요

신라는 진흥왕 때 크게 발전하였다. (O | X) (O)

확인 톡!톡!

정답과 해설 2쪽

1 6세기에 고구려와 백제를 공격해 영토를 넓힌 신라의 왕은? (　　　)

2 5세기 후반부터 (금관가야 / 대가야)가 가야 연맹을 이끌었다.

3 백제, 고구려, 신라는 영역을 확장하며 (　　　) 지역을 차지하기 위해 다투었다.

신라는 어떻게 삼국을 통일하고 불교문화를 꽃피웠을까요?

1 신라의 삼국 통일

(1) 신라의 삼국 통일 과정 (시험 대비 핵심 자료 보충 1, 2)

7세기에 백제의 공격으로 신라가 위기에 처하자, 신라의 김춘추는 당과 ❶동맹을 맺었다. → 김유신이 이끄는 신라군은 황산벌에서 계백이 이끄는 백제군을 물리쳤다. → 이후 백제는 수도인 사비성을 빼앗기고 웅진성이 포위되자 항복했다. → 백제를 멸망시킨 신라와 당은 고구려를 공격했고, 고구려는 평양성을 빼앗기면서 멸망했다. → 당이 평양 이남의 땅을 신라에 양보하기로 했던 약속을 어기고 한반도 전체를 지배하려고 했다. → 신라는 고구려 유민과 힘을 합해 당의 군대를 몰아내고 문무왕 때 삼국 통일을 이루었다.

(2) 삼국 통일의 의의: 삼국이 융합되어 한 나라에서 살게 되었다.

내용+ 한반도에 있던 여러 나라를 처음으로 통일해 새로운 민족 문화가 발전하는 기반이 마련되었다.

2 통일 신라의 불교문화

(1) 통일 신라의 문화유산: 불교문화가 발달하여 많은 절, 불상, 탑, 종 등을 남겼으며, 그것을 대표하는 불국사와 석굴암은 유네스코 세계 유산으로 지정되었다.

(2) 불국사의 우수성 (속 시원한 활동 풀이)

① 불국사: 신라의 불교문화를 알 수 있는 중요한 문화유산으로, 절의 구조와 건축물로 불교의 이치를 표현했다.

▲ **불국사 청운교와 백운교** 부처의 나라와 현실 세계를 이어 주는 다리라는 의미가 있다.

▲ **불국사 삼층 석탑** 비례와 균형을 갖춘 석탑으로, 석가탑이라고도 불린다. 보충 3

▲ **불국사 다보탑** 화려하면서도 균형 있는 독특한 석탑이다.

(3) 석굴암의 우수성 (속 시원한 활동 풀이)

① 석굴암: 경주 토함산에 화강암을 쌓아 올려 동굴처럼 만든 절이다.

② 내부 구조: 석굴암 내부에는 본존불과 함께 불교의 여러 신과 불교와 관련된 인물들이 조각되어 있다.

내용+ 석굴암의 천장은 여러 방향에서 돌을 아치형으로 쌓아 올린 후 돔형으로 완성했다.

③ 석굴암의 우수성: 건축 기술의 우수성과 석굴암 내부의 예술적 가치가 높이 평가되어 유네스코 세계 유산으로 지정되었다.

▲ **석굴암 ❷본존불** 수학적 비례를 적용해 완벽한 균형과 안정감이 느껴지도록 만들었다.

보충 1

◉ **김춘추**
신라 제29대 왕이다. 김춘추는 죽음을 무릅쓰고 고구려와 당에 외교 임무를 띠고 다녀왔다. 660년에 백제를 정복했으나, 삼국 통일의 대업은 기틀을 잡는 선에서 아들인 문무왕에게 물려주고 이듬해 세상을 떠났다.

보충 2

◉ **김유신**
금관가야의 왕족 출신이다. 김유신은 김춘추가 임금의 자리에 오르는 데 큰 공을 세워 권력을 잡았다. 660년에 황산벌 전투에서 계백의 결사대를 물리치면서 백제를 멸망시키는 데 중심 역할을 했다.

보충 3

◉ **무구정광대다라니경**
불국사 삼층 석탑을 보수하는 과정에서 발견된 유물이다. 현재 남아 있는 목판 인쇄물 중 가장 오래된 것으로 알려져 있다.

용어 사전

❶ **동맹**(同: 한 가지 동, 盟: 맹세 맹): 두 나라 이상이 공동의 목적을 이루기 위해 서로 돕기로 약속하는 일시적 결합 관계를 말한다.

❷ **본존**(本: 근본 본, 尊: 높을 존): 법당에 모신 주되는 부처이다.

시험 대비 핵심 자료

● 신라의 삼국 통일 과정과 주요 인물

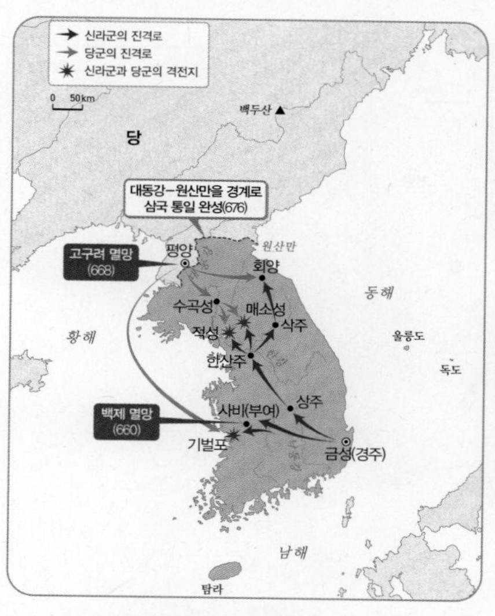

◀ 통일 신라의 성립

백제의 공격으로 신라가 어려움에 처하자, 위기에서 벗어나기 위해 당과의 동맹을 성사시켰다.

백제의 장군으로, 신라와 당의 연합군으로부터 백제를 지키기 위해 목숨을 바쳐 싸웠다.

삼국 통일을 이끈 신라의 장군으로, 황산벌에서 계백이 이끄는 백제군을 물리쳤다.

김춘추에 이어 왕이 된 인물로, 고구려를 멸망시킨 이후 당을 몰아내고 삼국 통일을 완성했다.

속 시원한 활동 풀이

스스로 활동 불국사와 석굴암의 우수한 점을 나타내는 소개 문구를 써 봅시다.

불국사는 예 절의 구조와 건축물로 불교의 이치를 표현한 대표적 사례입니다.

석굴암은 예 돔형으로 천장을 만들어 기둥 없이도 튼튼한 건축물입니다.

불국사는 예 건축물이 아름답고 독특해 유네스코 세계 유산으로 지정되었습니다.

석굴암은 예 건축 기술과 예술적 가치가 높아 유네스코 세계 유산으로 지정되었습니다.

잠깐! 확인해요

불국사와 석굴암은 통일 신라를 대표하는 문화유산이다. (O | X) (O)

확인 톡!톡!

정답과 해설 2쪽

1 (백제 / 고구려 / 신라)는 당을 몰아내고 삼국 통일을 이루었다.

2 김유신이 이끄는 신라군은 (   )에서 계백이 이끄는 백제군을 물리쳤다.

3 통일 신라의 대표적 불교 문화유산으로, 경주 토함산에 화강암을 쌓아 올려 동굴처럼 만든 절은? (   )

발해는 어떻게 세워지고 해동성국이 되었을까요?

❶ 발해의 건국

(1) 발해의 건국 과정

① 고구려가 멸망한 후 고구려 유민이 당으로 끌려가 당의 지배를 받았다.

② 옛 고구려 장수였던 대조영은 당이 혼란한 틈을 타 고구려 유민과 말갈인을 이끌고 당의 지배로부터 탈출했다.

내용+ 말갈은 6~7세기 무렵 한반도 북부와 만주 동북부 지역에 거주했던 종족이다.

③ 698년에 동모산을 도읍지로 정하고 발해를 세웠다. 보충 ❶

④ 이에 북쪽에 발해, 남쪽에 신라가 있는 시대가 열렸다.

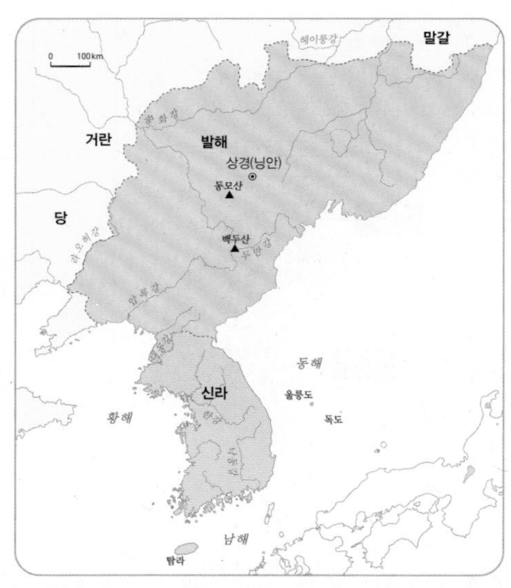

▲ 발해의 영역 확장

(2) 발해 건국의 의의: 고구려를 ❶계승했음을 내세웠다. (속 시원한 활동 풀이)

①『구당서』에 대조영이 고구려의 한 갈래라고 기록되어 있다. → 발해는 고구려 사람인 대조영이 건국한 나라임을 알 수 있다.

> 대조영은 본래 고구려의 한 갈래이다. …… 그는 용감하고 병사를 잘 다루었으므로 말갈 무리와 고구려의 남은 무리가 점차 모여들었다. -『구당서』

내용+ 『구당서』는 당의 역사를 기록한 책이다.

② 견고려사 ❷목간에 발해가 '고려'라고 표현되어 있다. → 당시 일본도 발해가 고구려를 계승했다고 여겼음을 알 수 있다. 보충 ❷

③ 고구려와 발해의 기와가 비슷한 모양이다. → 발해 문화가 고구려 문화의 영향을 받았음을 알 수 있다. 보충 ❸

보충 ❶

◉ **동모산**

발해의 초기 도읍지로, 대조영이 말갈족과 고구려인을 이끌고 처음 발해를 세운 곳이다.

보충 ❷

◉ **일본에서 발견된 목간**

일본은 발해에 사신을 보내면서 발해를 '고려(고구려)'라고 표현하고, 발해 사람을 '맥인(고구려인)'이라고 표현했다.

보충 ❸

◉ **고구려 문화와 발해 문화의 관련성**

여러 유적, 유물, 기록으로 볼 때 발해는 고구려를 계승했음을 알 수 있다. 고구려와 발해 둘 다 연꽃무늬가 새겨져 있다.

▲ 고구려 기와 ▲ 발해 기와

❷ 발해의 발전과 문화

(1) 발해의 성장

① 당의 ❸문물과 말갈의 전통을 받아들이고 영토를 확대해 강력한 나라로 발전했다.

내용+ 발해는 상경(닝안)으로 도읍을 옮기고 고구려의 옛 땅과 여러 부족이 살고 있는 북동쪽으로 영토를 넓혀 나갔다.

② 당에서는 발해를 가리켜 '바다 동쪽에서 크게 번성하는 나라'라는 뜻의 '해동성국'이라고 불렀다.

(2) 발해의 문화유산 (시험 대비 핵심 자료)

① 정효 공주의 무덤, 영광탑을 통해 발해가 주변 나라와 교류하고 그 문물을 받아들이며 고유의 문화를 발전시켜 나갔음을 알 수 있다.

② 발해 석등을 통해 발해에서도 불교문화가 발달했음을 짐작할 수 있다.

용어 사전

❶ **계승**(繼: 이을 계, 承: 이을 승): 조상의 전통이나 문화유산 등을 물려받아 이어 나가는 것을 말한다.

❷ **목간**(木: 나무 목, 簡: 간략할 간): 종이가 발명되기 이전 글자를 적은 대나무나 나무 조각을 말한다.

❸ **문물**(文: 글 문, 物: 물건 물): 법, 학문, 예술, 종교 등 문화에 관한 것을 일컫는 말이다.

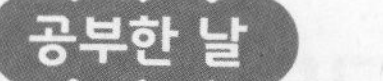

월 일

● 발해와 고구려의 관련성을 보여 주는 문화유산

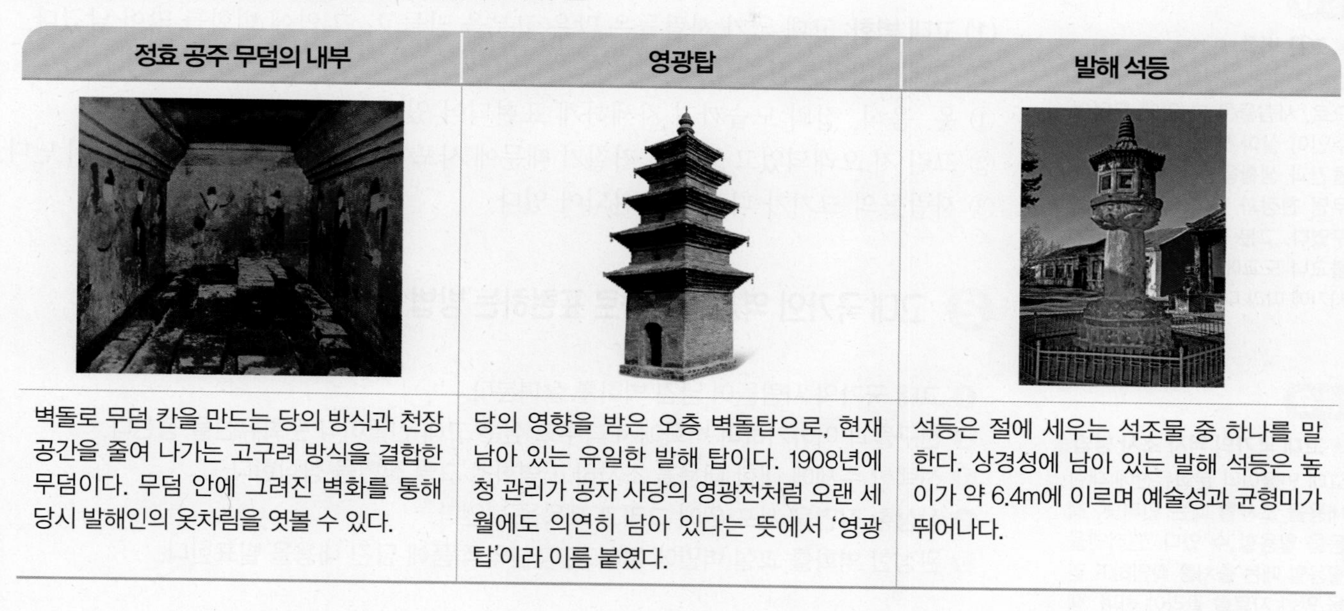

정효 공주 무덤의 내부	영광탑	발해 석등
벽돌로 무덤 칸을 만드는 당의 방식과 천장 공간을 줄여 나가는 고구려 방식을 결합한 무덤이다. 무덤 안에 그려진 벽화를 통해 당시 발해인의 옷차림을 엿볼 수 있다.	당의 영향을 받은 오층 벽돌탑으로, 현재 남아 있는 유일한 발해 탑이다. 1908년에 청 관리가 공자 사당의 영광전처럼 오랜 세월에도 의연히 남아 있다는 뜻에서 '영광탑'이라 이름 붙였다.	석등은 절에 세우는 석조물 중 하나를 말한다. 상경성에 남아 있는 발해 석등은 높이가 약 6.4m에 이르며 예술성과 균형미가 뛰어나다.

다 함께 활동

발해가 고구려와 어떤 관련이 있는지 친구들과 이야기해 봅시다.

예
- 발해에서 고구려와 비슷한 문화가 발달했음을 문화유산과 기록에서 알 수 있습니다.
- 발해는 스스로 고구려를 계승한 나라임을 내세웠고, 주변 나라도 그것을 인정했습니다.
- 모양이 비슷한 고구려 기와와 발해 기와를 통해 발해 문화가 고구려 문화의 영향을 받았음을 알 수 있습니다.
- 생김새가 비슷한 고구려 치미와 발해 치미를 통해 발해 문화가 고구려 문화의 영향을 받았음을 알 수 있습니다.
- 대조영이 고구려의 한 갈래라는 기록과 일본이 발해를 고려라고 불렀다는 사실을 통해 발해가 고구려를 계승한 나라임을 알 수 있습니다.

잠깐! 확인해요

대조영은 고구려 유민과 거란인을 이끌고 발해를 세웠다. (O | X) (X)

정답과 해설 2쪽

1 『구당서』에 발해 건국에 대한 기록이 담겨 있다. (O | X)

2 발해는 스스로 (고구려 / 신라)를 계승했음을 내세웠다.

3 당은 바다 동쪽에서 크게 번성하는 나라라는 뜻에서 발해를 (　　　)(이)라고 불렀다.

고대 국가의 역사를 벽화로 표현해 볼까요?

① 고대 벽화의 의미와 특징

(1) 고대 벽화: 고대 국가 사람들은 많은 고분을 만들고, 그 안에 벽화를 많이 남겼다.

(2) 고대 벽화의 특징 보충 ❶

① 옷, 음식, 집의 모습까지 자세하게 표현되어 있다.

② 그린 지 오래되었고 표면이 거칠기 때문에 사포에 그린 그림과 비슷한 느낌이 난다.

③ 사람들의 크기가 다르게 표현되어 있다.

② 고대 국가의 역사를 벽화로 표현하는 방법

❶ 고대 국가의 사람들이 남긴 벽화를 살펴본다.
❷ 친구들과 이야기하며 벽화에서 다루고 싶은 고대 인물이나 문화유산을 정한다.
❸ 선택한 주제에 대한 내용을 조사하고 벽화로 그릴 장면을 상상한다.
❹ 상상한 장면을 사포 위에 그리고 제목을 붙인다.
❺ 완성한 벽화를 교실 벽면에 붙이고, 자신의 작품에 담긴 내용을 발표한다.

③ 고대 국가의 역사를 벽화로 표현하는 활동 (속 시원한 활동 풀이)

(1) 고대 벽화 살펴보기 예 무용총 「접객도」, 각저총 「씨름도」 등

▲ **무용총 「접객도」(복원)** 손님을 맞아 식사하는 모습이 담겨 있는 고구려 벽화이다.

▲ **각저총 「씨름도」** ❶서역인처럼 보이는 인물이 담겨 있는 고구려 벽화이다.

(2) 다루고 싶은 고대 인물이나 문화유산 정하기 예 고구려 장수왕, 통일 신라 불국사 등

(3) 내용을 조사하고 벽화로 그릴 장면 상상하기 예 장수왕이 광개토 대왕릉비를 세운 모습, 불국사의 옛 모습 등 보충 ❷

(4) 상상한 장면을 그리고 제목 붙이기 예 비석을 세운 장수왕, 불국사 ❷탑돌이 등

▲ 비석을 세운 장수왕

▲ 불국사 탑돌이

(5) 벽화를 전시하고 내용 발표하기 예 "장수왕이 광개토 대왕릉비를 세운 모습을 '비석을 세운 장수왕'으로 표현했어요.", "불국사의 옛 모습을 담은 '불국사 탑돌이'를 그렸어요." 등

보충 ❶

◉ **고분 벽화**
고분은 옛날 사람들이 남긴 무덤으로, 사람들은 그 안에 무덤의 주인이 살아 있을 때 사용하던 물건과 생활용품을 함께 묻고, 무덤 천장과 벽에 그림을 그려 꾸몄다. 고분 벽화는 생활 풍속, 불교나 도교에 관한 벽화 등 그 시기에 따라 다르게 나타났다.

보충 ❷

◉ **고대 국가의 역사 조사 방법**
고대 인물이나 문화유산에 대한 내용을 조사할 때는 인터넷, 책 등을 활용할 수 있다. 인터넷을 활용할 때는 출처를 확인하고 믿을 만한 자료를 골라야 하며, 책을 활용할 때는 작가의 생각과 역사적 사실을 구분하며 조사해야 한다.

용어 사전

❶ **서역**(西: 서녘 서, 域: 지경 역): 옛날에 중국의 서쪽 지역을 통틀어 이르던 말이다.
❷ **탑돌이**: 절에서 탑 주위를 돌며 부처의 공덕을 기리고 소원을 비는 행사이다.

고대 국가의 역사를 벽화로 표현하기

고대 벽화의 특징	예 고대에는 벽화에 옷, 음식, 집의 모습까지 자세히 표현했으며, 사람들의 크기를 신분에 따라 다르게 그렸습니다.
벽화에서 다루고 싶은 고대 인물이나 문화유산	예 신라가 삼국을 통일하는 데 큰 공을 세운 김유신에 대해 조사하고 싶습니다.
선택한 주제에 대해 조사한 내용	예 신라 내부에서 권력을 잡은 김유신은 660년에 당과 힘을 합쳐 백제 정벌에 나섰습니다. 이때 그는 황산벌에서 백제의 계백이 이끄는 군대를 격파했습니다. 김유신은 백제를 멸망시키는 데 이바지한 공을 인정받아 대각간이 되었습니다.
벽화로 그릴 장면	예 김유신이 신라의 병사들을 이끌고 백제의 군대와 싸우는 장면을 벽화로 그리고 싶습니다.
완성한 벽화	예 新羅
발표할 내용	예 김유신이 황산벌에서 신라의 병사들을 이끌고 백제의 군대와 싸우는 모습을 담은 '황산벌의 김유신'을 그렸습니다.

확인 톡!톡!

정답과 해설 2쪽

1 고대에는 벽화에 옷, 음식, 집의 모습까지 자세하게 표현했다. (O | X)

2 ( )에 그림을 그리면 고분 벽화와 비슷한 느낌을 낼 수 있다.

3 무용총에 있는 벽화로, 손님을 맞아 식사하는 모습이 담겨 있는 그림은? ( )

즐겁게 정리해요

교과서 35쪽

'나라의 등장과 발전'에서 배운 내용을 떠올리며 다음 문제의 답을 그림에서 찾아 해당 영역을 색칠해 봅시다.

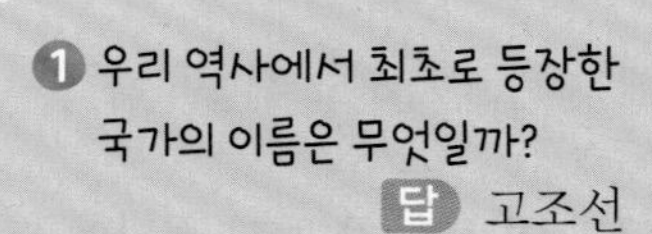

1. 우리 역사에서 최초로 등장한 국가의 이름은 무엇일까?
   답 고조선
2. 백제의 문화유산으로 용이 연꽃 봉오리를 받치고 있는 모습의 향로는 무엇일까?
   답 백제 금동 대향로
3. 삼국이 왕의 권위를 높이기 위해 활용하였던 종교는 무엇일까?
   답 불교
4. 삼국을 통일한 나라의 이름은 무엇일까?
   답 신라
5. 신라인이 경주 토함산에 동굴처럼 만든 절의 이름은 무엇일까?
   답 석굴암
6. 대조영이 세웠으며, 스스로 고구려를 계승하였음을 내세운 나라의 이름은 무엇일까?
   답 발해

핵심 꿀꺽 질문

고조선의 건국 이야기와 성장 과정을 알게 되었나요?

삼국 및 가야의 성장 과정과 문화를 말할 수 있나요?

삼국 통일과 발해의 성장 과정을 설명할 수 있나요?

1 청동기 시대 이후 나타난 사회 변화로 알맞은 것은 어느 것입니까? (　　　)

① 처음으로 농사를 짓기 시작했다.
② 권력을 가진 사람들이 나타났다.
③ 돌로 도구를 만들어 사용하기 시작했다.
④ 마을과 마을 간에 싸우는 일이 없어졌다.
⑤ 지배자가 없어지고 모든 사람이 평등해졌다.

중요
2 ㉠, ㉡에 들어갈 알맞은 인물을 쓰시오.

• [㉠]은/는 바람, 비, 구름을 다스리는 신하와 무리 삼천 명을 이끌고 태백산으로 내려왔다.
• [㉡]은/는 평양성에 도읍을 정하고 (고)조선을 세웠다.

㉠ ______

㉡ ______

3 다음 대화와 관련 있는 나라를 쓰시오.

수빈: 우리 역사상 최초의 국가야.
규현: 『삼국유사』에 건국 과정에 대한 이야기가 실려 있어.

______

4 다음에서 설명하는 문화유산을 쓰시오.

고조선을 대표하는 문화유산으로, 손잡이가 달려 있는 토기이다. 이것은 평안북도 의주군 미송리에서 처음 발견되었다.

______

[5-6] 다음 자료를 읽고, 물음에 답하시오.

고조선의 법 조항
• 사람을 죽인 사람은 사형에 처한다.
• 남에게 상해를 입힌 사람은 돈으로 갚는다.
• 남의 물건을 훔친 사람은 노비로 삼으며, 죄를 면하려면 50만 전을 내야 한다.

5 위의 법 조항 중 잘못된 부분을 찾아 바르게 고쳐 쓰시오.

______

6 위의 법 조항에서 알 수 있는 고조선의 생활 모습으로 알맞지 않은 것은 어느 것입니까?
(　　　)

① 신분제가 있었다.
② 화폐의 개념이 있었다.
③ 도둑질한 사람을 처벌했다.
④ 법을 통해 사회 질서를 유지했다.
⑤ 불교를 바탕으로 나라를 다스렸다.

7 다음에서 설명하는 나라의 문화유산으로 알맞은 것을 보기 에서 모두 골라 기호를 쓰시오.

4세기 무렵에는 근초고왕이 주변 나라를 압박해 영토를 크게 넓혔다.

보기
㉠ 금관총 금관
㉡ 경주 첨성대
㉢ 백제 금동 대향로
㉣ 서산 용현리 마애 여래 삼존상

______

8 **다음 지도에 해당하는 시기의 사실로 알맞은 것은 어느 것입니까?** (　　)

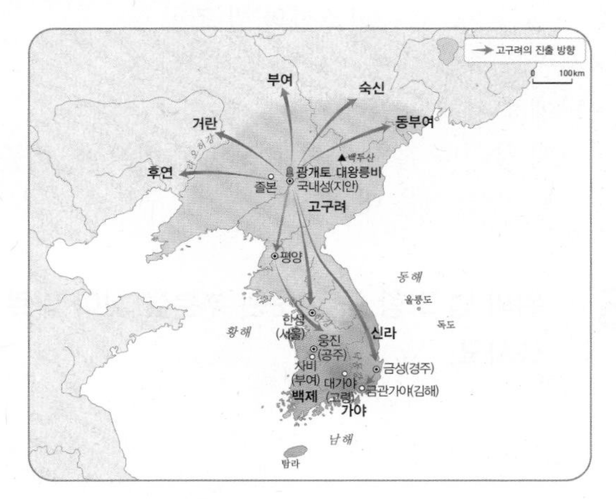

① 고조선이 한에 멸망했다.
② 백제가 한강 지역에 세워졌다.
③ 고구려가 압록강 지역에 세워졌다.
④ 장수왕이 평양으로 도읍을 옮겼다.
⑤ 진흥왕이 고구려와 백제를 공격했다.

9 **빈칸에 공통으로 들어갈 나라를 쓰시오.**

삼국 중 가장 일찍 불교를 받아들인 [　　　] 에서도 불교문화가 발달했다. 현재 [　　　] 의 절은 남아 있지 않으며, 불상으로는 금동 연가 7년명 여래 입상 등이 전해진다.

중요
10 **삼국이 전성기를 맞았을 때 공통으로 차지한 지역은 어느 곳입니까?** (　　)

① 경주 지역　② 요동 지역
③ 한강 지역　④ 낙동강 지역
⑤ 남해안 지역

11 **발달된 철기 문화를 바탕으로 오른쪽 유물을 남긴 나라는 어느 나라입니까?** (　　)

① 백제
② 가야
③ 발해
④ 고구려
⑤ 고조선

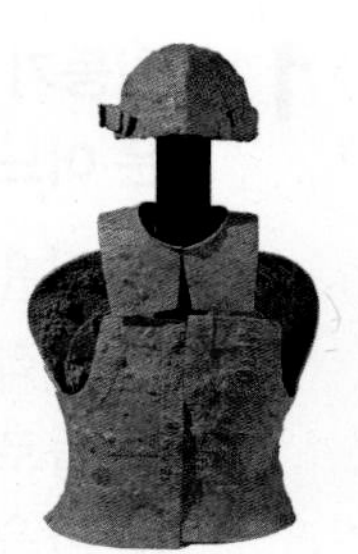
▲ 철제 판갑옷과 투구

12 **다음 문화유산을 남긴 나라의 이름을 쓰시오.**

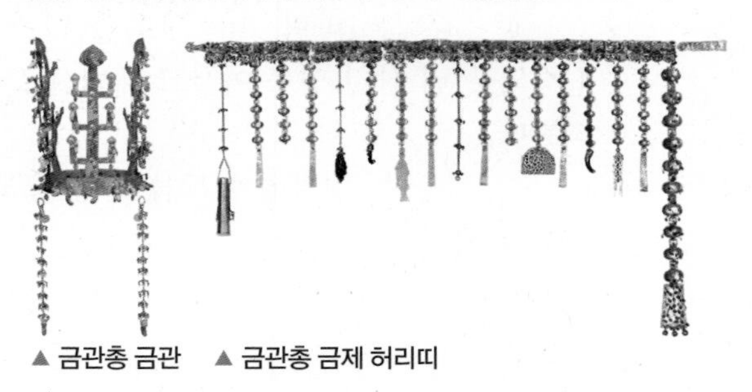
▲ 금관총 금관　▲ 금관총 금제 허리띠

13 **다음 상황에 대한 신라의 대응으로 알맞은 것은 어느 것입니까?** (　　)

① 당과 동맹을 맺었다.
② 도읍을 한강 지역에서 웅진으로 옮겼다.
③ 고구려와 백제를 공격해 영토를 넓혔다.
④ 당의 문물과 말갈의 전통을 받아들였다.
⑤ 고구려 유민과 힘을 합해 당을 몰아냈다.

14 신라의 삼국 통일 과정에 맞게 순서대로 기호를 쓰시오.

㉠ 신라가 당과 동맹을 맺었다.
㉡ 고구려의 평양성이 함락되었다.
㉢ 신라가 당과 전쟁을 벌여 승리했다.
㉣ 신라군이 황산벌에서 백제군을 물리쳤다.

15 다음 통일 신라의 문화유산과 관련 깊은 종교를 쓰시오.

▲ 불국사 청운교와 백운교

16 다른 나라와 관련된 내용을 바르게 선으로 연결하시오.

(1) 신라 • • ㉠ 낙동강 지역에 있던 여러 나라의 연맹으로 시작되었다.

(2) 가야 • • ㉡ 경주 지역의 사로국에서 시작했다.

(3) 발해 • • ㉢ 스스로 고구려를 계승한 나라임을 내세웠다.

워드 클라우드와 함께하는 서술형 문제

[17-18] 워드 클라우드의 단어를 이용하여 서술형 문제의 답을 쓰시오.

고조선 농사 땅 영향 신라 백제 곡식 불교문화 고구려 교류 발해

17 고조선의 건국 이야기에서 밑줄 친 것들을 통해 알 수 있는 내용을 쓰시오.

환웅은 바람, 비, 구름을 다스리는 신하와 무리 삼천 명을 이끌고 내려와 세상을 다스렸다.

18 다음 자료를 보고, 발해 문화의 특징을 두 가지 쓰시오.

▲ 발해 석등

▲ 정효 공주 무덤의 내부

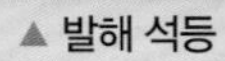

톡톡 튀는 이야기

삼국과 통일 신라의 불교문화 - 불상

고구려, 백제, 신라 모두 불교를 받아들여 불교를 통해 백성들의 마음을 하나로 모았습니다. 또한 불교를 나라의 종교로 삼고 왕의 권위를 높이는 데에도 활용했습니다. 이에 따라 삼국은 많은 절을 짓고 탑, 불상 등을 만들었습니다. 불상은 부처님의 모습을 담은 상입니다. 백성들은 절을 찾아 불상 앞에서 기도하기도 했습니다. 고구려, 백제, 신라의 불상은 어떤 모습을 띠고 있을까요?

백제의 불상

백제의 불상은 고구려의 영향을 받아 발전했습니다. 서산 용현리 마애 여래 삼존상은 가야산 협곡의 절벽에 새겨진 삼존불로, 불상의 최고 걸작으로 꼽힙니다. 온화한 미소가 아름다워 '백제의 미소'라고 불립니다.

공주 의당 금동보살 입상은 백제 불상의 양식을 잘 보여 줍니다. 얼굴이 통통하며 몸과 양팔 사이가 뚫어져 있고, 무릎을 약간 앞으로 내밀고 있는 모습입니다.

▲ 서산 용현리 마애 여래 삼존상

▲ 공주 의당 금동보살 입상

▲ 부여 군수리 석조 여래 좌상

◀ 부여 규암리 금동 관음보살 입상

부여 규암리 금동 관음보살 입상은 높이 21.1cm인 작은 불상입니다. 머리에는 작은 부처가 새겨진 관을 쓰고 있고, 신체는 가늘고 늘씬하게 표현했습니다.

부여 군수리 석조 여래 좌상은 군수리의 백제 절터를 조사할 때 발견한 불상으로, 높은 대좌 위에 앉아 있는 백제 특유의 불상입니다.

고구려의 불상

삼국 중 가장 일찍 불교를 받아들인 고구려에서는 불교와 관련된 문화가 발달했습니다. 금동 연가 7년명 여래 입상은 경상남도 의령에서 출토된 불상으로, 부처를 감싼 뒷면에 글귀가 새겨져 있습니다. 이를 통해 옛 신라 영토에서 출토된 불상이지만 고구려에서 만든 불상임을 알 수 있습니다.

금동 신묘명 삼존불 입상은 황해도 곡산에서 처음 출토되었습니다. '신묘'라는 글씨가 새겨진 세 보살이 서 있는 불상입니다. 전체적인 불상 형태는 금동 연가 7년명 여래 입상의 양식을 계승하고 있습니다.

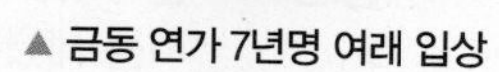
▲ 금동 연가 7년명 여래 입상

▲ 금동 신묘명 삼존불 입상

신라(통일 신라)의 불상

신라는 고구려, 백제에 비해 불교를 늦게 받아들였습니다. 그러나 불교를 받아들인 후 많은 절을 세우고 예술성이 뛰어난 불상, 탑 등을 만들었습니다. 특히 돌을 깎아서 만든 석불과 마애 불상을 많이 만들었습니다.

경주 배동 석조 여래 삼존 입상은 경주 남산 기슭에 흩어져 있던 것을 1923년 지금의 자리에 모아 세웠습니다. 이 석불들은 살찐 뺨과 다정한 얼굴, 푸근한 자태가 특징입니다.

칠불암 마애 불상군은 경주 남산에 조성되어 있는 통일 신라 시대의 대표적인 마애 불상군입니다. 경주 남산 불상군 중 가장 큰 마애 불상이며, 가장 높은 곳에 있습니다.

▲ 경주 배동 석조 여래 삼존 입상

▲ 경주 남산 칠불암 마애 불상군

고려는 언제, 어떻게 세워졌을까요?

보충 ❶

◉ **호족**
신라 말에서 고려 초기에 활동한 지방 세력이다. 이들은 지방에 넓은 토지를 소유하며 큰 권력을 갖고 있었다. 신라 말 호족들은 성주, 장군 등으로 불리며 각 지역을 장악했다. 이후 혼란이 지속되자 농민들과 연합해 새로운 사회 건설에 앞장섰다.

보충 ❷

◉ **왕건과 호족의 관계**
왕건은 호족을 경계하는 한편 이들이 안심할 수 있도록 좋은 관계를 유지했다. 왕건은 호족을 자신의 편으로 만들기 위해 호족의 딸들과 결혼해 스물아홉 명의 부인을 두었다.

❶ 고려의 건국

(1) 신라 말의 상황
① 연이은 ❶자연재해와 왕위 다툼으로 나라가 혼란해졌다.
② 지방에서는 호족이 권력을 키워 갔다. 보충 ❶

(2) 후삼국의 성립
① 후삼국: 신라, 후백제, 후고구려(훗날 고려)
② 후삼국 시대: 후백제, 후고구려가 신라와 ❷경쟁하던 시기이다.
③ 후삼국 시대 주요 인물

견훤	서남 해안을 지키는 군대의 지휘관 출신으로, 후백제를 세웠다.	**궁예**	신라의 왕족 출신으로, 후고구려를 세웠다.
왕건	궁예의 신하가 되어 후고구려의 건국을 도왔다. 이후 궁예를 몰아내고 고려를 세웠다.	**경순왕**	신라의 마지막 왕으로, 935년에 왕건에게 항복하기로 결심하고 나라를 고려에 바쳤다.

(3) 고려의 건국과 후삼국 통일 시험 대비 핵심 자료
① 송악(개성시)의 호족인 왕건은 궁예를 돕다가 그를 몰아내고 고려를 세웠다.

내용+ 왕건은 궁예의 부하가 되어 여러 전투에서 활약해 높은 벼슬에 올랐다. 하지만 궁예가 신하들을 의심하고 죽이며 나라를 난폭하게 다스리자 궁예를 몰아내고 고려를 세웠다.

② 왕건은 이후 많은 호족의 도움으로 신라의 항복을 받고 후백제를 물리치며 후삼국을 통일했다.

내용+ 왕건은 한때 후백제와의 전투에서 패배의 위기를 겪었으나 몇 년 뒤 전투에서는 크게 승리했다. 후백제는 견훤의 자식들 사이에서 왕위 다툼이 일어나 힘이 약해졌다.

(4) 나라 이름을 고려라고 정한 까닭: 고구려의 정신을 계승하겠다는 의지를 앞세웠기 때문이다. 속 시원한 활동 풀이

❷ 태조 왕건의 정책

(1) 태조 왕건: 후삼국을 통일하고 우리 민족을 통합한 고려의 첫 번째 왕이다.
(2) 태조 왕건 청동상: 왕건이 죽은 후에 만들어진 것으로, 고려 시대 내내 신성시되었다.
(3) 태조 왕건의 정책
① 호족과 좋은 관계를 유지하면서도 중앙 정부의 힘을 키워 나갔다. 보충 ❷
② 거란에 멸망한 발해 유민을 받아들였다.

내용+ 발해를 멸망시킨 거란을 적대했고, 발해 유민을 받아들여 옛 고구려의 후손까지 포용했다.

③ 북쪽으로 점차 영토를 넓혀 나갔다.

▲ 태조 왕건 청동상

용어 사전
❶ **자연재해**(自: 스스로 자, 然: 그럴 연, 災: 재난 재, 害: 피해 해): 자연에서 일어나는 재난이나 피해로 가뭄, 홍수, 지진 등을 말한다.
❷ **경쟁**(競: 겨룰 경, 爭: 다툴 쟁): 서로 이기거나 앞서거나 더 큰 이익을 얻기 위해 겨루는 것을 말한다.

시험 대비 핵심 자료

● 고려의 후삼국 통일 과정과 후삼국 통일의 의의

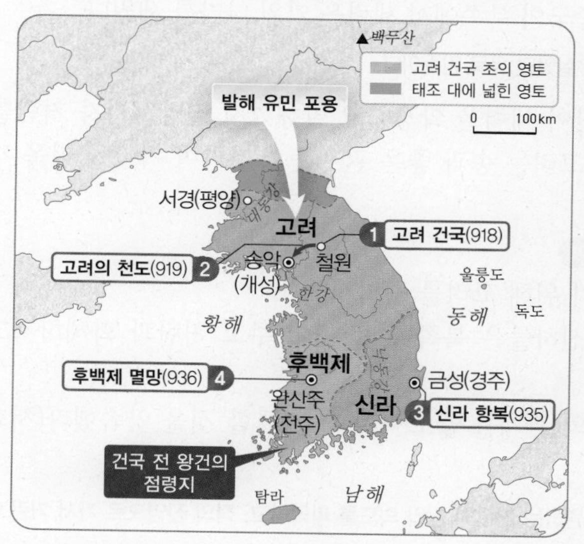

◀ 고려의 후삼국 통일

고려 건국 (918)	궁예가 미륵불을 자처하며 호족을 탄압하자 신하들은 궁예를 몰아내고 왕건을 왕으로 추대했다. 왕건은 나라 이름을 고려로 바꾸었다.
고려의 천도 (919)	송악(개성)의 호족 출신이었던 왕건은 나라의 도읍을 철원에서 송악으로 옮겼다.
신라 항복 (935)	신라의 경순왕은 더 이상 나라를 유지하기 어렵게 되자, 왕건에게 항복하며 스스로 나라를 고려에 넘겼다.
후백제 멸망 (936)	이후 고려는 견훤의 아들(신검)이 이끄는 후백제군과 벌인 전투에서 승리하여 후삼국을 통일했다.

918년에 세워진 고려는 936년에 후삼국으로 분열되었던 우리 민족을 재통일했다. 고려의 후삼국 통일은 다른 나라의 개입 없이 자주적으로 통일을 완성했다는 데 의의가 있다. 그 뿐만 아니라 북쪽으로 영토를 넓히고, 발해 유민을 적극적으로 포용함으로써 통일의 의미가 더욱 두드러졌다.

후삼국 통일 이후 고려 사회 전반에 걸쳐 다양한 요소들이 공존하면서도 소통과 통합이 이루어졌다. 고려는 고구려, 백제, 신라의 다양한 문화를 융합해 개방성과 다양성을 특징으로 하는 새로운 문화의 토대를 마련했다. 또한 신라 말부터 성장해 고려의 새로운 지배층으로 등장한 지방 세력을 포용하기 위해 과거제를 시행하고 관료제를 정비하기도 했다.

속 시원한 활동 풀이

스스로 활동 왕건이 나라의 이름을 '고려'로 정한 까닭을 추측해 봅시다.

예
- 고구려의 정신을 계승하겠다는 의지를 앞세웠기 때문입니다.
- 고구려의 옛 땅에 나라를 세웠기 때문입니다.

확인 톡!톡!

정답과 해설 4쪽

1 견훤은 (후백제 / 후고구려)를 세웠다.

2 송악의 호족 출신으로, 궁예를 돕다가 그를 몰아내고 고려를 세운 사람은? (　　　　)

3 나라 이름이 '고려'인 까닭은 고려가 (　　　　)의 정신을 계승하겠다는 의지를 앞세웠기 때문이다.

고려는 주변 나라와 어떻게 지냈을까요?

1 거란의 침입과 극복 과정

(1) 거란의 성립: 당이 멸망한 이후 중국의 북쪽에서 세력을 키워 나라를 세웠다.

내용+ 거란족은 원래 중국 북쪽 지역에서 살았던 유목 민족이다.

(2) 고려와 거란의 관계: 고려는 거란이 세력을 확장하고 발해까지 멸망시키자 거란을 경계했고, 이후 송이 건국되자 고려는 송과 좋은 관계를 유지하며 거란을 더욱 경계했다.

(3) 거란의 1차 침입 (속 시원한 활동 풀이)

① 거란은 고려와 송의 관계를 끊기 위해 고려를 침입했다.

② 거란이 침입하자 고려의 일부 신하들은 북쪽 땅을 내어 주고 거란과 화해하자고 주장했다.

③ 서희는 거란 장수를 만나 송과의 관계를 끊고 거란과 교류할 것을 약속했다(서희의 ❶담판).

내용+ 서희는 고려와 송의 관계를 끊기 원하는 거란의 침입 의도를 파악하고, 적의 진영으로 가서 거란 장수 소손녕과 담판을 벌였다.

④ 거란의 군사가 물러갔고, 고려는 압록강 동쪽의 강동 6주를 확보했다.

(4) 거란의 2차 침입: 고려는 거란의 침입을 받아 한때 개경을 빼앗기는 어려움을 겪었다.

내용+ 고려는 돌아가는 거란군을 끈질지게 공격해 많은 피해를 주었다.

(5) 거란의 3차 침입 보충 ❶, ❷

① 강감찬은 성을 수리하며 군사를 훈련하는 등 거란의 침입에 대비를 했다.

② 거란의 공격에 대비한 고려가 곳곳에서 승리를 거두었다.

③ 강감찬이 이끌던 고려군은 후퇴하던 거란군을 ❷추격해 귀주에서 크게 물리쳤다(귀주 대첩).

2 10~12세기 초 고려와 주변 나라들의 관계

(1) 고려의 대외 관계

거란	고려와 거란은 전쟁을 치렀으나 좋은 관계를 맺고 매년 서로 사신을 파견했다.
여진	고려의 북쪽에 살던 여진은 점차 힘을 키워 금을 세우고 거란을 멸망시켰다. 고려와 여진은 갈등을 빚었으나 곧 관계를 회복해 서로 사신을 보내는 등 좋은 사이를 유지했다.
송	고려는 송과도 활발하게 교류했으며 고려와 송 사이에는 사신뿐만 아니라 상인들도 자주 오갔다.

(2) 고려의 대외 관계를 보여 주는 문화유산 (시험 대비 핵심 자료) 보충 ❸

① 고려의 먹과 벼루 등의 물건은 송에서 큰 인기를 끌었다.

② 거란 글자가 새겨진 거울을 통해 거란과의 교류를 추측할 수 있다.

③ 바다를 건너는 배가 그려진 청동 거울을 통해 고려가 바닷길로도 외국과 문물을 주고받은 것을 알 수 있다.

보충 ❶

◉ **강감찬**

장군으로 더 알려져 있지만 글공부를 해 과거에 급제한 문신이었다. 거란의 2차 침입 때는 왕을 피란시키는 공을 세웠고, 거란의 3차 침입 때는 70세의 나이로 고려군을 총지휘했다.

보충 ❷

◉ **귀주 대첩 이후 고려와 거란의 관계**

- 귀주 대첩 이후 거란은 다시는 고려를 침입하지 않았고, 고려와 거란은 평화로운 관계를 유지했다.
- 귀주 대첩 직후 세워진 현화사비는 거란이 여러 번 사신을 보내 화해를 요청했다는 내용이 새겨져 있다.

보충 ❸

◉ **벽란도**

황해도 예성강 근처에 있는 나루로, 외국의 사신과 상인들이 자주 드나들던 고려의 국제 무역항이었다. 벽란도를 다녀간 아라비아 상인들에 의해 고려는 '코리아'라는 이름으로 세상에 알려졌다.

용어 사전

❶ **담판**(談: 말씀 담, 判: 판단할 판): 어떤 일에 관한 결말을 짓기 위해 상대방과 서로 논의하는 것을 말한다.

❷ **추격**(追: 쫓을 추, 擊: 칠 격): 뒤떨어진 쪽이 앞선 쪽을 쫓아가며 공격하는 것을 말한다.

공부한 날 월 일

시험 대비 핵심 자료

● 고려의 대외 관계를 보여 주는 문화유산

 ▲ 고려의 먹(좌)과 청자 상감 벼루(우)	 ▲ 거란 글자가 새겨진 거울	 ▲ 바다를 건너는 배가 그려진 청동 거울
고려의 먹과 벼루 등은 송에서 최고의 상품으로 인정받았다. 벼루는 보통 돌로 만들지만 드물게 청자로 만들기도 했다.	거란 글자가 일곱 줄에 걸쳐 새겨져 있다. 거란과의 교류를 통해 고려에 들어온 것으로 추정된다.	무역선을 나타낸 것으로 보아 고려가 바닷길을 이용해 외국과 활발히 교류했음을 알 수 있다.

속 시원한 활동 풀이

스스로 활동 서희와 거란 장수의 대화를 보고 고려가 고구려의 후예라고 주장한 근거를 찾아 밑줄을 그어 봅시다.

거란 장수: 너희 고려는 신라 땅에서 일어났고, 고구려의 옛 땅은 우리 거란의 영토인데 고려가 침범하였다.
서희: 아니다. 우리나라는 고구려의 옛 땅에 있기 때문에 나라 이름을 고려라고 하였다.
거란 장수: 너희 고려는 우리 거란과 국경을 맞대고 있다. 그런데 왜 바다 건너 송을 섬기는가?
서희: 압록강 안팎도 고려 땅인데 여진이 그곳을 차지하고 길을 막고 있다. 여진을 몰아내고 우리가 그 땅을 가질 수 있다면 거란과도 교류할 수 있다.

잠깐! 확인해요

귀주 대첩 이후 고려는 다시 거란의 침입을 받았다. (O | X) (X)

확인 톡!톡!

정답과 해설 4쪽

1 거란이 침입하자 서희가 거란 장수를 만나 협상해 확보한 지역은? ( )

2 강감찬이 이끌던 고려군은 후퇴하던 거란군을 추격해 ( )에서 크게 물리쳤다.

3 고려의 먹과 벼루는 송에서 큰 인기를 끌었다. (O | X)

고려는 몽골과 어떤 관계를 맺었을까요?

1 몽골의 침입과 극복 과정

(1) 몽골의 성장: 중국 북쪽에서 유목 생활을 하던 몽골은 칭기즈 칸 때 부족을 통합하고 점차 주변으로 세력을 넓혀 나갔다.

(2) 고려와 몽골의 관계: 몽골은 세력이 강해지면서 고려에도 많은 물자를 바칠 것을 무리하게 요구했다.

(3) 몽골의 침입과 고려의 대응 시험 대비 핵심 자료 속 시원한 활동 풀이

① 고려에 온 몽골 ❶사신이 돌아가는 길에 죽자, 몽골은 이를 구실로 고려를 쳐들어왔다(몽골의 1차 침입).

② 몽골의 1차 침입 이후 고려의 최씨 무신 정권은 강화도로 도읍을 옮기고 몽골과 맞서 싸웠다. 보충 ❶

③ 강화 천도 이후 육지에 남은 백성들은 힘을 합쳐 귀주성, 처인성, 충주성 등에서 몽골군을 물리쳤다. 이때 김윤후가 처인성에서 크게 활약했다.

④ 대장경판이 불타 버리자 불교의 힘으로 몽골군을 물리치고자 팔만대장경판을 다시 새겼다.

(4) 고려의 개경 환도: 고려의 태자가 직접 몽골에 가서 ❷강화를 요청하며 전쟁은 끝났다. 그 후 고려 정부는 개경으로 돌아왔다.

내용+ 삼별초라 불리는 일부 군인들은 개경으로 돌아가는 것에 반발했다. 삼별초는 근거지를 진도와 탐라(제주도)로 옮겨 가며 고려 정부와 몽골에 끝까지 저항했으나 결국 실패했다.

2 전쟁 이후 고려와 몽골의 관계

(1) 고려가 입은 전쟁의 피해

① 오랜 전쟁으로 고려 국토가 황폐해졌다.

② 수많은 사람이 죽거나 몽골에 포로로 끌려갔다.

③ 황룡사 9층 목탑 등의 문화유산이 파괴되었다.

내용+ 황룡사는 몽골 침입으로 불에 타 오늘날 절 터와 탑 터만 남아 있다.

(2) 전쟁 이후 고려와 몽골의 교류

① 전쟁이 끝난 후 약 100년 동안 고려는 몽골로부터 정치적으로 많은 영향을 받았으며, 고려의 왕은 몽골 황실의 여성과 결혼했다.

② 고려와 몽골의 관료, 승려, 상인 등은 두 나라를 오가며 교류했다.

③ 두 나라는 문화적으로 교류하며 가깝게 지내면서 고려 사람들은 세계 곳곳의 다양한 물건과 정보 등을 접할 수 있었다. 보충 ❷

내용+ 전쟁 이후 고려에는 몽골식 옷이나 머리 모양이 유행했고, 몽골에는 고려의 의복, 만두, 떡 등이 전해져 유행했다.

▲「천산대렵도」 공민왕이 그린 것으로 전해지는 수렵도로, 몽골식 머리 모양과 옷차림을 하고 있는 모습을 알 수 있다.

보충 ❶

◉ **고려가 강화도로 도읍을 옮긴 까닭**

몽골군은 배를 만드는 일이나 바다에서 하는 싸움에 약했다. 강화도는 육지와 가까운 섬이지만 물살이 빠르고 갯벌이 넓어 배의 진입이 어려웠기 때문에 적의 침입을 방어하는 데 유리했다.

보충 ❷

◉ **「혼일강리역대국도지도」**

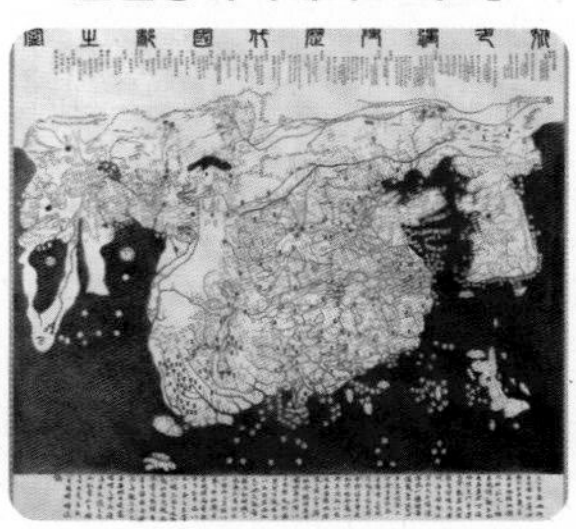

고려가 멸망하고 얼마 지나지 않아 만들어진 지도이다. 고려가 중국과 교류하며 확보한 아시아와 유럽 등의 지리 정보를 바탕으로 조선 시대에 제작되었다.

용어 사전

❶ **사신**(使: 보낼 사, 臣: 신하 신): 국가나 왕의 명령으로 다른 나라에 가는 신하를 말한다.

❷ **강화**(講: 화해할 강, 和: 화해할 화): 나라 간 싸움을 그만두고 서로 화해하는 것을 말한다.

시험 대비 핵심 자료

몽골의 침입과 항쟁

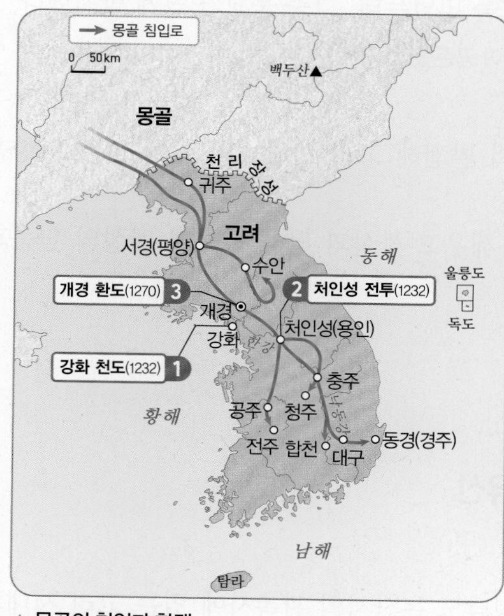

▲ 몽골의 침입과 항쟁

몽골의 침입	고려에 온 몽골 사신 저고여가 몽골로 돌아가는 길에 죽자, 몽골은 이를 이유로 고려를 침입했다(몽골의 1차 침입).
고려의 항쟁과 개경 환도	• 강화 천도: 몽골의 1차 침입 이후 최씨 무신 정권은 도읍을 개경에서 강화도로 옮기고 몽골군과 싸웠다. • 몽골과의 전투: 고려군은 주로 산성이나 섬으로 들어가 몽골군과 맞서 싸웠으며, 귀주성, 처인성, 충주성 등에서 몽골군을 물리쳤다. • 고려의 피해: 오랜 전쟁으로 국토가 황폐해졌고, 수많은 사람이 죽거나 몽골에 포로로 끌려갔다. • 개경 환도: 육지에서 입은 피해가 커지자 더 이상 전쟁을 지속하기 어려워 고려의 태자가 전쟁을 멈추는 조건으로 몽골과 강화를 맺었다. 그 후 고려 정부는 강화도에서 개경으로 돌아왔다.
몽골 침입의 결과	고려는 몽골의 간섭을 받았지만, 끈질긴 항쟁과 외교적 노력으로 나라를 유지하고 고유의 문화를 지킬 수 있었다.

속 시원한 활동 풀이

다 함께 활동 고려와 몽골의 전쟁을 살펴보고 고려가 어떻게 몽골의 침입으로부터 나라를 지킬 수 있었는지 친구들과 이야기해 봅시다.

예
- 고려가 도읍을 강화도로 옮겼기 때문입니다. 몽골군은 기병 중심으로 구성되어 바다에서의 싸움에 익숙하지 않았습니다.
- 육지에 남은 백성들이 힘을 합쳐 몽골군을 물리쳤기 때문입니다. 김윤후와 백성들이 스스로 처인성을 지키기도 했습니다.
- 고려의 태자가 직접 몽골에 가서 강화를 요청하며 전쟁이 끝날 수 있었습니다. 그 후 고려 정부는 강화도에서 개경으로 돌아왔습니다.

잠깐! 확인해요

고려는 전쟁 이후 몽골과 활발히 교류하며 문화를 발전시켰다. (O | X) (O)

확인 톡!톡!

정답과 해설 4쪽

1 몽골의 1차 침입 이후 고려가 몽골에 맞서 싸우기 위해 도읍을 옮긴 지역은? ( )

2 ( )은/는 백성들과 함께 처인성에서 몽골군을 물리쳤다.

3 몽골의 침입으로 황룡사 9층 목탑이 불타는 피해를 입었다. (O | X)

고려의 불교문화를 대표하는 문화유산을 살펴볼까요?

❶ 고려의 불교문화

(1) 고려의 종교: 고려 사람들은 다양한 종교를 믿었는데, 그중 불교가 크게 발전했다.

내용+ 고려 초에는 불교, 풍수 지리 등 다양한 사상이 공존했다.

(2) 불교문화의 ❶융성

① 불교는 왕실의 보호와 지원을 받으면서 발전해 고려 사람들의 삶에 많은 영향을 미쳤다.

② 고려 왕실과 지방 세력은 곳곳에 절을 세우고 불상과 탑을 만들어 백성의 믿음과 존경심을 얻고자 했다. 보충 ❶, ❷

보충 ❶

◉ **고려 왕실의 불교 지원**

태조 왕건은 후대 왕들에게 전하고자 하는 내용을 「훈요 10조」에 담았다. 그는 불교를 장려하고 유교 경전을 공부해 나라를 잘 다스릴 것을 당부했다.

보충 ❷

◉ **보조국사 지눌**

불교가 왕실이나 귀족의 지원을 받는 과정에서 대토지를 소유하고 세속화되는 승려들이 많아졌다. 이에 지눌은 불교계의 타락을 비판하며 최씨 무신 정권기에 불교의 개혁을 시도했다.

❷ 고려의 불교문화를 대표하는 문화유산

(1) 유형 문화유산 시험 대비 핵심 자료

① 논산 관촉사 석조 미륵보살 입상: 충청남도 논산시의 관촉사에 있는 고려 시대의 불상이다. 높이가 약 18m에 달하는 크기와 거대하고 과장된 몸이 특징이다.

② 평창 월정사 팔각 구층 석탑: 강원도 평창군의 월정사에 있는 고려 시대의 석탑이다. 다각 다층탑으로 만들어졌다.

내용+ 당시 불교문화 특유의 화려하고 귀족적인 모습을 잘 보여 주고 있다.

③ 영주 부석사 무량수전: 경상북도 영주시의 부석사에 있는 고려 시대의 목조 건물이다. 장식적인 요소가 적으면서 목조 건축의 비례미를 잘 보여 주는 건물로 평가받는다.

내용+ 무량수전은 우리나라에 얼마 남아 있지 않은 고려 시대의 목조 건축물 중 하나로, 고려 시대 불교 건축물을 연구하는 데 중요한 문화유산이다.

(2) 무형 문화유산

① 연등회: 이른 봄에 열린 행사로, 연등회가 열리면 사람들은 곳곳에 등불을 밝혀 한 해의 농사가 잘되고 부처의 가르침이 널리 퍼지기를 기원했다.

내용+ 오늘날에도 부처님이 오신 날을 기념해 연등 행사가 열린다.

② 팔관회: ❷추수가 끝난 후인 음력 11월에 열리는 국가 행사로, 부처와 고려를 지켜 주는 신들에게 나라의 안녕을 빌기 위해 열렸다. 개경에서 팔관회가 열리면 지방의 관리와 다른 나라 사람들이 찾아와 왕에게 축하 인사를 올렸다.

▲ 팔관회(상상도)

내용+ 팔관회가 열리면 불교 의식뿐만 아니라 토속신에 대한 제사, 고려의 안녕을 기원하는 행사가 함께 진행되었다.

용어 사전

❶ **융성**(隆: 높을 융, 盛: 성할 성): 크게 번성하는 것을 말한다.

❷ **추수**(秋: 가을 추, 收: 거둘 수): 가을에 익은 곡식을 거두어들이는 것을 말한다.

시험 대비 핵심 자료

● 고려의 불교 문화유산

 ▲ 논산 관촉사 석조 미륵보살 입상	 ▲ 평창 월정사 팔각 구층 석탑	 ▲ 영주 부석사 무량수전
우리나라에서 가장 큰 석불 입상이다. 고려의 불상은 크고 인체 비례가 잘 맞지 않는 점이 특징이다.	고려 중기 다각 다층탑으로 만든 대표적인 탑이다. 지붕돌에 풍경이 달려 있는 것이 특징이다.	무량수전은 부석사의 중심 건물이다. 지붕 처마를 받치기 위해 장식한 공포(구조)를 간결하게 기둥 위에만 배열한 주심포 양식의 기본 수법을 잘 보여 준다.

속 시원한 활동 풀이

스스로 활동 불교문화가 고려 사람들의 생활에 미친 영향이 드러나는 가상 일기를 써 봅시다.

예
- 오늘은 가족들과 함께 절에 다녀왔습니다. 왕실이 후원하는 불교 행사가 열린다고 해서 절에는 많은 사람이 모여 있었습니다. 절에 세워진 큰 불상을 보며 동생과 함께 소원을 빌었고 멋진 석탑을 구경하기도 하며 재미있는 시간을 보냈습니다.
- 어제 어머니와 지역에서 제일 큰 불상에 소원을 빌고 오느라고 늦잠을 잤습니다. 어머니의 심부름을 하기 위해 동생과 함께 거리에 나가니 우리와 다른 복장을 한 외국 사람들이 많이 있었습니다. 곧 팔관회가 열리기 때문입니다. 밤늦도록 재미있는 놀이를 할 수 있는 팔관회가 정말 기대됩니다.

잠깐! 확인해요

고려는 연등회, 팔관회와 같은 불교 행사를 크게 열었다. (O | X) (O)

확인 톡!톡!

정답과 해설 4쪽

1 논산 관촉사 석조 미륵보살 입상은 거대하고 과장된 몸이 특징인 불상이다. (O | X)

2 (   )은/는 등불을 밝혀 한 해의 농사가 잘되고 부처의 가르침이 널리 퍼지기를 기원하는 행사이다.

3 부처와 고려를 지켜 주는 신들에게 나라의 안녕을 빌기 위해 열린 행사는? (   )

고려의 인쇄 기술을 알 수 있는 문화유산을 살펴볼까요?

보충 ❶

◉ **합천 해인사 장경판전**

조선 시대에 팔만대장경판을 보관하기 위해 지었다. 장경판전은 안쪽 바닥 속에 숯, 횟가루, 소금, 모래를 넣고 바람이 통하도록 창을 내어 습도를 조절할 수 있도록 과학적으로 설계되었다.

보충 ❷

◉ **금속 활자본의 특징**

금속 활자로 인쇄한 글자는 목판으로 인쇄한 것보다 먹의 색이 진하지 않았다. 또한 금속 활자로 인쇄하는 과정에서 활자가 거꾸로 들어가는 경우도 발생했다.

❶ 목판 인쇄술의 발달

(1) 목판 인쇄: 나무판에 글자를 새겨 먹을 칠하고 종이를 덮어 찍는 인쇄 방법이다.

(2) 팔만대장경 (시험 대비 핵심 자료) 보충 ❶

① 몽골의 침입으로 대장경(『초조대장경』)이 불에 타 버리자 부처의 힘으로 몽골을 물리치고자 『팔만대장경』을 만들었다.

내용+ 고려는 몽골 침입 이전에 이미 대장경(초조대장경)을 만들었다. 몽골의 침입으로 초조대장경이 불에 타 없어지자 대장경을 다시 만들었는데 이를 팔만대장경이라고 한다.

② 승려들과 백성이 십여 년에 걸쳐 완성한 『팔만대장경』은 목판이 8만여 장에 달하지만, 글자가 고르고 틀린 글자도 거의 없다.

③ 오늘날까지 전해지는 대장경 가운데 가장 완성도가 높다.

내용+ 고려의 불교문화 수준이 높았고, 불교가 고려 사회에 많은 영향을 미쳤다는 것을 알 수 있다.

④ 불교 ❶경전을 정리한 대장경의 목판본을 만들면서 인쇄 기술이 최고 수준에 이르렀다.

(3) 팔만대장경판의 우수성

① 고려의 목판 제조술, 조각술, 인쇄술 등이 매우 뛰어났음을 알 수 있다.

② 오늘날 팔만대장경판은 유네스코 세계 기록 유산으로 등재되었고, 이를 보관하는 장경판전도 유네스코 세계 유산으로 등재되었다.

❷ 금속 활자 인쇄술의 발달

(1) 금속 활자 인쇄: 납, 구리 등의 금속으로 만든 ❷활자로 인쇄하는 방법이다. 보충 ❷

(2) 금속 활자 인쇄술

① 장점: 금속 활자는 필요한 글자를 조합해 활자판을 짰기 때문에 여러 종류의 책을 인쇄할 수 있었고, 금속으로 만들어져 쉽게 ❸마모되지 않고 보관이 쉬웠다.

② 필요한 기술: 높은 온도에서 금속을 다루는 기술, 활자를 판에 고정하는 기술, 금속 활자 인쇄에 맞는 먹과 종이를 만드는 기술 등이 발달해야 했다.

내용+ 금속에는 먹이 고르게 묻지 않을 수 있기 때문에 금속 활자를 인쇄하기에 적합한 먹을 연구해야 했다. 또한 금속의 날카로운 면에 종이가 찢어질 수 있기 때문에 질기고 강한 종이가 필요했다.

③ 당시 금속 활자 인쇄는 목판 인쇄만큼 깨끗하지 않고 기술이 부족했지만, 조선 시대로 이어져 크게 발전했다.

(3) 『직지』 (시험 대비 핵심 자료)

① 오늘날 전해지는 금속 활자 인쇄본 중 가장 오래된 것이다.

② 불교 경전의 내용과 승려들의 글 등을 모은 책으로 원래 상, 하 두 권인데 현재 하 권만 전해진다.

③ 유네스코 세계 기록 유산으로 등재되어 있다.

내용+ 『직지』는 1377년 청주 흥덕사에서 인쇄한 책으로, 유럽 최초의 금속 활자 인쇄본보다 70여 년 이상 앞서 제작되었다. 현재 프랑스 국립 도서관에 보관되어 있다.

용어 사전

❶ **경전**(經: 불경 경, 典: 법 전): 종교의 교리를 적은 글이다.

❷ **활자**(活: 살 활, 字: 글자 자): 활판을 짜기 위해 낱낱이 떼어 만든 글자이다.

❸ **마모**(摩: 갈 마, 耗: 줄 모): 마찰로 닳아 없어지거나 무디어지는 것을 말한다.

● 목판 인쇄술과 금속 활자 인쇄술의 비교

▲ 팔만대장경판

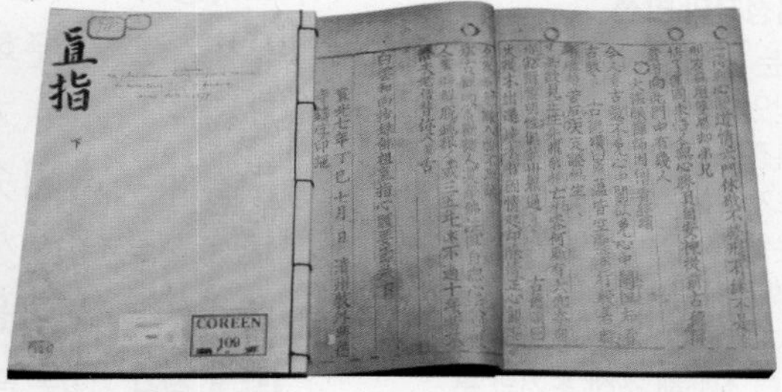
▲ 『직지』(복원)

목판 인쇄술	금속 활자 인쇄술
• 장점: 나무에 글씨를 새긴 후 종이에 찍어 내는 기술로, 하나의 판에 글씨를 새겨 여러 장의 인쇄물을 찍어 낼 수 있다. • 단점: 나무판에 글자를 조각해 찍어 내기 때문에 한 권의 책을 편찬하는 데 많은 시간과 비용이 필요했으며, 갈라지거나 휘는 나무의 성질 때문에 목판을 보관하기 어려웠다.	• 장점: 필요한 글자를 조합해 활자판을 짰기 때문에 여러 종류의 책을 인쇄하는 데 효율적이며, 쉽게 닳아서 없어지지 않고 보관이 쉬웠다. • 단점: 활자를 판에 끼우는 과정에서 전후좌우가 뒤바뀌어 들어가는 경우가 있다.

속 시원한 활동 풀이

스스로 활동 팔만대장경판과 『직지』가 유네스코 세계 기록 유산이 된 까닭을 조사하여 발표해 봅시다.

예
- 팔만대장경판이 유네스코 세계 기록 유산이 된 까닭은 목판이 8만여 장에 달하지만, 글자가 고르고 틀린 글자도 거의 없을 정도로 우수한 문화유산이기 때문입니다.
- 팔만대장경판이 유네스코 세계 기록 유산이 된 까닭은 세계적으로 유일하게 현재까지 전해지는 대장경판으로서 목판 인쇄술의 우수성을 보여 주기 때문입니다.
- 『직지』가 유네스코 세계 기록 유산이 된 까닭은 현재 전해지는 금속 활자 인쇄본 중에서 가장 오래된 것이기 때문입니다.
- 『직지』가 유네스코 세계 기록 유산이 된 까닭은 세계적 중요성, 고유성, 대체 불가능성을 갖추었기 때문입니다.

잠깐! 확인해요

남아 있는 금속 활자 인쇄본 중 가장 오래된 것은 『직지』이다. (O | X) (O)

정답과 해설 4쪽

1 팔만대장경판을 만들면서 (목판 인쇄술 / 금속 인쇄술)이 최고 수준에 이르렀다.

2 목판 인쇄술을 활용하면 필요한 글자를 조합해 활자판을 짜고 여러 종류의 책을 인쇄할 수 있다. (O | X)

3 팔만대장경판과 『직지』는 그 가치가 인정되어 유네스코 ( )(으)로 등재되었다.

고려의 공예 기술을 알 수 있는 고려청자를 살펴볼까요?

1 고려청자

(1) 고려청자의 특징

① 청자는 고려 문화를 대표하는 예술품이다.

② 청자를 만드는 기술은 ❶본래 중국에서 들어왔기 때문에 처음에는 모양과 무늬가 중국의 것과 비슷한 청자가 많이 만들어졌다. 보충 ❶

③ 고려 사람들은 시간이 지나면서 굽는 방법, 빛깔, 형태, 무늬를 발전시켰다.

④ 상감 기법을 적용해 독창적인 고려청자를 만들었다.

내용+ 상감 기법은 금속, 도자기 등의 표면에 무늬를 그려서 무늬 부분만 파낸 뒤 그 속에 다른 재료를 박아 넣는 기법이다.

⑤ 오늘날에는 기법, 무늬 종류, 그릇 종류 순서로 청자에 이름을 붙인다. 예 청자 상감 운학무늬 매병, 청자 상감 모란무늬 표주박 모양 주전자 등

(2) 고려청자를 만들 때 필요한 기술

① 청자를 만드는 데 적합한 흙이 있어야 했다.

② 청자를 구울 때 높은 온도를 일정하게 유지하는 가마를 만드는 기술, 불을 다루는 기술, ❷광택을 내고 단단하게 하는 유약을 만드는 기술 등이 뛰어나야 했다.

내용+ 이러한 기술 발달로 청자는 광택이 나고 표면이 매끄럽다. 또한 물을 흡수하지 않아 물이나 국 등을 담기에 좋고, 썩거나 녹슬지 않는 우수성이 있다.

보충 ❶

◉ **고려청자의 발전**

초기에는 중국 도자기의 영향을 많이 받았으나 12세기부터 고려만의 특징을 나타내기 시작했다. 특히 도자기에 상감 기법을 적용한 것은 중국이나 일본에서도 없는 우리만의 독특한 기법이다. 고려청자는 1231년 몽골의 침입 이후부터 쇠퇴해 조선 초기의 분청사기로 계승되었다.

보충 ❷

◉ **문화유산을 지키려고 노력한 간송 전형필**

간송 전형필은 일제 강점기에 문화유산을 수집하고 일본으로 흘러 들어간 문화유산을 되찾아 오는 데 많은 노력을 쏟았다. 국보인 청자 상감 운학무늬 매병은 그가 지켜 낸 대표적 문화유산이다.

2 고려청자를 통해 알 수 있는 당시 사람들의 생활 모습

(1) 다양한 고려청자: 고려청자는 방수성이 뛰어나고 색과 무늬가 아름다워 다양한 용도로 쓰였다. 시험 대비 핵심 자료 보충 ❷

(2) 고려청자의 쓰임새 속 시원한 활동 풀이

① 고려청자는 만들기 어렵고 귀한 물건이었기 때문에 주로 지배층이 사용했다.

② 당시 지배층은 차나 술을 마실 때, 글을 쓰거나 그림을 그릴 때, 그리고 잔칫상이나 제사상을 차릴 때도 청자를 활용했다.

내용+ 고려청자는 찻잔, 접시, 항아리, 주전자뿐만 아니라 베개, 기와, 의자, 향로, 벼루, 연적 등을 만들었다. 이를 통해 당시 귀족들의 화려한 문화를 엿볼 수 있다.

▲ 청자 상감 모란무늬 표주박 모양 주전자

▲ 청자 모자 원숭이 모양 연적

▲ 청자 상감 모란 운학무늬 베개

용어 사전

❶ **본래**(本: 근본 본, 來: 올 래): 변한 물건의 처음 바탕이다.

❷ **광택**(光: 빛 광, 澤: 윤택할 택): 빛의 반사에 의해 겉에 번쩍이는 윤기를 말한다.

시험 대비 핵심 자료

● 고려청자와 상감 기법

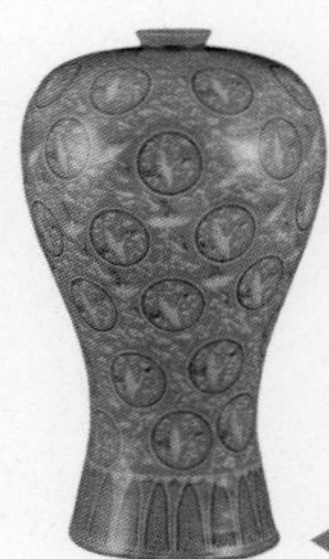
◀ 청자 상감 운학무늬 매병

고려청자는 11세기 말부터 크게 발달했다. 시간이 흘러 상감 기법으로 만든 청자가 만들어졌다. 청색의 도자기에 섬세하고 정교하게 새긴 무늬는 다른 나라 도자기에서 찾아볼 수 없는 아름다움을 지니고 있다. 상감 기법은 금속이나 자기의 표면에 여러 가지 무늬를 새겨서 그 속에 같은 모양의 금, 은, 보석, 뼈, 자개 따위를 박아 넣는 것으로, 우리나라에서는 상감 청자와 나전 칠기에서 크게 발달했다. 상감 기법으로 만든 대표적 사례인 청자 상감 운학무늬 매병은 현재 국보로 지정되어 있으며, 간송 미술관에서 소장하고 있다.

속 시원한 활동 풀이

다 함께 활동 **1** 그림을 참고하여 고려 사람들이 청자를 어떻게 사용하였는지 친구들과 이야기해 봅시다.

		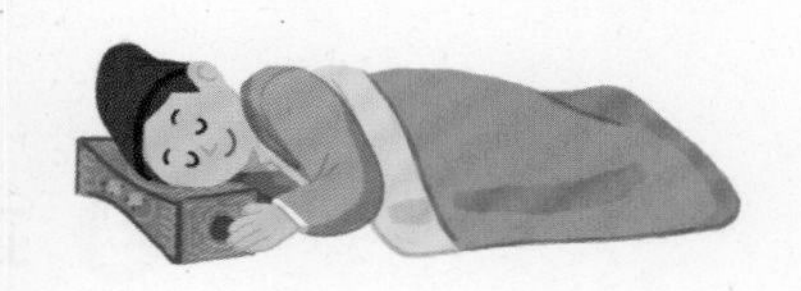
예 차를 마실 때 주전자로 사용했을 것입니다.	예 벼루에 물을 붓는 연적으로 사용했을 것입니다.	예 낮잠을 잘 때 베개로 사용했을 것입니다.

2 붙임 ③에서 청자를 하나 골라 붙이고, 그 쓰임새를 상상하여 그림이나 글로 표현해 봅시다.

예
- 고려 사람들은 청자를 의자로 사용했을 것입니다.
- 고려 사람들은 청자를 변기로 사용했을 것입니다.
- 고려 사람들은 청자를 향을 피우는 데 사용했을 것입니다.

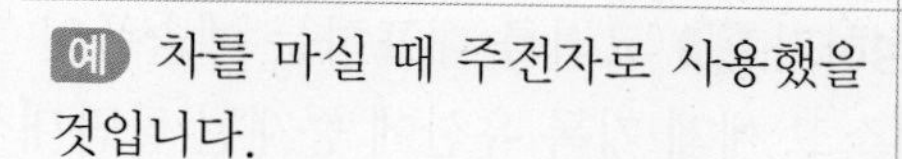

고려청자는 고려 시대에 일반 백성이 주로 사용하였다. (O | X) (X)

정답과 해설 4쪽

1 초기에는 모양과 무늬가 (중국 / 일본)의 것과 비슷한 청자가 많이 만들어졌다.

2 고려청자를 만들 때 활용한 기술로, 표면에 무늬를 새겨서 그 속에 다른 재료를 박아 넣는 기법은? ( )

3 고려청자는 만들기가 쉬운 물건이었다. (O | X)

고려의 역사를 인쇄물로 소개해 볼까요?

❶ 고려 인쇄 기술의 발전과 특징

(1) 고려의 인쇄 기술: 목판 인쇄와 금속 활자 인쇄가 크게 발전했다.

(2) 고려의 인쇄 기술의 특징

① 인쇄 기술을 활용하면 같은 내용을 여러 번 쉽게 찍을 수 있었다.

② 금속 활자 인쇄는 필요한 글자를 만들어 조합할 수 있었다.

❷ 고려의 역사를 인쇄물로 나타내는 방법

❶ 모둠 친구들과 의논해 소개하고 싶은 고려의 인물이나 문화유산을 정한다.

❷ 각자 활자로 만들 글자나 기호를 정한 뒤, 지우개에 밑그림을 반대로 그려 본다.

❸ 밑그림을 따라 조각칼로 글자나 기호를 새긴 후, 각자 만든 활자를 조합해 활자판을 만든다.

❹ 활자판의 단면에 먹 또는 물감을 묻혀 종이에 찍고, 그림을 그려서 꾸민다.

❺ 완성한 인쇄물을 친구들에게 나누어 주며 그것을 소개하고 싶은 까닭을 설명한다.

❸ 고려의 역사를 인쇄물로 소개하는 활동 (속 시원한 활동 풀이)

(1) 고려 인쇄 기술의 특징 살펴보기 예 팔만대장경판, 『직지』 활자판 등 보충 ❶

(2) 인쇄물에서 다룰 고려의 인물이나 문화유산 정하기 예 고려를 대표하는 예술품인 고려청자, ❶협상으로 나라를 지킨 서희, 유네스코 세계 기록 유산에 등재된 팔만대장경판, 백성과 함께 나라를 지킨 김윤후 등

(3) 인쇄물로 새길 글자나 기호를 정해 기호를 새긴 후 활자판 만들기 예 '고려청자', '서희', '팔만대장경판', '김윤후' 등

(4) 활자판을 종이에 찍고 인쇄물 꾸미기 예 '고려청자'를 새긴 인쇄물에 학과 구름무늬를 그려 넣기, '서희'를 새긴 인쇄물에 붓과 ❷서책 그려 넣기, '팔만대장경판'을 새긴 인쇄물에 대장경판 그려 넣기, '김윤후'를 새긴 인쇄물에 활과 화살 그려 넣기 등

(5) 완성한 인쇄물 소개하기 예 "고려 사람들이 독특하게 발전시킨 고려청자를 인쇄물로 새겼어요.", "협상으로 거란의 침입을 막은 서희를 인쇄물로 새겼어요.", "많은 사람의 노력이 담겨 있는 팔만대장경판을 인쇄물로 새겼어요.", "몽골의 침입으로부터 스스로 나라를 지킨 김윤후를 인쇄물로 새겼어요." 등

▲ '고려청자'를 새긴 인쇄물

▲ '서희'를 새긴 인쇄물

▲ '팔만대장경판'을 새긴 인쇄물

▲ '김윤후'를 새긴 인쇄물

보충 ❶

◉ **활판 인쇄 박물관**

활판 인쇄 박물관에 있는 모든 인쇄 장비는 모두 실제 가동하는 기계로, 활판 인쇄 박물관은 세계에서 가장 많은 활자를 보유하고 있다. 소장하고 있는 활자와 장비들로 한지에 인쇄하고 우리의 전통 방식으로 책을 만들어 세계에 보급하고 있다. 활판 인쇄 박물관 누리집(http://www.letterpressmuseum.co.kr/)에서는 해당 박물관의 교육 프로그램을 살펴보고 직접 예약할 수 있다.

용어 사전

❶ **협상**(協: 화합할 협, 商: 헤아릴 상): 입장이 서로 다른 사람들 또는 나라 사이에서 어떤 일을 해결하기 위해 협의하는 것을 말한다.

❷ **서책**(書: 글 서, 册: 책 책): 사상, 감정, 지식 등을 글이나 그림으로 표현하여 적거나 인쇄해 묶어 놓은 책이다.

속 시원한 활동 풀이

고려의 역사를 인쇄물로 소개하기

<table>
<tr><td>소개하고 싶은 고려의 인물이나 문화유산</td><td colspan="2">예 인물: 강감찬
예 문화유산: 『직지』</td></tr>
<tr><td>완성한 활자판</td><td>예
거란군을 귀주에서 크게 물리친 강감찬을 인쇄물로 새겼어요.</td><td>예
오늘날 전해지는 금속 활자 인쇄본 중 가장 오래된 『직지』를 인쇄물로 새겼어요.</td></tr>
<tr><td>소개하고 싶은 까닭</td><td colspan="2">예 강감찬은 거란의 3차 침입 때 거란의 공격에 대비하고 거란을 귀주에서 크게 물리쳤습니다. 이후 거란은 다시 고려를 침입하지 않았습니다.
예 『직지』는 오늘날 전해지는 금속 활자 인쇄본 중 가장 오래된 것으로, 유럽에서 만든 금속 활자보다 70여 년 이상 앞서 제작되었습니다. 『직지』는 불교의 가르침 중에서 깨달음에 관한 내용을 정리한 것으로 본래 상, 하 두 권인데 현재는 하권만 전해지고 있습니다. 유네스코 세계 기록 유산으로 현재 프랑스 국립 도서관에 보관되어 있습니다.</td></tr>
</table>

정답과 해설 4쪽

1 활자로 만들 글자나 기호를 정한 뒤, 지우개에 밑그림을 반대로 그린다. (O | X)

2 거란의 3차 침입 때 (강감찬 / 서희)은/는 귀주에서 거란군을 크게 무찔렀다.

3 (   )은/는 필요한 글자를 조합해 활자판을 짰기 때문에 여러 종류의 책을 만드는 데 효율적이었다.

즐겁게 정리해요

교과서 55쪽

'독창적 문화를 발전시킨 고려'에서 배운 내용을 떠올리며 사다리로 연결한 곳에 알맞은 내용을 써 봅시다.

핵심 꿀꺽 질문

고려의 건국과 후삼국 통일 과정을 알게 되었나요?

고려가 다른 나라의 침입을 극복한 과정을 말할 수 있나요?

고려의 문화와 과학 기술의 발전을 보여 주는 문화유산을 제시할 수 있나요?

1 왕건에 대한 설명으로 알맞지 않은 것은 어느 것입니까? ( )

① 송악의 호족이었다.
② 호족과 좋은 관계를 유지했다.
③ 궁예를 몰아내고 고려를 세웠다.
④ 발해 유민을 받아들이지 않았다.
⑤ 후백제를 물리치고 후삼국을 통일했다.

[2-3] 다음 글을 읽고, 물음에 답하시오.

거란 장수: 너희 고려는 우리 거란과 국경을 맞대고 있다. 그런데 왜 바다 건너 송을 섬기는가?
㉠ : 압록강 안팎도 고려 땅인데 여진이 그곳을 차지하고 길을 막고 있다. 여진을 몰아내고 우리가 그 땅을 가질 수 있다면 거란과도 교류할 수 있다.

중요
2 위 대화에서 거란 장수와 담판을 벌인 ㉠ 인물은 누구인지 쓰시오.

3 ㉠의 인물이 거란 장수와 담판을 벌여 차지한 지역은 어디인지 쓰시오.

4 거란의 3차 침입과 관련된 설명으로 알맞은 것은 어느 것입니까? ( )

① 서희가 거란의 장수와 담판을 벌였다.
② 3차 침입으로 수도인 개경이 함락되었다.
③ 압록강 동쪽의 강동 6주를 차지하게 되었다.
④ 귀주에서 강감찬은 거란군을 크게 물리쳤다.
⑤ 전쟁에서 승리한 거란은 고려를 다시 침략했다.

중요
5 고려와 주변 나라와의 관계에 대한 설명으로 알맞지 않은 것은 어느 것입니까? ( )

① 고려는 바닷길로도 외국과 문물을 주고받았다.
② 고려는 여진과 사이가 나빠 서로 교류하지 않았다.
③ 고려와 송은 사신뿐만 아니라 상인들도 자주 오갔다.
④ 거란은 고려와 송의 관계를 끊기 위해 고려를 침입했다.
⑤ 고려와 거란은 전쟁을 치렀으나 좋은 관계를 맺고 매년 서로 사신을 파견했다.

6 몽골이 침입했을 때 고려의 대응으로 알맞은 것을 보기 에서 모두 골라 기호를 쓰시오.

보기
㉠ 고려는 강화도로 도읍을 옮겼다.
㉡ 몽골과의 전쟁에서 승리하며 전쟁이 마무리되었다.
㉢ 육지에 남은 백성들은 힘을 합쳐 귀주성, 처인성 등에서 몽골군을 물리쳤다.
㉣ 고려는 몽골과의 타협을 거부하며 끝까지 맞서 싸워 나라를 유지했다.

7 빈칸에 들어갈 알맞은 말을 쓰시오.

고려가 몽골 침입 후 ☐☐☐(으)로 도읍을 옮긴 까닭은 몽골군이 바다에서 하는 싸움에 약했기 때문이다.

8 몽골과의 전쟁으로 고려가 입은 피해 내용으로 알맞은 것을 보기 에서 모두 골라 기호를 쓰시오.

보기
㉠ 약 10년 동안 전쟁이 이어졌다.
㉡ 오랜 전쟁으로 고려의 국토는 황폐해졌다.
㉢ 황룡사 9층 목탑 등의 문화유산이 파괴되었다.
㉣ 중국어를 익혀 몽골을 드나드는 사람들이 늘어났다.

9 빈칸에 공통으로 들어갈 말을 쓰시오.

고려 사람들은 다양한 종교를 믿었다. 그중에서 ☐☐은/는 왕실의 보호와 지원을 받으며 발전해 고려 사람들의 삶에 많은 영향을 미쳤다. 또한 고려는 연등회, 팔관회와 같은 ☐☐ 행사를 크게 열었다.

중요
10 고려 시대 불교 문화유산으로 알맞지 않은 것은 어느 것입니까? (　　　)

① 연등회와 팔관회
② 무구정광대다라니경
③ 영주 부석사 무량수전
④ 평창 월정사 팔각 구층 석탑
⑤ 논산 관촉사 석조 미륵보살 입상

중요
11 다음 문화유산에 대한 설명으로 알맞지 않은 것은 어느 것입니까? (　　　)

▲ 팔만대장경판

① 대장경판은 양면으로 새겨져 있다.
② 거란의 침입을 이겨내고자 만들었다.
③ 글자가 고르고 틀린 글자가 거의 없다.
④ 합천 해인사 장경판전에 보관되어 있다.
⑤ 고려의 목판 제조 기술이 매우 뛰어났음을 알 수 있다.

12 다음 두 학생이 이야기하고 있는 문화유산은 무엇인지 쓰시오.

중요
13 고려 시대의 금속 활자 인쇄술에 대한 설명으로 알맞은 것은 어느 것입니까? (　　　)

① 시간이 지날수록 갈라지고 비틀어진다.
② 당시 금속 활자 인쇄는 목판 인쇄보다 깨끗했다.
③ 금속 활자는 목판처럼 전체를 만들어서 보관했다.
④ 글자를 조합해 여러 종류의 책을 인쇄할 수 있었다.
⑤ 이후 금속 활자 인쇄가 발전하는 데 기여하지 못했다.

맞은 개수 ____개 | 공부한 날 ___월 ___일

[14-16] 다음 글을 읽고, 물음에 답하시오.

- 고려를 대표하는 공예품이다.
- 방수성이 뛰어나고 색과 무늬가 아름다워 다양한 용도로 쓰였다.
- 만들기 어렵고 귀한 물건이었기 때문에 지배층이 주로 사용했다.

14 위에서 설명하는 고려의 문화유산을 쓰시오.

중요

15 위의 문화유산의 공예 기법에 대한 설명이다. 빈칸에 알맞은 말을 쓰시오.

> ☐☐ **기법:** 표면에 무늬를 새겨서, 그 속에 다른 재료를 박아 넣은 후 유약을 발라 굽는다.

16 위의 문화유산을 만들 때 필요한 기술로 알맞은 것을 보기 에서 모두 골라 기호를 쓰시오.

보기
- ㉠ 불을 다루는 기술
- ㉡ 목판을 만드는 기술
- ㉢ 가마를 만드는 기술
- ㉣ 유약을 만드는 기술

워드 클라우드와 함께하는 서술형 문제

[17-18] 워드 클라우드의 단어를 이용하여 서술형 문제의 답을 쓰시오.

팔만대장경 / 목판 제조술 / 조각술 / 몽골의 침입 / 합천 해인사 / 유네스코 세계 기록 유산 / 장경판전 / 직지 / 초조대장경 / 인쇄술 / 금속 활자 / 부처

17 밑줄 친 『팔만대장경』을 만든 까닭을 쓰시오.

> 승려들과 백성들이 십여 년에 걸쳐 완성한 『팔만대장경』은 목판이 8만여 장에 달했다.

18 팔만대장경판으로 알 수 있는 고려 목판 기술의 우수성을 쓰시오.

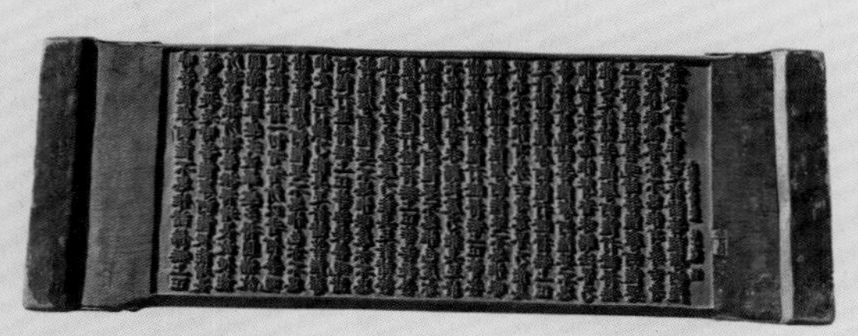

▲ 팔만대장경판

톡톡 튀는 이야기

유네스코 세계 기록 유산으로 등재된 팔만대장경판

고려는 몽골의 침입으로 초조대장경이 불에 타 없어지자 부처의 힘으로 몽골을 물리치고자 대장경을 다시 만들었습니다. 이를 팔만대장경이라고 부릅니다. 팔만대장경판은 십여 년에 걸쳐 8만여 장의 목판을 많은 사람이 함께 새겼지만, 글자 모양이 고르고 틀린 글자도 거의 없다고 합니다. 고려의 목판 제조술, 조각술, 인쇄술 등이 매우 뛰어났음을 알 수 있습니다. 팔만대장경을 만드는 과정을 살펴볼까요?

팔만대장경을 만드는 과정

❶ 좋은 나무를 베서 썩거나 뒤틀리지 않도록 바닷물에 2~3년 정도 담가 둔다.

❷ 바닷물에서 나무를 꺼내어 알맞은 크기로 자른 뒤 소금물에 삶는다.

❸ 경전에 밝은 승려, 문인 관료들이 팔만대장경판에 새길 원고를 쓴다.

❹ 종이에 쓴 원고를 나무판 위에 뒤집어 붙이고 경판을 만들어 글씨를 새긴다.

완성된 팔만대장경판은 어떻게 보관되었을까요?

❺ 새긴 목판을 한 장씩 찍어내 보고 틀린 글자를 골라낸다.

❻ 경판 귀퉁이를 구리판으로 마감하고 옻칠을 해 보관한다.

합천 해인사 장경판전은 팔만대장경판을 보관한 건물로 조선 시대에 만들었습니다. 앞뒤로 두 채, 양옆으로 두 채를 합쳐 모두 네 채로 구성되어 있습니다. 장경판전은 통풍이 잘 되고 온도와 습도가 자연스럽게 조절되도록 설계되었습니다.

장경판전 안쪽 바닥에는 숯, 횟가루, 소금과 모래를 넣어 습도를 조절할 수 있도록 했습니다. 남쪽과 북쪽의 창의 크기를 다르게 만들어 바람이 잘 통하도록 했습니다. 이 덕분에 팔만대장경은 오늘날까지 잘 보존되고 있습니다.

▲ 합천 해인사 장경판전(경상남도 합천)

조선은 언제, 어떻게 세워졌을까요?

① 조선의 건국 과정 (속 시원한 활동 풀이)

(1) 고려 말의 상황

① 홍건적과 왜구 등의 외적의 침입이 이어졌다.

② 권문세족이 토지와 노비를 ❶독점해 사회가 매우 혼란스러웠다. 보충 ❶

(2) 신흥 무인 세력과 손잡은 신진 사대부: 당시 신진 사대부 중 일부는 외적을 물리치며 성장한 이성계 등의 무인 세력과 손잡고 고려 사회를 개혁하려고 했다. 보충 ❷

(3) 위화도 회군

① 명이 고려에 북쪽 땅의 일부를 내어놓으라고 ❷통보하자 고려 정부는 이성계로 하여금 요동 지역을 공격하게 했다.

② 이성계는 요동으로 가던 도중 위화도에서 군대를 돌려 개경으로 돌아왔다(위화도 회군).

③ 이성계와 신진 사대부는 위화도 회군 후 반대 세력을 몰아내고 권력을 잡았으며, 토지 제도를 개혁했다.

▲ 위화도 회군

(4) 신진 사대부 간의 갈등: 정몽주 등은 고려 왕조를 유지하면서 사회 문제를 고쳐 나가려고 했고, 정도전 등은 이성계를 중심으로 새로운 왕조를 세우고자 했다. 보충 ❸

(5) 조선 건국: 1392년에 이성계를 중심으로 한 세력이 조선을 세웠다.

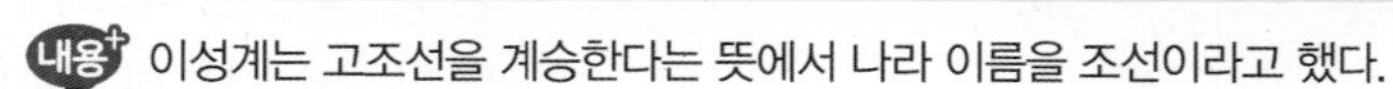

내용+ 이성계는 고조선을 계승한다는 뜻에서 나라 이름을 조선이라고 했다.

② 조선의 한양 천도

(1) 한양 천도: 고려의 뒤를 이은 조선은 한양(오늘날 서울의 한강 북쪽)을 도읍으로 정하고 성곽을 쌓았다.

(2) 한양으로 천도한 까닭

① 한양은 나라의 중심에 있고 교통이 편리했으며, 한강으로 물자를 실어 나르기에도 좋았다.

② 세 면이 산으로 둘러싸여서 외적의 침입을 막기에도 유리했다.

(3) 한양의 주요 건축물: 조선은 유교의 가르침에 따라 경복궁의 앞에 관청, 동쪽에 종묘, 서쪽에 사직단을 두었다. 궁궐의 건물과 도성 사대문(흥인지문, 돈의문, 숭례문, 숙정문)은 각각 유교에서 강조하는 덕목으로 이름을 지었다. (시험 대비 핵심 자료)

흥인지문	동쪽 문으로 인자함[仁]을 일으켜야 한다는 뜻을 담았다.
돈의문	서쪽 문으로 의리[義]를 지키고자 노력해야 한다는 뜻을 담았다.
숭례문	남쪽 문으로 예의[禮]를 존중한다는 의미를 담았다.
숙정문	북쪽 문으로 지혜로움[智]을 담고 있으나 정숙하고 조용하기를 바라며 숙정이라 했다.

보충 ❶

◉ **권문세족**

고려 후기의 지배 세력이다. 몽골과의 전쟁 이후 몽골과의 관계를 배경으로 오랫동안 권력을 누렸다. 이들은 불법으로 백성들의 땅을 빼앗아 대농장을 만들었고, 가난한 백성들을 노비로 만들어 농지를 경작하게 했다.

보충 ❷

◉ **신진 사대부**

고려 말에 등장한 새로운 정치 세력이다. 성리학을 받아들이고 공부했으며, 대부분 과거에 합격해 벼슬에 올랐다. 고려의 사회 개혁을 주장하여 권문세족과 갈등을 겪었다.

보충 ❸

◉ **정도전**

이성계를 도와 조선을 건국하고 새로운 도읍인 한양을 건설하는 데 중요한 역할을 했다. 정도전은 유교의 가르침에 따라 조선의 통치 기준과 운영 원칙을 만들 것을 제안했다.

용어 사전

❶ **독점**(獨: 홀로 독, 占: 점령할 점): 혼자서 모두 차지하는 것을 말한다.

❷ **통보**(通: 알릴 통, 報: 알릴 보): 어떠한 내용을 통지하거나 보고하는 것을 말한다.

월 일

시험 대비 핵심 자료

● 한양의 주요 건축물

경복궁	종묘	사직단

1395년 한양으로 도읍을 옮긴 후 처음으로 세운 궁궐이다. 이름에는 '큰 복을 누린다.' 라는 뜻이 담겨 있다.	조선의 역대 왕과 왕비의 위패를 모시고 제사를 지내는 곳으로, 한양으로 도읍을 옮기면서 지었다.	토지의 신과 곡식의 신에게 제사를 지내던 곳이다. 토지의 신에게는 동쪽, 곡식의 신에게는 서쪽에서 제사를 지냈다.

속 시원한 활동 풀이

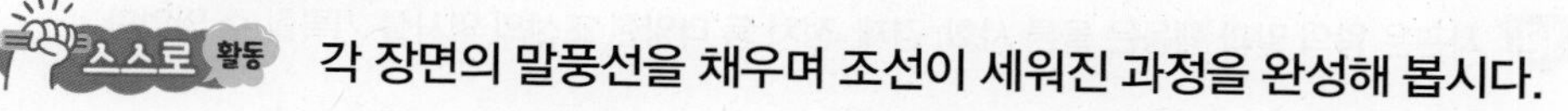

각 장면의 말풍선을 채우며 조선이 세워진 과정을 완성해 봅시다.

예 우리 신진 사대부와 손잡고 나라의 문제를 해결합시다. 		예 나는 반대입니다. 백성을 위해 새 나라를 세워야 합니다. 
예 신진 사대부가 사회 문제를 해결하기 위해 무인 세력과 손잡는 장면입니다.	예 고려 정부의 명령에 따라 요동으로 가던 이성계가 위화도에서 군대를 돌리는 장면입니다.	예 고려를 유지하자는 정몽주와 새 왕조를 세우자는 정도전이 대립하는 장면입니다.

확인 톡!톡!

정답과 해설 6쪽

1 이성계는 요동으로 가던 중 (   )에서 군대를 돌려 개경으로 돌아와 반대 세력을 몰아내고 권력을 잡았다.

2 신진 사대부 중에서 (정몽주 / 정도전)은/는 이성계를 중심으로 새로운 왕조를 세우고자 했다.

3 조선 시대 정궁으로 이용된 건물로 이름에 '큰 복을 누린다.'라는 뜻이 담겨 있는 궁궐은? (   )

조선은 어떻게 나라를 다스리고 주변 나라와 관계를 맺었을까요?

보충 ❶

◉ 『조선경국전』

1394년에 정도전이 태조에게 지어 바친 법전으로, 나라를 다스리는 데 필요한 기준을 종합적으로 서술한 책이다.

보충 ❷

◉ 『조선왕조실록』과 사관

『조선왕조실록』은 조선의 왕들이 나라를 다스린 기록을 모은 역사책으로, 이 기록을 살펴보면 왕이 나라를 어떻게 다스렸는지 알 수 있다. 사관은 실록을 만드는 관리로, 이들은 궁궐에 들어가 임금의 말이나 행동, 임금과 관리가 나랏일을 의논한 내용을 보고 들은 대로 기록했다.

❶ 조선 전기 정치의 특징

(1) 조선 건국의 근본 정신: 조선을 세운 사람들은 유교를 나라의 기본 정신으로 삼았다. 이에 따라 왕부터 백성까지 모두 유교 질서에 따라 생활해야 한다고 생각했다.

왕	신하들의 말에 귀 기울이고 어진 정치를 펴려고 했다.
관리	백성을 위한 바른 정치를 하려고 노력했다.
백성	나라에 충성하고 맡은 일에 최선을 다하는 태도가 강조되었다.

내용+ 오늘날 전해지는 혼인이나 장례, 제사 문화도 유교의 영향을 받았다.

(2) 유교 이념을 바탕으로 한 조선 전기 정치 (시험 대비 핵심 자료)

① 조선 사람들은 법전을 만들고 그에 따라 나라를 다스렸다. 보충 ❶

② 힘 있는 사람들이 권력을 이용해 잘못을 저지르지 않도록 감시하고 ❶견제하는 제도를 마련했다.

③ 왕이라고 하더라도 왕의 말과 행동을 모두 기록하는 ❷사관이 곁에 있어 마음대로 행동하기 어려웠다. 보충 ❷

내용+ 사관은 왕의 말과 행동은 물론 사회, 경제, 정치 등 다양한 조선의 역사를 기록할 수 있었다.

❷ 조선 전기 주변 나라와의 관계

(1) 조선 전기 외교 정책: 조선은 명, 여진, 일본 등의 주변 나라와 안정적인 관계를 맺어 백성을 지키고 나라를 발전시키고자 했다. 이를 위해 상대 나라와 국제 상황에 따라 적절한 외교 정책을 펼쳤다.

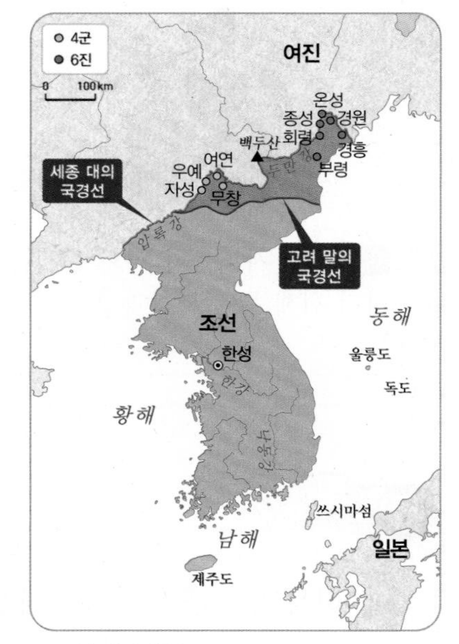

▲ 조선 전기의 영토

(2) 조선과 주변 나라와의 관계 (속 시원한 활동 풀이)

명과의 관계	• 태종 이후부터 좋은 관계를 유지했으며, 15세기 내내 두 나라는 안정적이고 우호적인 관계를 맺었다. • 조선과 명은 서로 사신을 보내면서 선물을 주고받았다.
여진과의 관계	• 여진이 국경을 넘어오자 세종 때 압록강 유역에 4군, 두만강 유역에 6진을 설치했다. • 오늘날과 같이 압록강과 두만강을 경계로 하는 국경이 정해졌다.
일본과의 관계	• 일본의 해적인 왜구가 침입해 오는 일이 끊이지 않자 세종 때 왜구의 소굴인 쓰시마섬을 정벌했다. • 왜구의 침입을 일시적으로 막을 수 있었다.

용어 사전

❶ **견제**(牽: 이끌 견, 制: 절제할 제): 상대를 자신에게 유리한 방향으로 이끌어 상대의 행동을 방해하는 것을 말한다.

❷ **사관**(史: 역사 사, 官: 관리 관): 기록을 작성하고 그것을 바탕으로 역사책을 쓰는 관리를 말한다.

● 유교 이념을 바탕으로 한 조선 전기 정치를 보여 주는 사료

> 임금은 하늘과 땅이 만물을 낳아 기르는 마음으로 어진 정치를 펼쳐 온 천하의 사람들을 기쁘게 하고 그들이 임금을 부모처럼 우러러보게 해야 합니다.
>
> -『조선경국전』

> 여러 사람이 "백성의 마음이 이와 같으니 하늘의 뜻도 알 수 있습니다. 여러 사람의 요청도 거절할 수가 없으며, 하늘의 뜻도 거스를 수가 없습니다."라고 말하면서 이를 고집하기를 더욱 굳게 하므로, 나는 여러 사람의 심정에 굽혀 따라 마지못해 왕위에 올랐다.
>
> -『태조실록』

『조선경국전』은 정도전이 중국 「주례」의 육전 체제를 조선의 상황에 적합하게 편찬한 법전이다. 이 법전은 비록 개인이 편찬한 것이지만, 정도전이 조선 건국의 이념을 창안한 실질적 책임자였다는 점에서 중요한 의미가 있다.

『태조실록』은 태조 즉위 이후 1398년(태조 7년) 12월 말까지 6년 6개월 간에 있었던 역사적 사실이 기록되어 있는 실록이다. 이 시기는 조선 개국 초기로 태조는 불교를 억제하고 유교를 숭상하는 정책을 내세우는 한편, 고려 왕족과 신하들을 제거하는 동시에 한양으로 도읍을 옮겨 기반을 조성해 나간 시기였다.

속 시원한 활동 풀이

다 함께 활동 조선이 명, 여진, 일본과 어떤 관계를 맺었는지 친구들과 이야기해 봅시다.

예 태종 이후부터 명과 좋은 관계를 유지했습니다.	예 여진이 국경을 넘어오자 세종 대에 압록강 유역에 4군, 두만강 유역에 6진을 설치했습니다.	예 일본의 해적인 왜구가 침입해 오자 세종 때 그들의 소굴인 쓰시마섬을 정벌했습니다.

잠깐! 확인해요

조선 왕은 유교의 가르침에 따라 나라를 다스리고자 하였다. (○ | X) (○)

확인 톡!톡!

정답과 해설 6쪽

1 조선 사람들은 법전을 만들고 그에 따라 나라를 다스렸다. (○ | X)

2 왕의 곁에는 (   )이/가 있어 왕이 마음대로 행동하기 어려웠다.

3 왜구의 침입을 막기 위해 세종 때에 정벌한 섬은? (   )

조선 전기 문화와 과학 기술의 발전을 알아볼까요?

1 조선 전기 문화의 발전

(1) 세종 대의 문화 발전: 문화, 과학 기술 등 여러 분야에서 많은 발전이 있었다.

(2) 문화 발전의 배경: 세종 대에는 안정된 왕권을 바탕으로 실용적인 문화가 발달했다. 세종은 학문을 발전시키기 위해 집현전을 설치해 학자들을 키우고 의례와 제도 등을 연구했다. (속 시원한 활동 풀이) 보충 ❶

보충 ❶

◉ **집현전**
고려 시대에 만들어진 여러 연구 기관을 모아 궁중에 설치한 학문 연구 기관이다. 1420년에 세종이 실질적인 학문 연구 기관으로 설치했으며, 세종의 훈민정음 창제를 돕기도 했다.

2 세종 대의 문화 발전

(1) 인쇄술의 발전: 인쇄술의 발전으로 다양한 책을 만들어 ❶보급했다.

내용+ 고려 시대보다 금속 활자가 좀 더 정교해졌고, 글자의 간격도 넓어져 이전보다 읽기 쉽게 발전했다.

(2) 백성의 생활에 도움이 되는 서적 편찬

① 우리나라 환경에 맞는 농사법을 모은 『농사직설』을 편찬했다.

② 우리나라에서 나는 약재에 대한 기록을 모아 『향약집성방』을 펴냈다.

(3) 훈민정음 ❷창제: 우리말을 소리 나는 대로 적을 수 있는 문자인 훈민정음을 만들어 ❸반포했다. 보충 ❷

보충 ❷

◉ **훈민정음의 창제와 보급**
세종은 1443년 훈민정음 28자를 만들고 1446년 반포했다. 훈민정음은 당시 주로 한자를 사용하던 양반에게 무시받기도 했지만, 배우기 쉽고 거의 모든 소리를 적을 수 있는 과학적이고 독창적인 문자였다. 이후 세종은 「용비어천가」 등을 펴내며 훈민정음 보급에 나섰다.

뜻	'백성을 가르치는 바른 소리'라는 뜻이다.
만든 까닭	백성이 글(한자)을 몰라서 겪는 어려움을 덜기 위해 우리글을 만들었다.
만든 원리	혀와 입술 모양에서 과학적 원리를 찾아 우리말을 소리 나는 대로 적을 수 있었다.

나라의 말소리가 중국과 달라서 한자와는 서로 통하지 않으므로 백성은 말하고자 하는 바가 있어도 뜻이 통하지 않았다. 그래서 내가 이를 가엽게 여겨 새로 스물여덟 자를 만들었으니, 백성으로 하여금 쉽게 익혀 나날이 쓰기 편하기를 바란다.

– 『훈민정음』 「해례본」, 예의편

내용+ 『훈민정음』 「해례본」은 우리글(훈민정음)을 읽는 방법을 설명한 책으로, 소리가 나는 원리와 글자가 어떤 소리를 내는지 자세히 설명되어 있다.

3 세종 대의 과학 기술 발전

(1) 과학 기술의 발전: 과학 기술의 발전으로 조선 사람들은 ❹절기와 시각 등을 그 이전보다 더 정확히 알 수 있었다.

(2) 조선 전기에 발명된 과학 기구 (시험 대비 핵심 자료)

혼천의	해와 달, 별의 움직임 등 천문 현상을 연구하기 위한 관측기구이다.
앙부일구	해 그림자로 시간을 표시하는 둥근 솥 모양의 해시계이다.
자격루	자동으로 종을 쳐서 시각을 알려 주는 물시계이다.
측우기	비가 내린 양을 측정하는 기구로, 한양과 각 고을에 설치되었다.

용어 사전

❶ **보급**(普: 넓을 보, 及: 미칠 급): 널리 퍼져서 골고루 미치게 하는 것을 말한다.
❷ **창제**(創: 비롯할 창, 製: 지을 제): 처음으로 고안해 만들거나 제정하는 것을 말한다.
❸ **반포**(頒: 나눌 반, 布: 펼 포): 세상에 널리 펴서 알리는 것을 말한다.
❹ **절기**(節: 마디 절, 氣: 날씨 기): 계절을 구분하기 위해 한 해를 스물넷으로 나눈 것을 말한다.

시험 대비 핵심 자료

● 조선 시대 과학 기구

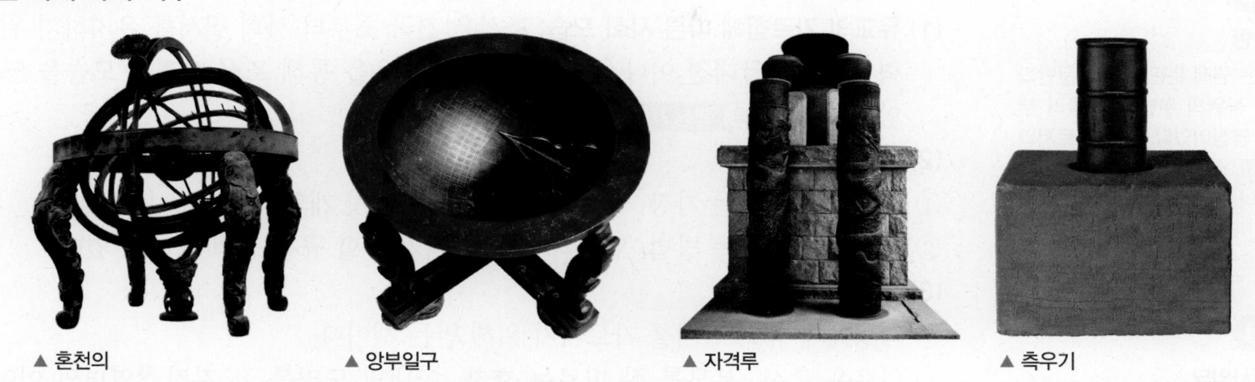

▲ 혼천의 ▲ 앙부일구 ▲ 자격루 ▲ 측우기

조선은 건국 초부터 백성의 생활에 도움이 되는 과학 기술을 발전시키는 데 힘썼다. 세종은 신하들에게 혼천의, 앙부일구, 자격루, 측우기와 같은 여러 과학 기구를 만들게 했다. 이러한 과학 기술의 발전으로 조선 사람들은 절기와 시각 등을 그 이전보다 더 정확히 알 수 있었다.

혼천의는 우리나라 하늘에서 일어나는 각종 천문 현상을 연구하기 위해 만든 관측기구이다. 앙부일구는 '가마솥이 하늘을 우러르고 있는 모양의 해시계'라는 뜻이다. 그림자가 계절에 따라 달라져 시각뿐만 아니라 절기까지도 정확하게 알 수 있었다. 자격루는 자동으로 종을 쳐서 시각을 알려 주는 물시계로, 두 시간마다 인형이 종과 북을 울려 시각을 알 수 있도록 했다. 측우기는 한양과 각 고을에 설치되었으며, 비의 양을 잰 뒤 그것을 기록해 정부에 보고하게 했다.

속 시원한 활동 풀이

스스로 활동 조선 전기 문화와 과학 기술의 발전에 중요한 역할을 한 인물을 조사하여 써 봅시다.

예 • 제가 소개하고 싶은 인물은 장영실입니다. 장영실은 비록 신분은 낮았지만, 세종의 명령에 따라 자격루, 앙부일구 등 많은 과학 기구를 발명했습니다.
• 제가 소개하고 싶은 인물은 이순지입니다. 이순지는 천문 현상을 연구하고 여러 천문 역법서를 펴냈습니다.

잠깐! 확인해요

세종은 우리말을 적을 수 있는 문자인 □□□□을/를 만들어 반포하였다. (훈민정음)

확인 톡!톡!

정답과 해설 6쪽

1 (『농사직설』/『향약집성방』)은 우리나라에서 나는 약재에 대한 기록을 모아 만든 책이다.

2 자동으로 종을 쳐서 시각을 알려 주는 과학 기구는? ( )

3 조선 시대에는 한양과 각 고을에 ( )을/를 설치해 비의 양을 잰 뒤 그것을 기록해 정부에 보고했다.

조선 전기의 사회 모습을 살펴볼까요?

1 유교 질서를 바탕으로 한 사회 모습

(1) 유교의 가르침에 따른 사회 모습: 조선은 건국 초부터 사회 질서를 유지하기 위해 노력했다. 『경국대전』이나 『삼강행실도』의 내용을 통해 조선 사회의 모습을 엿볼 수 있다. 시험 대비 핵심 자료

(2) 『경국대전』

① 나라를 다스리는 가장 기본적인 법전으로, 여섯 개의 영역으로 나누었다.

② 나라를 다스리는 방법, 임금과 백성이 지켜야 할 규칙 등의 내용이 있다.

(3) 『삼강행실도』

① 백성에게 유교 질서를 가르치기 위해 만든 책이다.

② 의로운 충신, 부모를 잘 따르는 효자, 아내의 도리를 잘 지킨 ❶열녀의 이야기를 기록했다.

2 신분과 성별에 따른 생활 모습

(1) 조선 시대의 신분제

① 조선 시대에는 태어날 때부터 신분이 정해져 있어 크게 양인과 천인(천민)으로 나뉘었고, 양인은 양반, 중인, 상민으로 구분되었다. 속 시원한 활동 풀이 보충 ❶

② 사람들은 유교적 질서에 따라 주어진 신분에 맞게 생활했다.

구분	내용
양반	유교의 가르침이 담긴 책을 공부하고 관리가 되어 나랏일에 참여하기도 했다.
중인	양반을 도와 관청에서 일하거나 의학, 통역 등의 분야에서 전문적인 일을 했다.
상민	대부분 농사를 지었고, 일부는 장사 등을 했다. 나라에 세금을 내고 ❷노동력을 제공했다.
천민	대부분 노비로 관청이나 양반의 집에서 허드렛일을 하거나 물건을 만들었으며, 재산처럼 여겨졌다.

(2) 조선 전기 여성의 생활 모습

① 여성은 보통 집안일과 자식 교육에 힘썼다.

내용+ 조선 전기에는 아들과 딸에게 재산을 고르게 물려주었고, 제사도 돌아가며 지냈다. 여성은 결혼한 후에도 한동안 남편과 함께 친정에서 살았고, 보통 옷감을 만들거나 집안에 필요한 여러 가지 일을 했다. 양반 여성의 경우 밭을 사고팔거나 여러 가지 경제활동을 한 기록 등이 남아 있다.

② 신사임당 등 일부 양반 여성은 예술 활동을 하기도 했다. 보충 ❷

내용+ 「초충도」는 신사임당이 채색해 그린 8폭의 병풍 그림으로, 각 폭마다 각기 다른 풀과 벌레를 그려 놓은 것을 말한다. 자연의 풀과 벌레를 소재로 해 각 폭마다 꽃과 관련된 풀벌레를 중점으로 그렸으며, 그 종류가 20여 가지나 된다.

신사임당의 「초충도」 ▶

보충 ❶

◉ **양반**

양반은 원래 문관 직위의 문반과 무관 직위의 무반을 아울러 부르는 명칭이었다. 양반은 토지와 노비를 소유한 계층으로 관리가 되거나 유학자로서의 소양을 닦았다.

보충 ❷

◉ **신사임당**

신사임당은 예술가로 글과 시를 잘 썼으며, 그림도 잘 그렸다. 특히 풀과 벌레를 소재로 하여 그린 「초충도」에는 신사임당의 뛰어난 실력이 잘 나타나 있다. 또한 신사임당의 자녀 중 율곡 이이는 조선 시대를 대표하는 학자였다.

용어 사전

❶ **열녀**(烈: 강할 열, 女: 여자 여): 고난이나 죽음을 무릅쓰고 절개를 지킨 여성을 말한다.

❷ **노동력**(勞: 일할 노, 動: 움직일 동, 力: 힘 력): 생산물을 만드는 데 쓰이는 인간의 정신적, 육체적인 모든 능력을 말한다.

1 단원

시험 대비 핵심 자료

유교의 가르침을 담은 기록

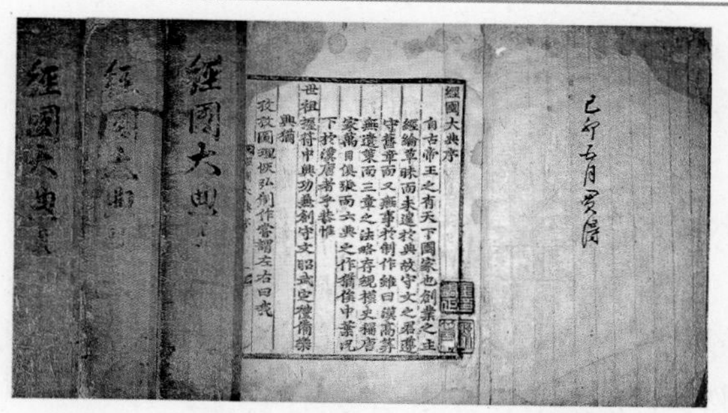

▲ 『경국대전』

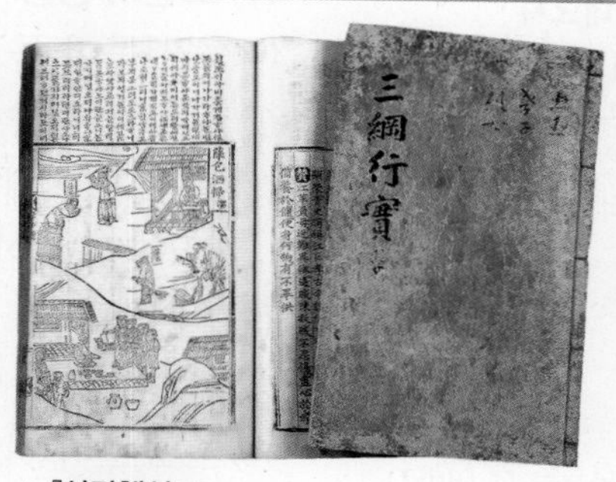

▲ 『삼강행실도』

『경국대전』	『삼강행실도』
'나라를 다스리는 큰 법전'이라는 뜻으로, 조선에서 나라를 다스리는 원칙을 담았다. 『경국대전』은 조선 시대가 계속되는 동안 최고 법전으로서의 지위를 유지했다.	유교의 가르침을 잘 실천한 사람들의 이야기를 모아 만든 책이다. 왕과 신하, 부모와 자식, 부부의 삼강에 모범이 되는 충신·효자·열녀의 행실을 모아 편찬했다.

속 시원한 활동 풀이

스스로 활동 각각의 신분에 알맞은 붙임 딱지를 찾아 붙이고, 한 가지 신분을 골라 그들이 일상에서 무엇을 소망하였을지 추측해 봅시다. 붙임③ 활용

양반	중인	상민	천민

예 내가 만약 조선 시대의 천민이라면 장영실처럼 노비 신분에서 벗어나서 허드렛일을 하지 않기를 가장 바랐을 것입니다.

잠깐! 확인해요

조선 시대에는 신분과 성별에 따라 생활 모습이 달랐다. (O | X) (O)

확인 톡!톡!

정답과 해설 6쪽

1 『삼강행실도』에는 충신, 효자, 열녀의 이야기가 담겨 있다. (O | X)

2 조선 시대 신분 중 양반을 도와 관청에서 일하거나 전문적인 분야에서 일할 수 있었던 신분은? (   )

3 율곡 이이의 어머니로도 유명한 (   )은/는 조선 시대에 활동한 화가로, 「초충도」를 남겼다.

임진왜란이 일어난 과정과 당시 조선의 노력을 살펴볼까요?(1)

1 임진왜란이 일어나기 전 조선과 일본의 상황

(1) 조선의 상황: 나라를 세운 후 오랫동안 평화를 누렸다.
① 대신들이 둘로 나뉘 싸우고 있어 정치가 혼란스러웠다.
② 군사력이 약화되었고, 전쟁에 대한 대비가 부족했다.
③ 일본의 정세를 파악하려고 다녀온 두 사신의 의견이 대립했는데, 전쟁이 일어나지 않을 것이라는 의견을 받아들였다.

(2) 일본의 상황
① 100여 년 동안 내부에서 전쟁을 거듭하면서 군사들이 잘 훈련되어 있었다.
② 도요토미 히데요시가 ❶분열되어 있던 일본을 통일했다. 보충 ❶

2 임진왜란의 발발

(1) 일본의 침입: 도요토미 히데요시가 조선과 명을 정복하기 위해 부산으로 침입하며 전쟁이 일어났다(1592, 임진왜란). 시험 대비 핵심 자료

내용+ 일본군은 부산진과 동래성을 순식간에 함락하고 한양(서울)으로 빠르게 향했다.

(2) 일본군의 한양 점령: 전쟁에 제대로 대비하지 못한 조선은 일본군이 쳐들어온 지 20여 일 만에 도읍인 한양을 빼앗겼다.

(3) 선조의 ❷피란: 조선군은 일본군에 맞서 싸웠으나 계속해서 졌고, 선조는 의주로 피란해 명에 도움을 요청했다.

3 수군과 의병의 활약

(1) 이순신의 전쟁 대비: 임진왜란 1년 전에 전라좌도 수군절도사가 된 이순신은 판옥선과 거북선을 만들고 식량과 무기를 준비하는 등 일본군의 침입에 대비했다.

(2) 수군의 활약 시험 대비 핵심 자료
① 바다에서 이순신이 이끄는 조선 수군이 일본군에 계속 승리했다. 보충 ❷

내용+ 임진왜란이 일어나자 조선 수군은 여수에서 출발해 거제 옥포 해전에서 일본 수군과 싸워 첫 승리를 거둔 후 이어지는 전투에서 모두 승리했다.

② 수군이 남해를 지켰기 때문에 조선은 곡식이 많이 나는 전라도, 충청도를 지킬 수 있었다. 일본군은 식량과 무기를 실어 나르기 어려워졌다.

내용+ 바다를 통해 식량과 무기를 보급하려던 일본군은 전략을 펼치는 데 어려움을 겪으며 북쪽으로 쉽게 나아갈 수 없었다.

(3) ❸의병의 활약
① 의병의 신분은 양반에서 천민에 이르기까지 다양했다.
② 육지에서 곽재우를 비롯한 의병이 활약했다. 보충 ❸
③ 의병은 관군과 협력해 큰 승리를 거두기도 했다.

(4) 상황의 변화: 조선에 불리하던 상황은 수군과 의병의 활약으로 점차 바뀌었다.

보충 ❶

◉ **도요토미 히데요시**
일본의 장군이자 정치가이다. 1590년에 일본의 전국 시대를 통일했으며, 조선을 침략해 임진왜란을 일으켰다.

보충 ❷

◉ **이순신**
임진왜란을 극복하는 데 이바지한 조선의 장군이다. 1592년 5월부터 1598년 11월까지 20여 회의 전투를 치러 모두 승리했다. 백원짜리 동전에 이순신 장군의 모습이 새겨져 있다.

보충 ❸

◉ **곽재우**
경상남도 의령 출신으로, 임진왜란 때 활약한 조선의 의병장이다. 전쟁이 발발하자 자신의 재산으로 의병을 모아 여러 전투에서 일본군과 싸워 이겼다.

용어 사전

❶ **분열**(分: 나눌 분, 裂: 찢을 열): 찢어져 나뉘는 것을 말한다.
❷ **피란**(避: 피할 피, 亂: 어지러울 란): 전쟁을 피해 안전한 곳으로 옮겨 가는 것을 말한다.
❸ **의병**(義: 의로울 의, 兵: 군사 병): 자기 고장과 나라를 지키고자 백성이 스스로 조직한 군대이다.

시험 대비 핵심 자료

임진왜란이 일어났을 당시 조선의 상황

> 적선이 바다를 덮고 몰려왔다. 부산 첨사 정발은 마침 절영도에서 사냥하다가, 조공하러 오는 일본인들로 여기고 대비하지 않았는데, 미처 진영으로 돌아오기도 전에 적은 이미 성으로 기어올랐다. 정발은 어지러이 싸우는 중에 전사했다. 이튿날 동래부가 함락되고 부사 송상현이 죽었으며, 그의 첩도 죽었다. 적은 드디어 길을 나누어 진격해 김해, 밀양 등을 함락했는데 경상병사 이각은 병력을 거느리고 먼저 달아났다. 태평한 세월이 200년 동안 이어져 백성들은 전쟁을 몰랐고 각 고을은 소문만 듣고도 놀라 무너졌다.
>
> -『선조실록』

임진왜란이 일어났을 당시의 모습이 담긴 『조선왕조실록』의 기록이다. 일본 쪽의 기록에 따르면, 당시 일본군은 700여 척에 이르는 배를 이끌고 부산으로 침입해 왔다. 오랜 평화를 누렸던 조선 사람들은 전쟁에 제대로 대비하지 못했다. 이에 싸워 보기도 전에 도망칠 만큼 매우 놀랐으며, 일본군에 큰 두려움을 느꼈다.

조선의 바다를 지킨 거북선과 여수 선소 유적

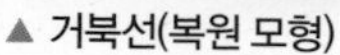

▲ 거북선(복원 모형)

▲ 여수 선소 유적

거북선은 임진왜란 당시 바다에서 활약한 조선의 배이다. 이 배는 당시 조선 수군의 중심을 이루던 판옥선 위에 튼튼한 덮개를 씌워 거북 모양으로 만들었다. 이순신은 거북선을 돌진시켜 일본군의 배를 깨뜨리거나 화포를 발사하게 했다. 이러한 전술은 일본군과의 싸움에서 막강한 힘을 발휘했다.

임진왜란이 일어나기 1년 전에 전라좌도 수군절도사가 된 이순신은 일본군이 침입해 올 수 있다고 생각했다. 이에 옛 사람들이 사용했던 거북선을 다시 만들고 식량과 무기를 준비하는 등 전쟁에 대비했다. 오늘날 전라남도 여수시에는 이순신이 거북선을 만든 곳이라고 전해지는 여수 선소 유적이 남아 있다.

확인 톡! 톡!

정답과 해설 6쪽

1 조선은 나라를 세운 후 임진왜란이 일어나기 전까지 오랫동안 평화를 누렸다. (O | X)

2 임진왜란이 일어나자 선조가 의주로 피란해 도움을 요청한 나라는? (   )

3 임진왜란이 일어나자 이순신이 이끄는 조선 (   )이/가 일본군에 계속 승리했다.

임진왜란이 일어난 과정과 당시 조선의 노력을 살펴볼까요?(2)

4 임진왜란의 극복

(1) **명군의 참전:** 명은 일본이 대륙까지 침략할 것을 걱정해 조선에 군대를 보냈다.

(2) **전쟁 상황의 역전**

① 조선과 명의 연합군은 평양성을 되찾고 남쪽으로 이동했다.

② 권율의 부대는 행주산성에서 백성과 함께 일본군을 크게 물리쳤다. 보충 ❶

(3) ❶**강화 회담의 시작:** 행주 대첩에서 패한 일본군은 경상도 해안으로 물러나 강화 회담을 제안했다.

내용+ 강화 회담 중에 이순신은 정부의 잘못된 판단으로 감옥에 갇혔고, 이순신을 대신해 수군을 이끌던 원균이 칠천량 해전에서 크게 패해 조선의 수군은 거의 전멸했다.

(4) **정유재란의 발생과 전쟁의 극복** (속 시원한 활동 풀이) (시험 대비 핵심 자료)

① 강화 회담이 실패하자 일본은 다시 조선을 침략해 정유재란을 일으켰다(1597).

② 그동안 전쟁에 대비한 조선은 일본에 맞서 싸웠다.

내용+ 이순신은 명량 해협(진도)에서 일본군을 상대로 뛰어난 작전을 펼쳐 큰 승리를 거뒀다.

③ 도요토미 히데요시가 사망해 일본군이 조선에서 물러감으로써 7년간의 긴 전쟁은 끝이 났다.

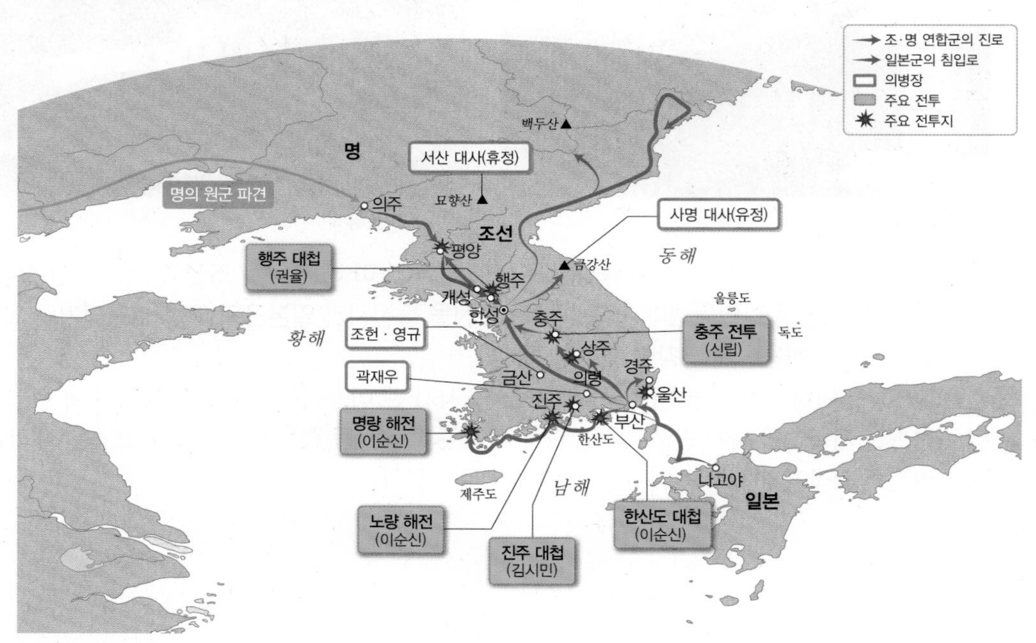

▲ 임진왜란의 전개

5 임진왜란의 영향

(1) **조선에 미친 영향:** 국토가 ❷황폐해졌고, 많은 백성과 문화유산을 잃었다.

내용+ 많은 인명 피해와 함께 경복궁, 창경궁 등의 궁궐 등 많은 문화유산이 불에 타거나 파괴되었다.

(2) **일본에 미친 영향:** 전쟁을 하는 동안 ❸포로로 잡아간 조선의 기술자를 활용해 문화 발전을 이루었다. 보충 ❷

보충 ❶

◉ **행주 대첩**

1593년 권율이 행주산성에서 일본군을 크게 물리친 싸움이다. 권율이 행주산성에서 일본군에 승리한 것을 기념하기 위해 경기도 고양시에 행주 대첩비가 세워졌다.

보충 ❷

◉ **일본에 전해진 조선의 도자기 기술**

임진왜란 당시 일본은 조선에서 많은 도자기 기술자들을 끌고 갔다. 그중 대표적 인물인 이삼평은 일본에서 도조(도자기 시조)로 불린다. 이삼평은 일본에서 고령토를 발견해 아리타 도자기를 만들며 일본 도자기 산업의 발달을 이끌었다.

용어 사전

❶ **강화 회담**(講: 강론할 강, 和: 평화 화, 會: 모일 회, 談: 말씀 담): 싸우던 두 편이 싸움을 그치고 평화로운 상태를 만들기 위해 토의하는 것을 말한다.

❷ **황폐**(荒: 거칠 황, 廢: 폐할 폐): 집, 땅이 거칠어져 못 쓰게 되는 것이다.

❸ **포로**(捕: 잡을 포, 虜: 사로잡을 로): 전투에서 사로잡은 상대 나라의 백성을 말한다.

시험 대비 핵심 자료

임진왜란 때 이순신이 남긴 기록

> 나(이순신)는 군사들을 조용히 타이르면서 "적의 배가 비록 많다고 해도 우리 배를 곧바로 침범하지 못할 것이니, 조금도 동요하지 말고 다시 힘을 다해 적을 공격해라."라고 했다.
>
> -『난중일기』

정유재란 당시 이순신이 활약한 명량 해전의 모습이 담긴 『난중일기』의 기록이다. 『난중일기』는 이순신이 임진왜란 당시 직접 쓴 일기를 엮어 만든 책이다. 이 책을 보면 이순신의 성실함, 책임감, 리더십 등을 엿볼 수 있다.

속 시원한 활동 풀이

스스로 활동 조선이 임진왜란을 극복하는 데 중요한 역할을 한 인물에게 상장을 수여해 봅시다.

예

뛰어난 용기 상

곽재우 귀하

위 사람은 임진왜란 당시 가족과 고장을 지키고자 위험을 무릅쓰고 의병을 일으켜 전쟁을 극복하는 데 큰 공을 세웠습니다.

따라서 그 공로와 업적을 크게 칭찬하며 존경의 마음을 담아 이 상장을 수여합니다.

20 년 월 일 별이드림

예

똑똑한 계획 상

유성룡 귀하

위 사람은 임진왜란 당시 협상 중에도 군사 훈련을 하며 전쟁을 대비해야 한다고 주장해 정유재란을 극복하는 데 중요한 역할을 했습니다.

따라서 그 공로와 업적을 크게 칭찬하며 존경의 마음을 담아 이 상장을 수여합니다.

20 년 월 일 준성드림

잠깐! 확인해요

□□의 부대는 행주산성에서 백성과 함께 일본군을 물리쳤다. (권율)

확인 톡!톡!

정답과 해설 6쪽

1 명은 임진왜란 때 일본이 대륙까지 침략할 것을 걱정해 조선에 군대를 보냈다. (O | X)

2 조선과 명의 연합군이 남쪽으로 이동하자 일본군은 경상도 해안으로 물러나 ( )을/를 제안했다.

3 일본은 1597년에 조선을 다시 침략해 (임진왜란 / 정유재란)을 일으켰다.

병자호란이 일어난 과정과 당시 조선의 상황을 살펴볼까요?

1 정묘호란의 발생과 결과

(1) 임진왜란 이후 조선의 상황 (시험 대비 핵심 자료)

세력이 약해져 가던 명은 후금의 ❶압박을 받자 조선에 도움을 요청했다. → 전쟁의 피해를 수습하고 나라를 안정시키던 광해군은 명과 후금 사이에서 고민했다. → 광해군은 명에 군대를 파견했지만, 장수에게 상황을 판단해 대처하게 해 후금과의 전쟁을 피하고자 했다. → 명에 대한 ❷의리를 중시한 신하들은 광해군의 외교 정책이 유교의 가르침에 어긋난다고 여겼다. → 광해군의 ❸중립 외교 정책을 비판한 세력은 광해군을 쫓아내고, 인조를 새 왕으로 세웠다. → 새로 왕이 된 인조는 명과의 의리를 내세우다가 후금과 갈등을 빚게 되었다.

(2) 정묘호란의 발발

① 조선이 명을 가까이하자 명과 전쟁 중이던 후금은 1627년에 조선을 침략했다.

② 조선의 관군과 의병이 후금군에 맞서자, 후금은 일단 조선과 형제 관계를 맺고 물러났다.

2 병자호란의 발생과 극복 과정

(1) 병자호란의 원인

① 후금은 세력을 더욱 키워 1636년에 나라 이름을 청으로 바꾸고, 조선에 임금과 신하의 관계를 요구해 왔다.

② 조선이 청의 요구를 거절하자 청은 조선을 다시 침략했다.

내용+ 조선에서는 청의 요구를 거절하고 싸워 물리쳐야 한다는 의견과 외교적인 노력으로 문제를 해결해야 한다는 의견이 대립했다.

(2) 병자호란의 과정 (속 시원한 활동 풀이)

① 청군이 빠른 속도로 한양에 이르자 인조와 신하들은 남한산성으로 피신했다. 보충 ❶

② 인조와 신하들은 남한산성에서 청군에 포위되어 40여 일간 맞서 싸웠으나 성안에는 식량이 부족했고, 추위에 얼어 죽는 병사들도 생겼다.

③ 김상헌 등은 청과 끝까지 싸우자고 주장했고, 최명길 등은 청과 화해하자고 주장했다.

④ 상황이 불리해지자 인조는 남한산성에서 나와 삼전도에서 청에 항복했다. 보충 ❷

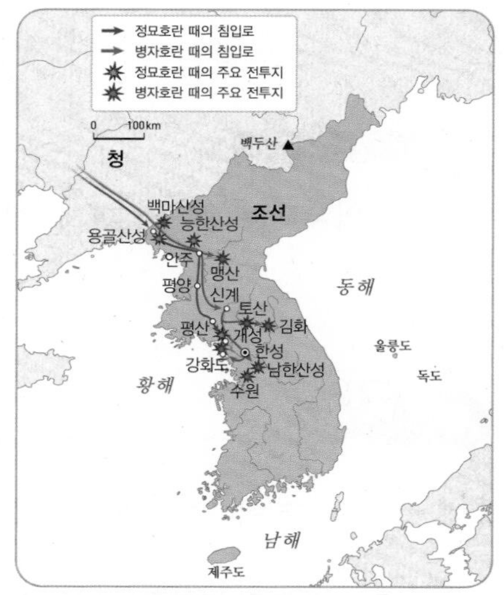

▲ 정묘호란과 병자호란의 전개

(3) 병자호란의 결과

① 청과 조선은 임금과 신하의 관계를 맺었고, 소현 세자와 봉림 대군, 많은 신하와 백성이 청에 끌려갔다.

② 조선은 한동안 해마다 많은 물자를 청에 보냈다.

보충 ❶

◉ **남한산성**

남한산성은 가파르고 험한 지형으로 적의 공격을 막는 데 유리했고, 안쪽은 넓은 분지가 형성되어 전쟁 시 대피해 머물 수 있었다. 각종 방어 시설이 잘 갖추어져 있는 남한산성은 그 가치를 인정받아 유네스코 세계 유산으로 지정되었다.

보충 ❷

◉ **서울 삼전도비**

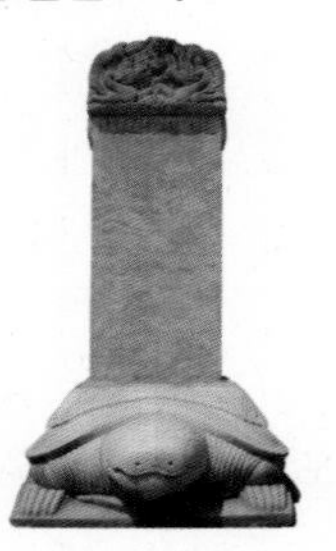

서울특별시 송파구에 있는 비석으로, 병자호란 직후 청의 요구로 삼전도에 세워졌다. 이 비석에는 병자호란 당시 인조가 남한산성에서 나와 청 태종에게 항복한 사실이 기록되어 있다.

용어 사전

❶ **압박**(壓: 누를 압, 迫: 핍박할 박): 군사력·경제력 등으로 상대의 행동을 제한하는 것을 말한다.

❷ **의리**(義: 옳을 의, 理: 이치 리): 사람이 살아가는 데 있어서 마땅히 지켜야 할 바른 도리를 말한다.

❸ **중립**(中: 가운데 중, 立: 설 립): 어느 쪽에도 치우치지 않고 중간적인 입장을 지키는 것을 말한다.

● 광해군의 중립 외교

중국의 세력 변화	광해군의 중립 외교
• 명: 세력이 약해져 가던 명은 임진왜란 이후 더욱 힘이 약해졌다. • 여진: 누르하치가 여진을 하나로 통합해 후금을 세우고 명을 위협했다.	• 명은 후금을 물리치려고 조선에 군사 지원을 요청했다. • 광해군은 명과 후금 사이에서 신중한 중립 외교를 펼치며 전쟁에 휘말리지 않으려고 했다.

다 함께 활동 만약 내가 인조였다면, 다음 주장 중 어떤 것을 선택하였을지 친구들과 이야기해 봅시다.

▲ 김상헌

명은 우리에게 부모와 같은 나라이고 청은 우리의 원수입니다. 신하된 자로서 부모의 원수와 형제를 맺고 부모의 은혜를 저버릴 수 있겠습니까?

-『인조실록』

정묘호란 때 맺은 형제 관계를 굳게 지켜 몇 년이라도 화를 늦추어야 합니다. 그동안에 너그럽고 착한 정치를 베풀어 백성의 마음을 수습하고 성을 쌓고 양식을 저축해 군사력을 기르면서 저들의 허점을 노려야 합니다.

-『지천집』

▲ 최명길

예 • 김상헌의 주장을 선택했을 것 같습니다. 끝까지 싸워 명과의 의리를 지켜야 하기 때문입니다.
• 최명길의 주장을 선택했을 것 같습니다. 일단 우리 백성이 많은 고통을 받지 않게 해야 하기 때문입니다.

잠깐! 확인해요

병자호란이 일어나자 인조는 남한산성으로 피신하였다. (O | X) (O)

정답과 해설 6쪽

1 (　　　)은/는 명과 후금 사이에서 중립 외교를 펼치다 신하들의 반발로 쫓겨났다.

2 정묘호란 때 쳐들어 온 후금은 조선과 형제 관계를 맺고 물러났다. (O | X)

3 인조가 남한산성에서 나와 청에게 항복한 장소는? (　　　)

조선 전기의 역사를 기록으로 정리해 볼까요?

❶ 『조선왕조실록』의 특징

(1) 『조선왕조실록』: 조선 시대에 사관들이 왕에 대한 여러 기록을 모아 만든 책이다.

(2) 『조선왕조실록』의 제작 과정

① 왕이 죽으면 여러 자료의 기록을 모은다.
② 왕이 다스렸던 기간의 일들을 구체적으로 적는다.
③ 왕이 다스렸던 기간의 일들을 평가하기도 한다.
④ 책으로 엮어 '실록궤'라는 상자에 봉인한다.

❷ 조선 전기의 역사를 기록으로 정리하는 방법

❶ 조선 시대의 사관들이 남긴 기록을 확인해 본다.
❷ 친구들과 이야기하며 기록에서 다루고 싶은 인물이나 문화유산을 정한다.
❸ 선택한 주제에 대한 내용을 조사하고, 그것과 관련된 사진이나 그림을 준비한다.
❹ 조사한 내용을 간단한 글로 정리하고, 사진이나 그림을 붙여 기록을 완성한다.
❺ 모둠 친구들이 완성한 기록을 시간 순서대로 정리해 책으로 엮는다.

❸ 조선 전기의 역사를 기록으로 정리하는 활동 (속 시원한 활동 풀이)

(1) 조선 시대 기록 살펴보기 예 『조선왕조실록』 누리집 등 보충 ❶, ❷, ❸

(2) 기록하고 싶은 조선 전기의 인물이나 문화유산 정하기 예 이순신 등

(3) 선택한 주제에 대해 조사하기 예 『조선왕조실록』 누리집에서 이순신 검색하기 등

(4) 조사한 내용을 정리하고 사진이나 그림 붙이기 예 찾은 기록을 정리하기, 이순신 동상을 보고 명량 ❶해전의 모습 그리기 등

(5) 친구들이 완성한 기록을 정리하고 책으로 엮기

예

날짜	1597년 9월 16일(음력)
제목	이순신, 불가능을 가능으로!
내용	일본 군대가 처음에 왔을 때 이순신은 겨우 13척의 ❷전함을 가지고 있었다. 이순신은 군사들을 이끌고 명량 해협으로 나아갔다. 명량 해협은 전라남도 진도군과 해남군 사이에 있는 좁은 바다로, 일본 배들이 아무리 많아도 한꺼번에 덤빌 수 없는 곳이었다. 또한 바닷물의 흐름이 매우 빨라 일본 배들이 쉽게 움직일 수도 없었다. 이순신은 맨 앞에서 포를 쏘면서 군사들을 이끌었다. 그 결과 조선 수군은 단 13척의 배로 133척의 배를 가진 적군과 싸워 이겼다. ▲ 임진왜란 때 활약한 이순신
나의 평가	조선 정부의 잘못된 판단으로 감옥에 갇혔던 이순신은 다시 장군으로 임명되어 일본군을 물리쳤다. 이 승리는 조선이 임진왜란을 극복하는 데 중요한 역할을 했다.

보충 ❶

◉ 『승정원일기』
1623년부터 1910년까지 승정원에서 왕의 명령, 관리의 임명 등을 기록한 일지이다. 조선 초부터 기록되었으나, 인조 대 이전의 것은 임진왜란과 이괄의 난 등으로 소실되어 남아 있지 않다.

보충 ❷

◉ 『쇄미록』
『난중일기』, 『징비록』과 더불어 임진왜란을 기록한 3대 저서이다. 『쇄미록』을 저술한 오희문은 한양을 떠난 1591년부터 1601년에 한양으로 돌아오기 전까지 전라도, 충청도, 강원도 지역을 옮겨 다니며 일기를 썼다. 백성들이 겪는 전란 중의 고초가 생생하게 기록되어 있어 16세기 조선의 일상생활사, 풍속사, 사회 · 경제사 연구에 중요한 사료로 여겨진다.

보충 ❸

◉ 『징비록』
임진왜란 당시 영의정이었던 유성룡이 전쟁 때 경험한 일을 기록한 책이다. '징비'는 '지난 일을 경계하여 앞날의 걱정거리를 조심한다.'라는 뜻이다. 지난 일을 반성하고 후손에게 알려 앞날을 대비하려고 한 것이다.

용어 사전

❶ 해전(海: 바다 해, 戰: 싸움 전): 바다에서 벌이는 싸움이다.
❷ 전함(戰: 싸움 전, 艦:배 함): 전쟁에서 쓰이는 배를 말한다.

속 시원한 활동 풀이

조선 전기의 역사 기록하기

날짜	예 1551년 5월 17일(음력)
제목	예 조선의 예술가 신사임당, 세상을 떠나다
내용	예 1551년 5월 17일 조선 전기의 예술가인 신사임당이 48세의 나이로 세상을 떠났으며, 경기도 파주에 안장되었다. 생전에 신사임당은 「대관령 넘으며 친정을 바라보다」 등의 시와 「초충도」 등의 그림을 남겼다. 오늘날 오만 원 지폐의 앞면에는 신사임당의 초상화와 함께 신사임당이 그린 「묵포도도」, 「초충도 수병」이 그려져 있다.
나의 평가	예 신사임당은 율곡 이이의 어머니로, 여성의 활동이 제약되던 조선 시대의 인물임에도 불구하고 뛰어난 재능을 발휘했다. 신사임당은 어려서부터 글과 시를 잘 썼으며, 그림도 잘 그리는 예술가였다. 특히 오늘날 전해지는 「초충도」에는 안정된 짜임과 섬세한 묘사, 뛰어난 색채감이 잘 나타나 있다. 이처럼 신사임당은 시문과 글씨, 그림 등 조선 시대의 대표적 예술가로서 독립적인 길을 개척한 인물이라고 할 수 있다.

확인 톡!톡!

정답과 해설 6쪽

1 왕이 살아 있을 때 실록을 편찬하기 시작한다. (O | X)

2 실록에는 사실만을 적기 위해 지난 일의 잘잘못을 평가하지 않는다. (O | X)

3 『조선왕조실록』의 편찬을 담당한 관리는? (　　)

즐겁게 정리해요

교과서 79쪽

'민족 문화를 지켜 나간 조선'에서 배운 내용을 떠올리며 다음 문제의 답을 빙고판에 쓰고 친구들과 빙고 놀이를 해 봅시다.

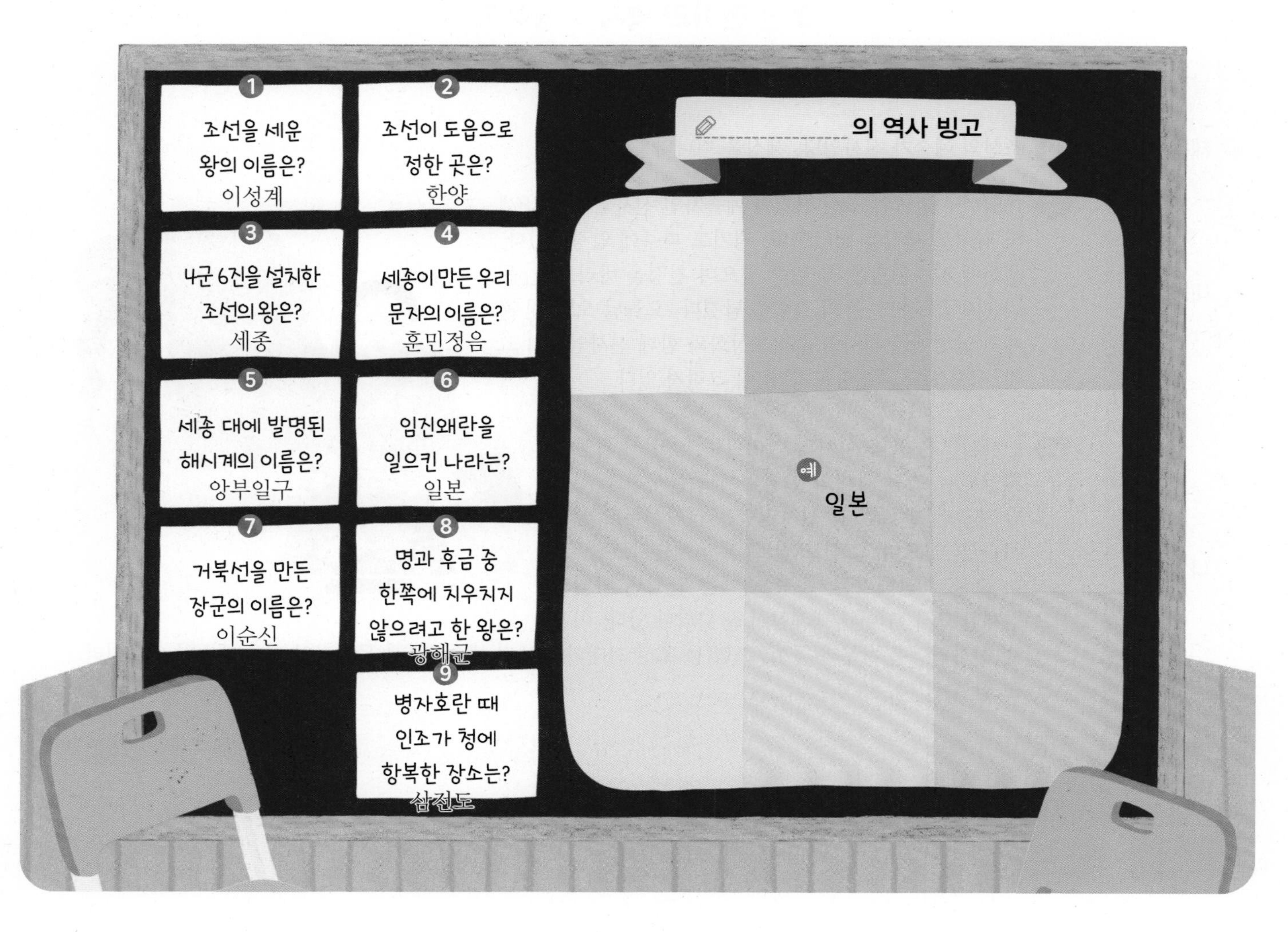

조선의 건국 과정과 한양이 도읍이 된 까닭을 설명할 수 있나요?	
조선 전기의 발전과 사회 모습을 설명할 수 있나요?	
조선이 임진왜란, 병자호란을 극복한 과정을 말할 수 있나요?	

1 조선이 한양을 도읍으로 정한 까닭으로 알맞은 것은 어느 것입니까? (　　)

① 바다가 가까웠기 때문이다.
② 고려를 계승했기 때문이다.
③ 사람들이 많이 살았기 때문이다.
④ 남쪽으로 영토를 확장하려 했기 때문이다.
⑤ 나라의 중심에 있어 교통이 편리했기 때문이다.

2 빈칸에 공통으로 들어갈 알맞은 말을 쓰시오.

> 조선은 □□의 가르침에 따라 경복궁 앞에는 관청, 동쪽에 종묘, 서쪽에 사직단을 두었다. 그리고 궁궐과 도성의 사대문을 □□에서 강조하는 덕목으로 이름 붙였다.

중요

3 조선의 건국 과정에서 일어난 일로 알맞지 않은 것은 어느 것입니까? (　　)

① 이성계를 중심으로 한 세력이 조선을 건국했다.
② 신진 사대부 중 일부는 무인 세력과 손잡았다.
③ 이성계와 권문세족이 반대 세력을 몰아내고 권력을 잡았다.
④ 이성계는 요동으로 가던 중 위화도에서 군대를 돌려 개경으로 돌아왔다.
⑤ 신진 사대부 중에서 정몽주 등은 고려 왕조를 유지하면서 사회 문제를 고쳐 나가려고 했다.

4 빈칸에 들어갈 알맞은 책을 쓰시오.

> 『□□□□』은/는 세종이 집현전 학자와 함께 우리나라 환경에 맞게 농사짓는 방법을 정리해 만든 책이다.

중요

5 훈민정음에 대한 설명으로 알맞지 않은 것은 어느 것입니까? (　　)

① 과학적이고 독창적인 문자이다.
② '백성을 가르치는 바른 소리'라는 뜻이다.
③ 주로 한자를 사용하던 양반에게 환영받았다.
④ 우리말을 소리 나는 대로 적을 수 있는 문자이다.
⑤ 백성들이 글을 몰라 겪는 어려움을 덜어 주기 위해 만들었다.

6 세종 대에 만들어진 과학 기구와 그에 대한 설명을 바르게 선으로 연결하시오.

(1) 혼천의 •　　• ㉠ 해와 달, 별의 움직임을 관찰할 때 사용하던 관측기구

(2) 자격루 •　　• ㉡ 해 그림자로 시간을 표시하는 해시계

(3) 앙부일구 •　　• ㉢ 자동으로 시각을 알려 주는 물시계

7 빈칸에 공통으로 들어갈 알맞은 말을 쓰시오.

> 조선은 건국 초부터 사회 질서를 유지하기 위해 나라를 다스리는 가장 기본적인 법전인 『□□□□』을/를 완성했다. 『□□□□』은/는 '나라를 다스리는 큰 법전'이라는 뜻으로, 조선에서 나라를 다스리는 원칙을 담았다.

8 조선 시대에 유교 질서를 백성에게 가르치기 위해 만든 책은 어느 것입니까? ( )

① 『징비록』 ② 『농사직설』
③ 『난중일기』 ④ 『향약집성방』
⑤ 『삼강행실도』

9 조선 시대 신분에 따른 설명을 바르게 선으로 연결하시오.

(1) 양반 • • ㉠ 양반의 집에서 허드렛일을 했으며, 재산처럼 여겨졌다.

(2) 중인 • • ㉡ 유교의 가르침이 담긴 책을 공부하고 관리가 되기도 했다.

(3) 상민 • • ㉢ 대부분 농사를 지었고, 나라에 세금을 내고 노동력을 제공했다.

(4) 천민 • • ㉣ 관청에서 일하거나 의학, 통역 등의 분야에서 전문적인 일을 했다.

10 다음에서 설명하고 있는 인물을 쓰시오.

조선 시대의 예술가로 글과 그림에 모두 뛰어났다. 이 인물이 그린 「초충도」에는 안정된 짜임, 섬세하고 부드러운 묘사, 색채감 등이 잘 나타나 있다.

「초충도」 ▶

11 임진왜란 이전 조선의 상황으로 알맞지 않은 것은 어느 것입니까? ( )

① 전쟁에 대비한 군사력을 강화했다.
② 나라를 세운 후 오랫동안 평화를 누렸다.
③ 군사력이 약화되었고 전쟁에 대한 대비가 부족했다.
④ 대신들이 둘로 나눠 싸우고 있어 정치가 혼란스러웠다.
⑤ 일본을 다녀온 사신의 의견 중 전쟁이 일어나지 않을 것이라는 의견을 받아들였다.

12 이순신과 관련이 없는 것은 어느 것입니까? ( )

① 『난중일기』 ② 노량 해전
③ 명량 해전 ④ 행주 대첩
⑤ 한산도 대첩

13 임진왜란의 전개 과정으로 알맞은 것은 어느 것입니까? ( )

① 선조는 한양에 남아 전쟁에 대비했다.
② 청이 조선을 돕기 위해 군대를 보냈다.
③ 바다에서 곽재우와 의병이 크게 활약했다.
④ 이순신이 행주산성에서 일본군을 물리쳤다.
⑤ 도요토미 히데요시가 조선을 정복하고자 침략했다.

14 임진왜란 때 행주산성에서 백성과 함께 일본군을 크게 물리친 인물은 누구입니까? (　　　)

① 조헌　② 권율
③ 곽재우　④ 김시민
⑤ 이순신

[15-16] 다음 자료를 읽고, 물음에 답하시오.

서울 송파구에 있는 삼전도비는 □□□□ 이후에 세워졌다. 청은 조선에 자신들의 승리를 기리는 비석을 세우기를 요구하여, 서울 삼전도비에는 조선이 청에 항복한 사실이 새겨 있다.

15 빈칸에 들어갈 전쟁의 이름을 쓰시오.

____

중요
16 위 전쟁에 대한 설명으로 알맞지 <u>않은</u> 것은 어느 것입니까? (　　　)

① 인조는 남한산성으로 피신했다.
② 인조와 신하들은 남한산성에서 청에 맞서 끝까지 싸웠다.
③ 전쟁이 끝난 후 조선과 청은 임금과 신하의 관계를 맺었다.
④ 소현 세자와 봉림 대군 그리고 많은 신하와 백성이 청에 끌려갔다.
⑤ 청이 조선에 임금과 신하의 관계를 요구했으나, 이를 거절하자 침략했다.

워드 클라우드와 함께하는 **서술형 문제**

[17-18] 다음 조선 시대의 과학 기구를 보고, 워드 클라우드의 단어를 이용해 서술형 문제의 답을 쓰시오.

앙부일구 자격루 해시계 시간
날씨 혼천의 측우기 농사
세종대왕 비의 양 발명 과학 기구
집현전 장영실 물시계

▲ 혼천의　▲ 측우기
▲ 앙부일구　▲ 자격루

17 앙부일구와 자격루의 공통점과 차이점을 쓰시오.

____

____

18 위와 같은 과학 기구가 백성들의 생활에 어떤 도움을 주었는지 쓰시오.

____

____

이 단원에서 배운 내용을 글과 그림으로 정리해 봅시다.

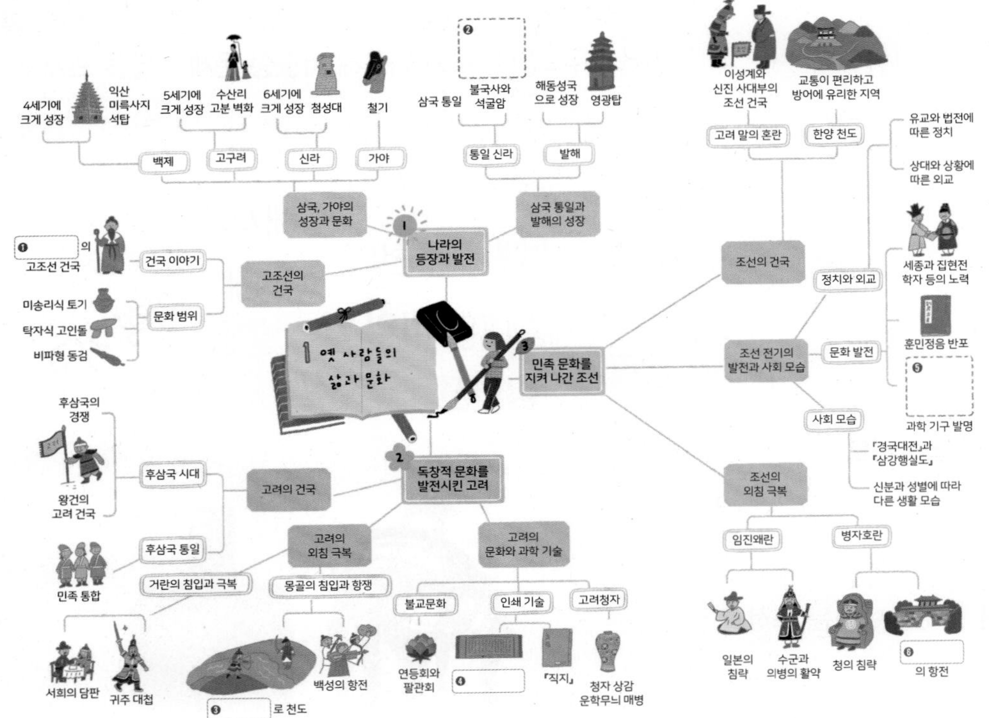

❶ 단군왕검

❷ 예

❸ 강화도

❹ 팔만대장경판

❺ 예

❻ 남한산성

옛 사람들의 삶과 문화가 담겨 있는 역사책의 표지를 만들어 봅시다.

만드는 방법

❶ 표지를 만들고 싶은 역사책을 하나 선택합니다.

- 나라의 등장과 발전
- 독창적 문화를 발전시킨 고려
- 민족 문화를 지켜 나간 조선

❷ 선택한 역사책에 어울리는 인물이나 문화유산을 그려 넣어 표지를 만듭니다.

- 예 왕건, 고려청자, 문무왕
- 백제 금동 대향로, 불국사

❸ 표지를 완성한 후, 친구들에게 소개합니다.

우리 민족을 통합한 왕건, 고려 사람들이 상감 기법을 적용해 만든 고려청자를 담아 '독창적 문화를 발전시킨 고려'의 표지를 만들었습니다.

예 신라의 문무왕과 발해의 대조영, 아름다운 백제 금동 대향로와 유네스코 세계 유산인 불국사를 담아 '나라의 등장과 발전'의 표지를 만들었습니다.

우리 역사 연표 만들기

연표 주제 정하기

⚙ **정한 주제:** 예 우리 역사 속 나라들의 발전

⚙ **정한 까닭:** 예 우리 역사 속에는 수많은 나라가 있었으며, 각 나라마다 훌륭한 인물과 문화유산이 많았습니다. 그 덕분에 우리나라는 지금까지 발전해 올 수 있었습니다. 이와 같은 사실을 친구들에게 꼭 소개하고 싶기 때문에 연표 주제를 '우리 역사 속 나라들의 발전'으로 정했습니다.

2 단계

우리 역사 연표 만들기

예

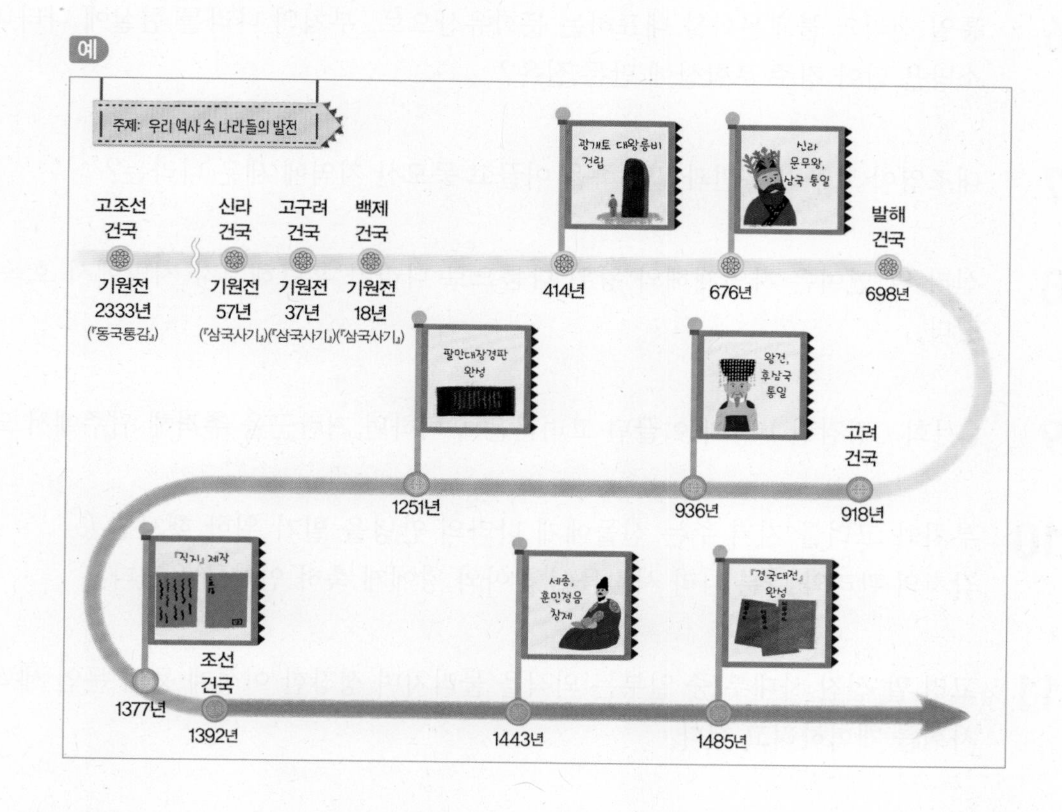

3 단계

우리 역사 연표 소개하기

예 '우리 역사 속 나라들의 발전'이라는 연표를 만들었습니다. 우리 역사 속에는 고조선, 신라, 고구려, 백제, 발해, 고려, 조선이라는 나라가 있었습니다. 광개토 대왕, 문무왕, 왕건, 세종 등의 인물과 광개토 대왕릉비, 팔만대장경판, 『직지』, 훈민정음, 『경국대전』 등의 문화유산은 이 나라들이 발전하는 모습을 잘 보여 줍니다.

정답과 해설 8쪽

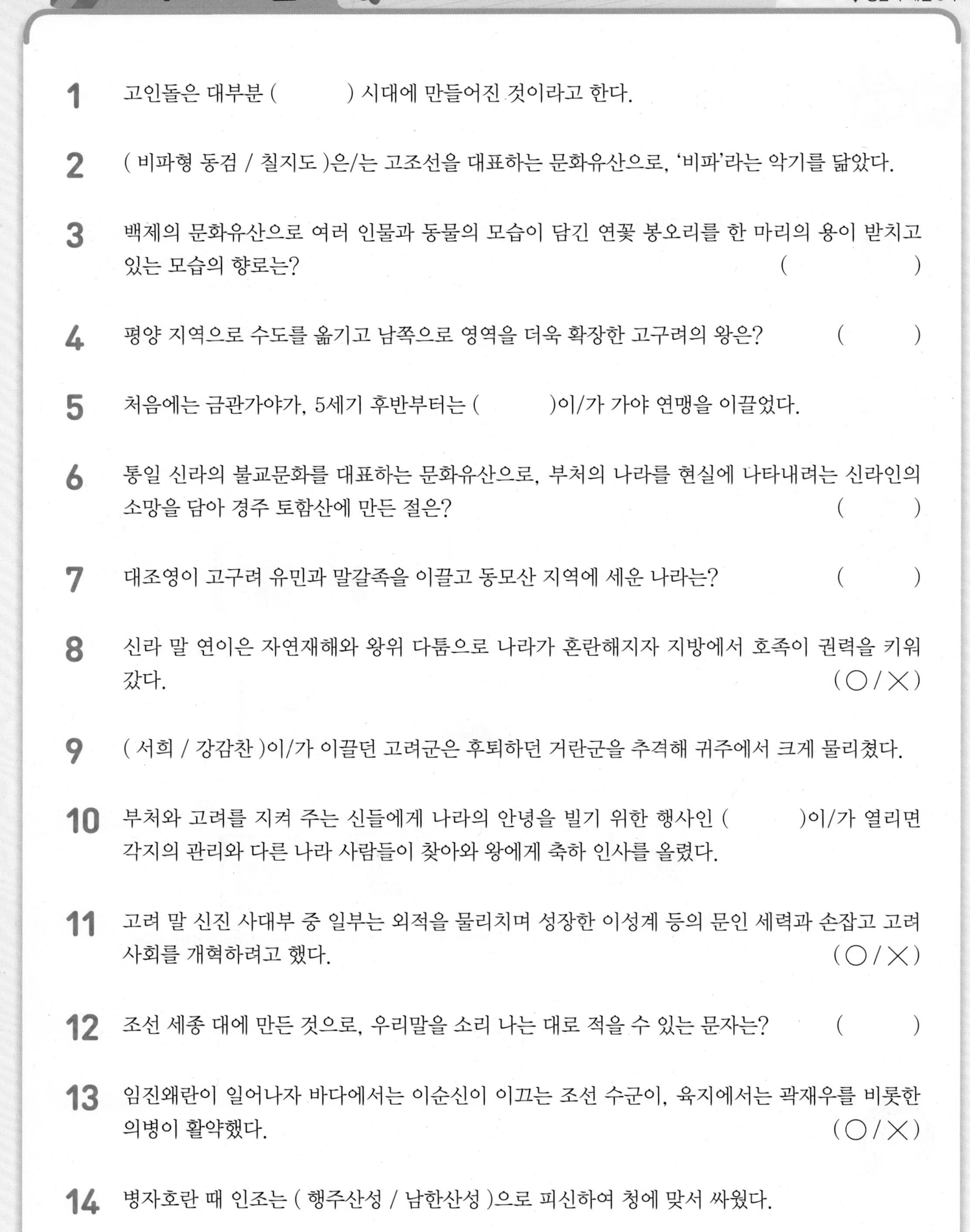

1 고인돌은 대부분 (   ) 시대에 만들어진 것이라고 한다.

2 (비파형 동검 / 칠지도)은/는 고조선을 대표하는 문화유산으로, '비파'라는 악기를 닮았다.

3 백제의 문화유산으로 여러 인물과 동물의 모습이 담긴 연꽃 봉오리를 한 마리의 용이 받치고 있는 모습의 향로는? (   )

4 평양 지역으로 수도를 옮기고 남쪽으로 영역을 더욱 확장한 고구려의 왕은? (   )

5 처음에는 금관가야가, 5세기 후반부터는 (   )이/가 가야 연맹을 이끌었다.

6 통일 신라의 불교문화를 대표하는 문화유산으로, 부처의 나라를 현실에 나타내려는 신라인의 소망을 담아 경주 토함산에 만든 절은? (   )

7 대조영이 고구려 유민과 말갈족을 이끌고 동모산 지역에 세운 나라는? (   )

8 신라 말 연이은 자연재해와 왕위 다툼으로 나라가 혼란해지자 지방에서 호족이 권력을 키워 갔다. (○ / ×)

9 (서희 / 강감찬)이/가 이끌던 고려군은 후퇴하던 거란군을 추격해 귀주에서 크게 물리쳤다.

10 부처와 고려를 지켜 주는 신들에게 나라의 안녕을 빌기 위한 행사인 (   )이/가 열리면 각지의 관리와 다른 나라 사람들이 찾아와 왕에게 축하 인사를 올렸다.

11 고려 말 신진 사대부 중 일부는 외적을 물리치며 성장한 이성계 등의 문인 세력과 손잡고 고려 사회를 개혁하려고 했다. (○ / ×)

12 조선 세종 대에 만든 것으로, 우리말을 소리 나는 대로 적을 수 있는 문자는? (   )

13 임진왜란이 일어나자 바다에서는 이순신이 이끄는 조선 수군이, 육지에서는 곽재우를 비롯한 의병이 활약했다. (○ / ×)

14 병자호란 때 인조는 (행주산성 / 남한산성)으로 피신하여 청에 맞서 싸웠다.

1 **고조선의 건국 이야기 중 밑줄 친 부분에 담긴 의미로 알맞은 것은 어느 것입니까?** (　　　)

> 환웅은 바람, 비, 구름을 다스리는 신하와 무리 삼천 명을 이끌고 태백산으로 내려왔다.

① 신분제가 있었다.
② 개인의 재산을 인정했다.
③ 농업을 중요하게 생각했다.
④ 큰 죄는 법으로 엄격하게 다스렸다.
⑤ 곰과 관련된 집단이 환웅의 집단과 함께했다.

중요

2 **다음과 같이 고구려의 영토를 크게 넓힌 왕을 모두 고르시오.** (　　　)

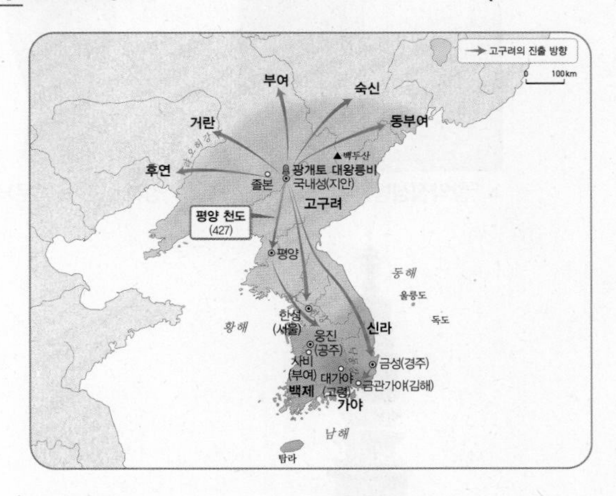

① 진흥왕　　② 장수왕
③ 무열왕　　④ 근초고왕
⑤ 광개토 대왕

3 **신라에서 경주 첨성대를 만든 까닭으로 알맞은 것은 어느 것입니까?** (　　　)

① 무덤을 장식하기 위해서
② 적과 맞서 싸우기 위해서
③ 불교를 널리 전하기 위해서
④ 영토가 넓어진 것을 기념하기 위해서
⑤ 해와 달, 별의 위치 등을 관찰하기 위해서

[4-6] 다음 문화유산을 보고, 물음에 답하시오.

▲ 금동 연가 7년명 여래 입상

▲ 황룡사 복원 모형

4 **위 문화유산과 관련된 종교를 쓰시오.**

5 **삼국이 위 종교를 받아들이고, 백성들에게 장려한 이유로 알맞은 것은 어느 것입니까?** (　　　)

① 영토를 넓히기 위해서
② 세금을 많이 거두기 위해서
③ 많은 문화유산을 남기기 위해서
④ 부처의 힘으로 전쟁을 막기 위해서
⑤ 백성의 마음을 하나로 모으기 위해서

6 **위 종교와 관련 없는 문화유산은 어느 것입니까?** (　　　)

① 팔만대장경　　② 광개토 대왕릉비
③ 익산 미륵사지 석탑　　④ 영주 부석사 무량수전
⑤ 서산 용현리 마애 여래 삼존상

7 **다음 문화유산에서 알 수 있는 가야의 특징으로 알맞은 것은 어느 것입니까?** (　　　)

① 왕권이 강력했다.
② 불교문화가 발달했다.
③ 농업 기술이 발달했다.
④ 다른 나라와 교류가 활발했다.
⑤ 질 좋은 철이 많이 생산되었다.

8 발해와 관련이 없는 것은 어느 것입니까? (　　　)

① 대조영　② 동모산
③ 해동성국　④ 무령왕릉
⑤ 고구려 계승

중요

9 거란의 1차 침입 때 서희의 담판 결과로 알맞은 것은 어느 것입니까?? (　　　)

① 천리장성을 쌓았다.
② 현화사비를 세웠다.
③ 수도인 개경을 빼앗겼다.
④ 압록강 동쪽의 강동 6주를 확보했다.
⑤ 후퇴하던 거란군을 귀주에서 물리쳤다.

10 금속 활자를 만들 때 필요한 기술이 아닌 것은 어느 것입니까? (　　　)

① 금속을 다루는 기술
② 유약을 만드는 기술
③ 활자를 판에 고정하는 기술
④ 금속 활자 인쇄에 맞는 먹을 만드는 기술
⑤ 금속 활자 인쇄에 맞는 종이를 만드는 기술

11 몽골의 침입으로 고려가 개경에서 도읍을 옮긴 곳은 어느 곳입니까? (　　　)

① 귀주　② 탐라
③ 서경　④ 강화도
⑤ 처인성

12 고려의 문화유산으로 알맞지 않은 것은 어느 것입니까? (　　　)

①
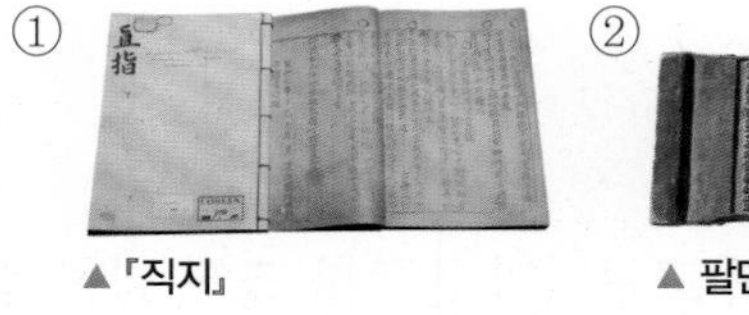
▲ 『직지』

②
▲ 팔만대장경판

③

▲ 『향약집성방』

④

▲ 청자 상감 운학무늬 매병

⑤
▲ 평창 월정사 팔각 구층 석탑

중요

13 고려청자에 대한 설명으로 알맞지 않은 것은 어느 것입니까? (　　　)

① 평민들이 주로 사용했다.
② 만들기 어렵고 귀한 물건이었다.
③ 상감 기법을 적용해 만들기도 했다.
④ 방수성이 뛰어나고 색과 무늬가 아름답다.
⑤ 잔칫상이나 제사상을 차릴 때도 청자를 활용했다.

14 **유교를 중시한 조선 사회에서 강조한 내용으로 알맞지 않은 것은 어느 것입니까?** ( )

① 백성이 나라의 근본이다.
② 부모와 어른을 공손히 모셔야 한다.
③ 아이와 어른은 허물없이 지내야 한다.
④ 관리는 백성을 위한 정치를 해야 한다.
⑤ 왕은 충성스러운 관리의 말에 귀 기울여야 한다.

중요

15 **조선 시대 신분에 따른 생활 모습으로 알맞지 않은 것은 어느 것입니까?** ( )

① 상민은 모두 농사를 지었다.
② 상민은 수확 일부를 세금으로 냈다.
③ 천민은 나라나 개인의 재산으로 여겨졌다.
④ 중인은 의학, 통역 등 전문적인 일을 했다.
⑤ 양반은 관리가 되어 나랏일에 참여하기도 했다.

16 **㉠, ㉡에 들어갈 알맞은 말을 쓰시오.**

> 여진이 국경을 넘어와 피해를 주자 조선은 세종대에 압록강 유역에 [㉠], 두만강 유역에 [㉡]을/를 설치해 영토를 넓혔다.

㉠ ______

㉡ ______

17 **임진왜란 당시 의병에 대한 설명으로 알맞은 것은 어느 것입니까?** ( )

① 양반들의 사병이었다.
② 남해에서 주로 활동했다.
③ 주로 천민들이 의병을 조직했다.
④ 강제로 모집해 의병을 조직했다.
⑤ 관군과 협력해 큰 승리를 거두기도 했다.

18 **빈칸에 들어갈 알맞은 인물을 쓰시오.**

> [ ][ ][ ]이/가 이끄는 조선 수군은 계속된 승리로 남해를 찾고, 전라도와 충청도의 곡창 지대를 지킬 수 있었다. 그 결과 바다로 물자를 보급하려던 일본군은 전략을 펼치는 데 어려움을 겪으며 북쪽으로 쉽게 나아갈 수 없었다.

______

19 **빈칸에 들어갈 알맞은 말을 쓰시오.**

> 조선이 명을 가까이하자 명과 전쟁 중이던 후금은 1627년 조선을 침략했다. 관군과 의병이 후금군에 맞서자, 후금은 일단 조선과 [ ] 관계를 맺고 물러났다.

______

20 **병자호란 당시 남한산성의 상황으로 알맞은 것을 보기 에서 모두 골라 기호를 쓰시오.**

보기
㉠ 식량이 부족했다.
㉡ 추위에 얼어 죽는 병사들도 생겼다.
㉢ 모든 신하는 끝까지 싸워야 한다고 주장했다.

______

[1-3] 다음 자료를 읽고, 물음에 답하시오.

거란 장수: 너희 고려는 신라 땅에서 일어났고, 고구려의 옛 땅은 우리 거란의 영토인데 고려가 침범했다.
㉠: 아니다. 우리나라는 고구려의 옛 땅에 있기 때문에 나라 이름을 고려라고 했다.
거란 장수: 너희 고려는 우리 거란과 국경을 맞대고 있다. 그런데 왜 바다 건너 송을 섬기는가?
㉠: 압록강 안팎도 고려 땅인데 여진이 그곳을 차지하고 길을 막고 있다. 여진을 몰아내고 우리가 그 땅을 가질 수 있다면 거란과도 교류할 수 있다.

1 ㉠에 공통으로 들어갈 알맞은 인물을 쓰시오.

2 거란 장수의 질문으로 알 수 있는 거란의 침입 의도를 쓰시오.

3 ㉠의 인물과 거란 장수의 대화 이후 고려가 얻어 낸 성과를 쓰시오.

[4-6] 다음 자료를 보고, 물음에 답하시오.

㉠

▲ 고려청자

㉡

▲ 금속 활자

㉢

▲ 팔만대장경판

4 ㉠ 문화유산을 만든 기법의 이름을 쓰고, 그 기법이 무엇인지 쓰시오.

5 ㉡을 이용해 인쇄물을 만들기 위해 함께 발달해야 하는 기술을 두 가지 쓰시오.

6 ㉢ 문화유산이 유네스코 세계 기록 유산이 된 까닭을 쓰시오.

2 사회의 새로운 변화와 오늘날의 우리

공부 계획표

- 자신의 일정에 맞게 계획을 세워 보고, 실제 학습일을 적어 봅시다.
- 학습을 마무리한 후 얼마나 학습 목표를 달성하였는지 스스로 점검해 봅시다.

	주제	쪽수	계획일	달성
단원 열기	사회의 새로운 변화와 오늘날의 우리	78~81쪽	월 일	
1 새로운 사회를 향한 움직임	조선 후기 사회는 어떻게 변화했을까요?	82~83쪽	월 일	
	조선 후기 사회를 개혁하기 위한 노력을 알아볼까요?	84~85쪽	월 일	
	조선 후기에는 어떤 문화를 즐겼을까요?	86~87쪽	월 일	
	조선은 사회 문제와 외국 세력의 침략에 어떻게 대응했을까요?	88~91쪽	월 일	
	개항 이후 조선 사람들은 어떤 세상을 꿈꾸었을까요?	92~95쪽	월 일	
	조선 후기의 역사를 그림으로 표현해 볼까요?	96~97쪽	월 일	
	즐겁게 정리해요, 주제 톡톡 문제	98~101쪽	월 일	
2 일제의 침략과 광복을 위한 노력	외국 세력의 간섭으로 조선은 어떻게 되었을까요?	102~103쪽	월 일	
	자주독립 국가를 만들기 위해 어떤 노력을 했을까요?	104~105쪽	월 일	
	일제의 침략에 맞서 어떤 노력을 했을까요?	106~107쪽	월 일	
	일제의 식민 통치로 어떤 어려움을 겪었을까요?	108~109쪽	월 일	
	3·1 운동과 대한민국 임시 정부의 활동을 알아볼까요?	110~111쪽	월 일	
	독립을 위해 국내외에서 어떤 노력이 이루어졌을까요?	112~113쪽	월 일	
	독립운동가 인물 카드를 만들어 볼까요?	114~115쪽	월 일	
	즐겁게 정리해요, 주제 톡톡 문제	116~119쪽	월 일	
3 대한민국 정부의 수립과 6·25 전쟁	광복을 맞은 사람들의 바람은 무엇이었을까요?	122~123쪽	월 일	
	통일 정부를 수립하기 위해 어떤 노력을 했을까요?	124~125쪽	월 일	
	대한민국 정부가 세워진 과정을 알아볼까요?	126~127쪽	월 일	
	6·25 전쟁은 어떻게 전개되었을까요?	128~129쪽	월 일	
	6·25 전쟁은 어떤 피해와 상처를 남겼을까요?	130~131쪽	월 일	
	광복 이후 6·25 전쟁까지의 역사를 동화로 만들어 볼까요?	132~133쪽	월 일	
	즐겁게 정리해요, 주제 톡톡 문제	134~137쪽	월 일	
단원 마무리	단원을 마무리해요, 쪽지 시험	138~140쪽	월 일	
	단원 톡톡 문제, 서술형 톡톡 문제	141~144쪽	월 일	

단원 열기 2. 사회의 새로운 변화와 오늘날의 우리

사라진 장면을 완성하자!

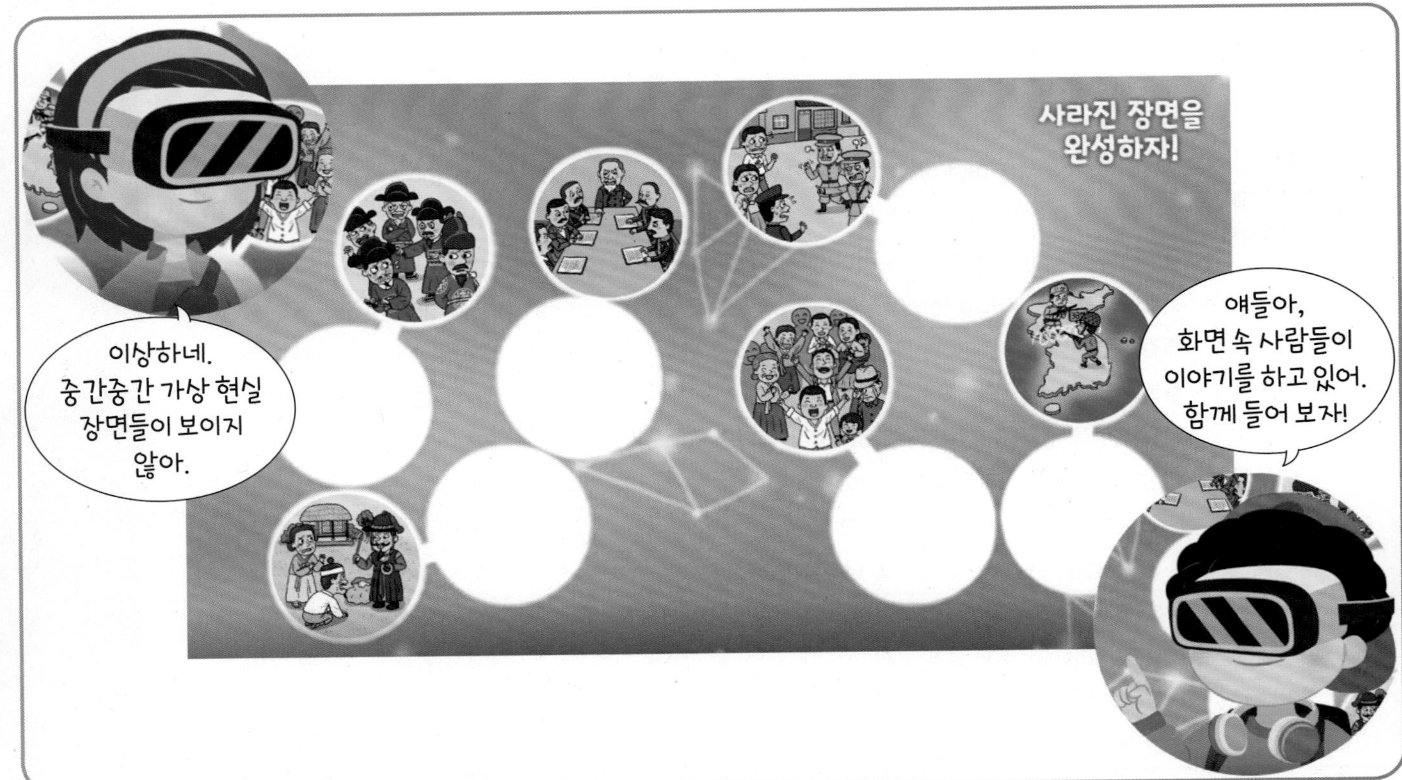

배움 영상

사라진 장면을 완성하자!
특정 세력의 힘이 너무 강해.

빼앗긴 세금이 너무 많아.
사라진 장면을 완성하자!

강제로 조약을 맺어 한국의 권리를 빼앗자.

사라진 장면을 완성하자!
다른 나라가 우리나라를 강제로 지배하고 있어.

사라진 장면을 완성하자!
다른 나라의 지배에서 벗어났어.

사라진 장면을 완성하자!
한반도의 갈등이 심해지고 있어.

이제 보이지 않는 화면에 어떤 일이 있었는지 알 것 같아. 우리가 사라진 장면들을 완성해 보자!

속 시원한 활동 풀이

교과서 85~86쪽

? 역사 속 인물들의 모습을 통해 어떤 일이 있었을지 이야기해 봅시다.

예 여러 가지 사회 개혁을 위한 노력이 있었을 것 같습니다. / 나라를 지키기 위해 노력했을 것 같습니다.

도움 알고 있는 사실을 활용해 사라진 장면을 찾아보아요.

이 단원에서 나는

교과서 87쪽

조선 후기의	사회 변화를	탐구하고 싶어요.
일제 강점기의	인물을	조사하고 싶어요.
광복 이후의	사건을	비교하고 싶어요.

예
- 조선 후기의 사회 변화를 탐구하고 싶어요.
- 일제 강점기의 인물을 비교하고 싶어요.
- 광복 이후의 사건을 조사하고 싶어요.

도움 제시된 낱말을 연결해 나만의 학습 계획을 세워 보아요.

미리 맛보는 교과서 흐름

사회의 새로운 변화와 오늘날의 우리

- **새로운 사회를 향한 움직임**
  - 조선 후기 사회와 문화의 변화: 탕평책, 수원 화성, 실학, 판소리, 탈놀이, 한글 소설, 풍속화, 민화
  - 개항과 사회 변화를 위한 노력: 병인양요, 신미양요, 강화도 조약, 갑신정변, 동학 농민 운동, 갑오개혁
- **일제의 침략과 광복을 위한 노력**
  - 외국 세력의 침략에 맞선 노력: 고종, 독립 협회, 대한 제국, 항일 의병, 안창호, 이회영, 안중근
  - 일제의 식민 통치와 광복을 위한 노력: 헌병 경찰, 민족 말살 통치, 3·1 운동, 대한민국 임시 정부, 독립운동
- **대한민국 정부의 수립과 6·25 전쟁**
  - 8·15 광복과 대한민국 정부 수립 과정 및 의의: 8·15 광복, 신탁 통치 문제, 남북 협상, 5·10 총선거, 「제헌 헌법」
  - 6·25 전쟁의 과정과 영향: 6·25 전쟁, 국군, 북한군, 정전 협정, 이산가족, 전쟁고아, 피란민

- 조선 후기 사회와 문화의 변화 및 개항과 사회 변화를 위한 노력을 알 수 있어요.
- 외국 세력의 침략에 맞선 노력 및 일제의 식민 통치와 광복을 위한 노력을 알 수 있어요.
- 대한민국 정부 수립 과정과 의의 및 6·25 전쟁의 과정과 영향을 알 수 있어요.

미리 맛보는 핵심 용어

❶ **개(開)** 열 개 **항(港)** 항구 항

❶ 특정한 항구를 열어 다른 나라의 배가 드나들며 물품을 사고팔 수 있도록 허용하는 일이다.

❷ **독(獨)** 홀로 독 **립(立)** 설 립

❷ '홀로 선다.'라는 뜻으로, 한 나라가 정치적으로 완전한 주권을 행사하는 것을 말하기도 한다.

❸ **광(光)** 빛 광 **복(復)** 돌아올 복

❸ '빛이 돌아온다.'라는 뜻으로, 빼앗긴 주권을 도로 찾는 것을 말한다.

조선 후기 사회는 어떻게 변화했을까요?

① 상평통보와 조선 후기 사회

(1) **상평통보:** 임진왜란과 병자호란 이후 조선 사회가 변화하면서 널리 사용된 조선의 화폐이다. (시험 대비 핵심 자료)

(2) **조선 후기 사회:** 두 차례의 전쟁 이후 여러 가지 변화가 있었다.

② 조선 후기에 변화된 사회의 모습 (속 시원한 활동 풀이)

(1) **전쟁 이후의 어려움:** 전쟁을 치르면서 국토가 황폐해지고 백성의 생활이 어려워졌다.

(2) **나라의 노력:** 토지와 인구를 조사하고 농민의 부담을 줄이는 정책을 시행했다. 보충 ①

▲ 전쟁 이후의 어려움

▲ 나라의 노력

(3) **농업의 발달:** 백성들이 농토를 일구고 저수지를 만들었으며, 새로운 ❶작물과 모내기법으로 소득을 늘렸다. 보충 ②

(4) **상업의 발달:** 농업이 발달하면서 농업 생산이 늘어나자 상업도 활발해져 전국적으로 장시(시장)가 크게 늘어났다.

▲ 농업의 발달　　▲ 상업의 발달

(5) **화폐의 유통:** 화폐의 필요성이 높아지면서 교환 수단으로 쓰이던 쌀이나 옷감 등을 대신해 상평통보가 유통되었다.

(6) **교역의 발달:** 청, 일본 등 다른 나라와의 ❷교역도 활발해졌다.

▲ 화폐의 유통

▲ 교역의 발달

보충 ①

◉ **대동법의 시행**

임진왜란 이후 재정난이 심해지고 백성의 삶이 어려워지자 정부는 대동법을 시행했다. 이는 집집마다 토산물을 내던 공납을 토지를 기준으로 쌀, 옷감, 동전 등으로 납부하게 한 제도였다.

보충 ②

◉ **모내기법의 영향**

모내기법의 보급은 농민들의 노동력을 절감시켜 동일한 노동력으로 더 많은 농지를 경작할 수 있게 만들었다. 또한 농민들에게 경작지를 확대하고자 하는 의욕을 불러일으켰다.

용어 사전

❶ **작물**(作: 지을 작, 物: 물건 물): 농작물의 줄임말이다.

❷ **교역**(交: 사귈 교, 易: 바꿀 역): 서로 물건을 사고팔아 바꾸는 것이다.

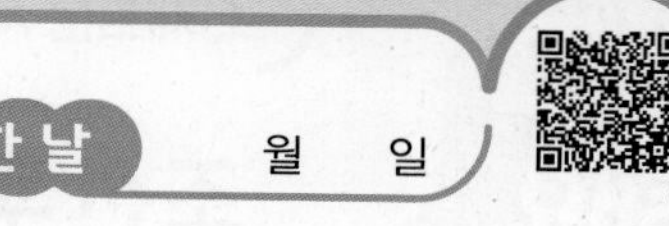

시험 대비 핵심 자료

● 조선 후기에 널리 쓰인 화폐, 상평통보

앞면

뒷면

▲ 상평통보

상평통보는 구리와 주석의 합금을 이용해 만든 조선 시대의 화폐이다. 둥근 모양으로 되어 있으며, 가운데에는 정사각형의 구멍이 뚫려 있다. 앞면에는 구멍 주변에 상(常), 평(平), 통(通), 보(寶)라고 새기고, 뒷면에는 주조한 관청을 적어 넣었다.

1633년 인조 때 여러 신하들의 건의에 따라 상평청을 설치하고 상평통보를 만들어 유통을 시도했으나 실패로 돌아갔다. 1678년 숙종 때 다시 상평통보를 만들어 서울과 서북 일부에 유통하게 했다. 이후 상평통보는 점차 전국적으로 유통되어 물품 구입이나 세금 납부에 사용되었으며, 재산 축적 수단으로 이용되기도 했다.

속 시원한 활동 풀이

다음 그림을 보고 조선 후기에 변화된 사회 모습을 이야기해 봅시다.

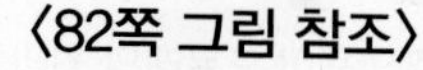

예 백성들이 농사를 짓고 있는 모습을 통해 조선 후기에 새로운 작물과 모내기법으로 농민들의 소득이 늘어났다는 사실을 알 수 있습니다.

예 활기찬 시장의 모습을 통해 조선 후기에 농업이 발달하면서 상업도 활발해져 시장이 크게 늘어났다는 사실을 알 수 있습니다.

확인 톡!톡!

정답과 해설 11쪽

1 임진왜란과 병자호란으로 조선의 국토는 황폐해졌다. (O | X)

2 조선 시대의 화폐로, 임진왜란과 병자호란 이후 널리 사용된 것은? (   )

3 임진왜란과 병자호란 이후 백성들은 새로운 작물과 (   )(으)로 소득을 늘렸다.

조선 후기 사회를 개혁하기 위한 노력을 알아볼까요?

보충 ①

◉ **영조의 청계천 정비 공사**
영조는 정치적 안정을 바탕으로 청계천 정비 사업을 시행했다. 이를 통해 홍수의 피해를 막고 당시 농촌에서 도시로 몰려든 실업자들에게 일자리를 만들어 주는 역할도 했다. 청계천 공사 과정을 기록한 「어전준천제명첩」에는 백성들이 개천의 바닥에 쌓인 모래나 돌을 퍼내고 있는 모습이 묘사되어 있다.

보충 ②

◉ **화성 건설에 이용된 거중기**

정약용이 도르래의 원리를 이용해 무거운 물체를 들어 올릴 수 있도록 만든 장치이다. 수원 화성을 건설할 때 이용되었다고 알려져 있다.

용어 사전

❶ **탕평**(蕩: 흔들 탕, 平: 고를 평): 싸움, 시비, 논쟁에서 어느 쪽에도 치우침이 없이 공평함을 뜻한다.

❷ **붕당**(朋: 벗 붕, 黨: 무리 당): 학문이나 정치적으로 생각이 같은 사람들이 모여서 만든 집단이다.

① 영조의 개혁 정치

(1) ❶탕평책 실시 (시험 대비 핵심 자료)

① 배경: 임진왜란 무렵부터 ❷붕당이 나타나기 시작해 각 붕당은 다양한 의견을 주고받으며 정치를 이끌어 나갔다. → 차츰 붕당 간에 서로 다투면서 정치가 혼란스러웠다.

② 탕평책 실시: 영조는 각 붕당의 인재를 고루 뽑아 쓰는 탕평책을 펼쳐 왕권을 강화하고 정치를 안정시키고자 했다.

(2) 민생 안정: 백성의 세금을 줄이고 생활을 안정시켰다.

(3) 청계천 정비: 홍수 피해를 막기 위해 청계천 정비 공사를 시행했다. 보충 ①

② 정조의 개혁 정치

(1) 탕평책 계승: 영조의 탕평책을 이어받아 정치를 안정시키려고 노력했다.

(2) 규장각 설치: 왕실 도서관이자 연구 기관인 규장각을 설치하고, 정약용 등의 인재를 뽑아 여러 정책을 함께 연구했다.

(3) 경제 활성화: 여러 제도를 고쳐 백성이 좀 더 자유롭게 경제활동을 하도록 했다.

(4) 수원 화성 건설: 수원 화성을 건설해 개혁 정치를 펼치고자 했다. 보충 ②

내용+ 수원 화성은 우수한 과학 기술과 건축물의 예술적 가치를 인정받아 유네스코 세계 문화유산으로 등재되었다.

③ 실학의 등장

(1) 실학: 현실 문제에 관심을 두고 이를 개혁하려는 사람들이 연구한 학문이다.

(2) 실학의 등장 배경: 사회의 새로운 변화에 따라 여러 제도 개혁이 절실히 필요했다.

내용+ 임진왜란과 병자호란을 겪은 이후 백성의 생활은 더욱 어려워졌고, 기존의 학문이 사회 문제를 해결할 방법을 제시하지 못하자 실학이 등장했다.

(3) 실학자들의 다양한 주장 (속 시원한 활동 풀이)

우리나라의 고유한 것에 관심을 둔 실학자	중국과 서양 학문뿐만 아니라 우리의 역사, 지리, 언어, 자연 등 다양한 분야를 연구했다. 예 김정호
농사와 토지 개혁에 관심을 둔 실학자	토지 제도를 바꾸고 과학적인 농사 기술을 알려 농민의 생활 안정을 위해 노력했다. 예 정약용
상업과 공업에 관심을 둔 실학자	청의 문물을 받아들이고 상업과 공업을 발달시켜 백성의 삶을 풍요롭게 하자고 주장했다. 예 박지원

(4) 실학의 한계: 실학자들은 대부분 정권에서 밀려나 있었고, 정부와 권력을 가진 이들은 실학자들의 주장을 적극적으로 받아들이지 않았다.

● 영조의 개혁 의지가 담긴 탕평비

> 두루 원만하고 편을 가르지 않음이 군자의 공정한 마음이고, 편을 가르고 원만하지 못함이 소인의 사사로운 마음이다.
>
> – 탕평비

◀ 탕평비

탕평비는 1742년에 영조가 탕평 정치의 의지를 널리 알리고자 성균관 앞에 세운 비석이다. 이 비석에는 영조가 붕당끼리 서로 편을 가르고 싸우는 일을 멈춰야 한다는 의미를 담아 직접 쓴 글이 새겨져 있다. 영조는 왕세제 시절부터 붕당 정치의 폐해를 직접 경험했기 때문에 즉위하자마자 탕평책을 펼쳐 왕권을 강화하고 정치를 안정시키려고 했다.

속 시원한 활동 풀이

스스로 활동 다음 실학자들의 가상 대화를 살펴보고, 정약용의 주장을 조사하여 빈칸을 채워 봅시다.

김정호: 우리나라의 산천과 도로 등을 잘 알아야 합니다. 저는 우리 국토에 관심을 가지고 우리나라 지도를 제작했습니다.

박지원: 나라를 부강하게 하고 백성의 삶을 풍요롭게 만들어야 합니다. 이를 위해서 청의 우수한 문물을 적극적으로 받아들이고, 상공업을 발전시켜야 합니다.

정약용: 조선의 백성은 대부분 농민입니다. 지금 농촌의 가장 큰 문제는 자기 땅을 가지고 농사짓는 농민이 거의 없다는 것입니다. 따라서 백성의 생활을 안정시키기 위해서는 예 백성들이 자신의 땅에서 농사를 지을 수 있도록 토지 제도를 바꾸어야 합니다.

잠깐! 확인해요

조선 후기 사회 문제를 해결하기 위해 등장한 학문을 □□(이)라고 한다. (실학)

확인 톡!톡!

정답과 해설 11쪽

1 정조는 홍수 피해를 막기 위해 청계천 정비 공사를 시행했다. (O | X)

2 정조가 개혁 정치를 펼치고자 건설한 신도시는? (   )

3 (   )들은 중국과 서양의 학문을 비롯해 우리나라의 역사, 천문학, 지리 등 다양한 분야를 연구했다.

조선 후기에는 어떤 문화를 즐겼을까요?

1 서민 문화의 등장

(1) **서민:** ❶벼슬이 없거나 신분이 높지 않은 일반 사람을 말한다.

(2) **서민 문화의 등장:** 조선 후기에 농업 생산력이 높아지고 상공업의 발달로 경제적 여유가 생긴 사람들이 문화와 예술 활동에 관심을 기울이기 시작했다.

내용+ 조선 후기에는 양반뿐만 아니라 일반 백성도 참여할 수 있는 문화가 발달했는데 이를 서민 문화라고 부른다.

2 서민 문화의 종류와 특징

(1) **서민 문화의 종류:** 판소리, 탈놀이, 한글 소설, 풍속화와 민화 등이 있다.

(2) **서민 문화의 특징:** 주로 백성의 어려운 삶과 사회 문제를 다루면서 양반을 ❷풍자하기도 했다. 시험 대비 핵심 자료 속 시원한 활동 풀이

문화	특징
판소리 보충 ❶	• 창(노래)이나 사설(이야기)로 엮은 공연이다. • 즉흥적으로 내용을 빼거나 더할 수 있으며, 관객도 함께 참여할 수 있기 때문에 백성에게 큰 호응을 얻었다. • 시간이 지나면서 서민뿐만 아니라 양반들도 즐기는 문화로 발전했다.
탈놀이	• 탈을 쓰고 하는 연극이나 춤 등을 말한다. • 주로 명절에 사람들이 많이 모이는 장터 등에서 공연되었다. • 백성의 생각이나 감정을 솔직하게 표현해서 인기가 많았다.
한글 소설	• 한글을 익힌 사람이 늘어나고 책을 읽어 주는 사람들이 생겨나면서 한글 소설이 널리 보급되었다. • 조선 후기에는 『홍길동전』, 『춘향전』, 『흥부전』 등 다양한 한글 소설이 보급되었다. • 한글을 읽을 줄 모르는 사람을 위해 사람들에게 돈을 받고 책을 읽어 주는 '전기수'라는 직업이 생겼다. 보충 ❷
풍속화와 민화	• 풍속화는 당시 사람들의 생활 모습을 담고 있는 그림이다. • 김홍도와 신윤복은 조선 후기 대표적 풍속화가로 다양한 사람들의 생활 모습을 실감나게 표현했다. • 서민들의 소망을 담아 그려진 민화가 유행하기도 하였다.

▲ 「평양도」의 판소리 공연 장면 일부

보충 ❶

◉ **판소리의 종류**

판소리는 본래 열두 마당이라 하여 그 수가 많았다. 그러나 이후 충, 효, 의리, 정절 등 조선 시대의 가치관을 담은 춘향가, 심청가, 수궁가, 흥보가, 적벽가만이 가다듬어져 판소리 다섯 마당으로 정착되었다.

보충 ❷

◉ **전기수**

조선 후기에 소설을 직업적으로 낭독하는 사람들을 말한다. 전기수는 소설 속 등장인물과 장면, 분위기에 어울리게 억양, 표정, 몸짓 등을 바꿔 가며 소설책을 읽어 사람들에게 인기가 많았다.

용어 사전

❶ **벼슬**: 나랏일을 맡아 다스리는 자리를 말한다.

❷ **풍자**(諷: 풍자할 풍, 刺: 찌를 자): 사회 문제나 사람들의 잘못을 빗대어 비판하는 것이다.

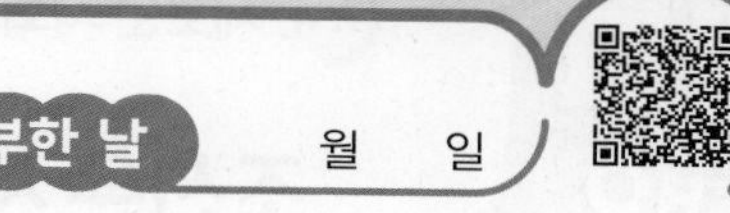

2 단원

시험 대비 핵심 자료

● 풍속화 「서당」과 민화 「호랑이와 까치」

▲ 김홍도의 「서당」

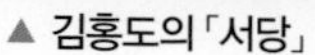

▲ 「호랑이와 까치」

조선 후기에 대표적인 풍속화가로 알려졌던 김홍도가 그린 「서당」과 조선 후기의 대표적 민화인 「호랑이와 까치」이다.
김홍도는 주로 서민들의 일상생활 모습을 표현했다. 이 시기에는 양반이나 여인들의 모습 등을 그렸던 신윤복도 활약했다.
한편 민화는 대부분 이름 없는 화가들이 그린 그림이다. 서민들은 자신들의 소망이 담긴 민화로 생활 공간을 장식했다.

속 시원한 활동 풀이

다 함께 활동 서민 문화 중 한 가지를 골라 당시 사람들의 모습과 소망을 표현해 봅시다.

예 오늘은 5일장이 열리는 날이다. 부모님과 함께 시장에 가 보니 탈놀이 공연이 열리고 있었다. 양반들의 모습을 우스꽝스럽게 풍자하는 모습이 아주 재미있었다. 물건을 사고 집으로 돌아오는 길에 민화를 파는 사람을 보았다. 우리 가족의 건강과 행복을 바라며 민화를 구입했다.

잠깐! 확인해요

조선 후기에는 판소리, 탈놀이, 한글 소설 등 □□ 문화가 발달하였다. (서민)

확인 톡!톡!

정답과 해설 11쪽

1 서민은 벼슬이 있고 신분이 높은 사람을 의미한다. (O | X)

2 ( )은/는 탈을 쓰고 하는 연극과 춤을 말한다.

3 조선 후기에 유행한 그림으로, 당시 사람들의 생활 모습을 담은 것은? ( )

조선은 사회 문제와 외국 세력의 침략에 어떻게 대응했을까요?(1)

1 세도 정치 시기 조선의 상황

(1) 세도 정치의 등장: 정조가 죽은 이후 왕들이 어린 나이로 왕위에 오르자 ❶외척 세력이 권력을 잡고 나라를 운영하는 세도 정치가 나타났다.

(2) 세도 정치 시기의 부정부패: 외척 세력이 자신의 힘을 이용해 관직을 사고팔거나 백성에게 세금을 부정하게 받아 이익을 챙겼다.

(3) 세도 정치 시기 백성의 삶

① 세도 정치로 백성의 삶은 이전보다 더 힘들어졌다.

② 자연재해가 일어나고 전염병이 유행했다.

(4) 세도 정치 시기 세금 제도의 문란 시험 대비 핵심 자료

① 백성들은 법으로 정해진 것보다 더 많은 토지세를 부담했다.

② 백성들은 군대에 필요한 비용을 위해 내지 않아도 되는 세금을 내야 했다.

③ 흉년에 백성에게 곡식을 빌려주는 환곡 제도가 부패했다. 보충 ❶

(5) 농민의 난 발생: 세도 정치 시기의 부정부패와 세금 제도의 문란 등으로 백성의 삶이 힘들어져 전국에서 농민의 난이 발생했다.

2 흥선 대원군의 개혁

(1) 고종 즉위와 흥선 ❷대원군의 등장

① 세도 정치 시기의 사회적 혼란 속에서 고종이 어린 나이에 왕이 되었다.

② 고종의 아버지인 흥선 대원군이 고종을 대신해 권력을 잡았다.

(2) 흥선 대원군의 개혁 추진

① 흥선 대원군은 사회 문제를 해결하고 왕권을 강화하기 위해 여러 정책을 펼쳤다.

② 일부 무리한 정책은 백성들의 불만을 사기도 했다.

(3) 흥선 대원군의 정책 속 시원한 활동 풀이

인재 등용	세도 정치로 권력을 누린 세력들을 몰아내고 다양한 인재를 등용했다.
세금 개혁	양반들이 내야 할 세금을 늘려 나라에 필요한 재정을 마련했다.
서원 정리	세금을 면제받고 백성을 힘들게 하는 서원을 정리했다. 보충 ❷
경복궁 중건	왕실의 권위를 회복하기 위해 임진왜란 때 불에 탄 경복궁을 다시 지었다.

내용+ 경복궁을 다시 지으려고 백성들을 토목 공사에 동원하고 강제로 기부금을 걷었으며, 양반의 묘지림까지 벌목하여 양반과 백성 모두에게 불만을 샀다.

▲ 경복궁 근정전

보충 ❶

◉ **환곡 제도**
흉년이나 보릿고개에 가난한 백성에게 곡식을 빌려주고 추수기에 이를 돌려받던 제도이다. 이는 삼국 시대부터 실시되었으며, 조선 시대에 제도로서 자리 잡았다. 그러나 전쟁으로 나라의 살림살이가 어려워지자 어려운 처지에 있는 백성을 돕는 기능을 잃고 재정을 확보하는 용도로 이용되었다.

보충 ❷

◉ **서원**
덕망 있는 유학자를 받들어 제사 지내고, 성리학을 연구하며 지방 양반 자제들을 교육하는 곳이었다. 나라에서도 서원의 설립을 장려했으며, 토지·노비·서적 등을 지급하고 세금을 면제했다.

용어 사전

❶ **외척**(外: 바깥 외, 戚: 친척 척): 어머니 쪽의 친척으로, 왕실과 혼인 관계를 맺은 집안을 가리킨다.

❷ **대원군**(大: 클 대, 院: 집 원, 君: 임금 군): 조선 시대에 왕의 뒤를 이을 자손이나 형제가 없어 왕족 가문 중 한 사람이 왕이 되었을 때, 새 왕의 아버지를 이르던 말이다.

공부한 날 월 일

시험 대비 핵심 자료

● 부패한 환곡 제도를 고발한 기록

▲ 정약용

> 빌려주고 빌리는 건 양쪽이 다 원해야지
> 억지로 시행하면 불편한 것이다. ……
> 봄철에 좀먹은 쌀 한 말 받고서
> 가을에 온전한 쌀 두 말을 갚는데
> 게다가 좀먹은 쌀값 돈으로 내라 하니
> 온전한 쌀 팔아 돈을 바칠 수밖에
> – 정약용, 「하일대주」

「하일대주」는 1804년 여름에 정약용이 지은 시로, 세도 정치 시기 환곡 제도의 폐단을 짐작할 수 있는 기록이다. 실학자인 정약용은 전라남도 강진에서 유배 생활을 하며 외척 세력의 횡포와 세금 제도의 문란을 마음에 사무치게 느끼고 그러한 상황을 자신의 시에 그대로 묘사했다.

2 단원

속 시원한 활동 풀이

다 함께 활동 흥선 대원군이 개혁을 추진한 까닭과 개혁에 대한 백성들의 생각을 이야기해 봅시다.

예 흥선 대원군은 백성의 생활을 안정시키기 위해 개혁을 추진한 것 같습니다.

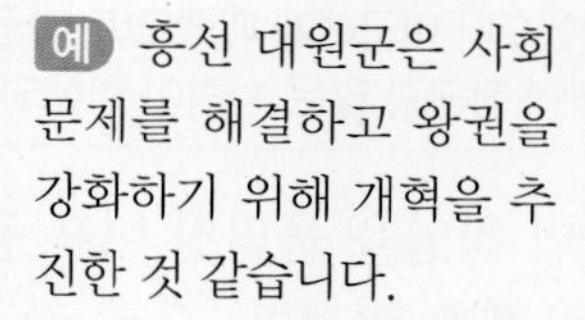

예 양반들은 자신들이 내야 할 세금이 늘어 흥선 대원군에게 불만을 품었을 것 같습니다.

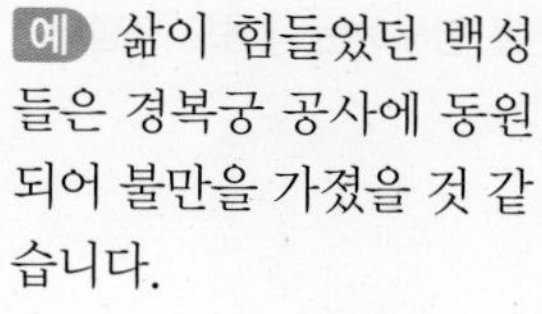

정답과 해설 11쪽

1 영조가 죽은 이후 왕들이 어린 나이로 왕위에 오르자 세도 정치가 나타났다. (O | X)

2 고종이 어린 나이에 왕이 되자 그를 대신해 권력을 잡은 인물은? (　　　)

3 흥선 대원군은 임진왜란 때 불에 탄 (　　　)을/를 다시 지었다.

조선은 사회 문제와 외국 세력의 침략에 어떻게 대응했을까요?(2)

③ 서양 세력의 침입과 조선의 대응

(1) 서양 세력의 침입

① 서양의 여러 나라가 조선 해안에 나타나 ❶통상을 요구했다.

② 조선은 다른 나라의 통상 요구를 거부했고, 프랑스와 미국은 군대를 앞세워 강화도에 침입했다.

(2) 프랑스의 침입과 조선의 대응

원인	• 흥선 대원군이 프랑스 신부와 천주교를 믿는 사람들을 처형했다. • 프랑스는 선교사 처형을 구실로 강화도를 침입했다(1866년, 병인양요).
결과	• 조선은 강화도에 군대를 보내 프랑스군을 물리쳤다. • 프랑스군은 조선군에 패하고 물러가면서 의궤를 비롯한 많은 문화재를 약탈해 갔다. 보충 ❶

내용+ 프랑스군이 약탈해 간 외규장각 도서 중 『의궤』는 당시 조선 왕실이 치른 행사의 구체적인 모습을 알 수 있는 귀중한 자료이다.

(3) 미국의 침입과 조선의 대응

원인	• 미국의 배가 평양에 들어와 난동을 피우다 불에 탄 사건이 일어났다. • 미국은 배가 탄 사건을 구실로 군함을 이끌고 강화도를 침입했다(1871년, 신미양요).
결과	• 조선군은 강력하게 저항했으나 미군에게 패했으며, 미군은 조선군의 저항에 스스로 물러갔다. • 광성보가 함락되고 어재연 장군과 많은 사람이 희생되었다.

(4) 척화비 건립: 두 차례 서양의 침입을 물리친 이후 흥선 대원군은 전국 각지에 척화비를 세워 통상 수교 거부의 뜻을 알렸다. 시험 대비 핵심 자료

④ 일본의 침입과 강화도 조약

(1) 통상 수교에 대한 요구

① 일부 관리들 사이에는 다른 나라와의 통상 수교가 필요하다는 주장도 있었다.

② 흥선 대원군이 물러나고 고종이 직접 정치에 나서면서 통상 수교를 주장하는 목소리가 점점 높아졌다.

(2) 일본의 침입과 강화도 ❷조약 체결 속 시원한 활동 풀이

① 강화도에 허락 없이 들어온 일본 군함과 조선군이 초지진에서 전투를 벌였다.

② 일본은 초지진에서의 전투를 구실로 조선에 군함을 보내 통상을 요구했다.

③ 1876년 조선은 일본과 강화도 조약을 맺고 개항했다.

(3) 강화도 조약의 특징: 조선이 외국과 맺은 최초의 근대적 조약이었지만, 조선에 불리한 내용이 담긴 불평등한 조약이었다. 시험 대비 핵심 자료 보충 ❷

(4) 강화도 조약 이후의 상황: 강화도 조약 이후 조선은 서양의 여러 나라와도 조약을 맺어 교류하기 시작했다.

보충 ❶

◉ **외규장각 『의궤』의 귀환**

외규장각은 정조가 왕실과 관련된 책을 보관하기 위해 강화도에 설치한 도서관이다. 프랑스는 1866년 병인양요 때 이곳에 있는 『의궤』 등을 약탈하고 계속 돌려주지 않고 있었다. 그러나 문화유산 반환 운동의 결실로 2011년에 프랑스 국립 도서관에 있던 약탈 도서 297권 모두가 5년 단위 임대 형식으로 국내로 돌아왔다.

보충 ❷

◉ **강화도 조약의 주요 내용**

강화도 조약은 조선이 자주국임을 규정했다. 그러나 이는 조선과 청의 관계를 부정하려는 일본의 침략적 의도가 담겨 있었다. 다른 조항에는 부산 외 2개 항구의 개항, 해안 측량권 허용 등 조선의 주권을 침해하는 내용도 포함되었다.

용어 사전

❶ **통상**(通: 통할 통, 商: 장사 상): 나라들 사이에 서로 물품을 사고파는 것, 또는 그런 관계를 말한다.

❷ **조약**(條: 가지 조, 約: 맺을 약): 항목을 정해서 구체적으로 약속하는 것을 말한다.

공부한 날 월 일

시험 대비 핵심 자료

● 척화비

◀ 척화비

신미양요 이후 흥선 대원군은 "서양의 오랑캐가 침범했는데 싸우지 않고 화친을 주장하는 것은 나라를 팔아먹는 것이다."라는 내용이 새겨진 척화비를 전국 각지에 세워 통상 수교 거부 정책을 알렸다.

● 강화도 조약(일부)

- 조선은 부산 외에 두 곳을 개항한다.
- 조선 해안을 일본의 항해자가 자유롭게 측량하는 것을 허가한다.
- 개항한 항구에서 일본인이 죄를 지어도 조선 정부가 심판할 수 없다.

1876년 조선은 강화도에서 일본과 강화도 조약을 맺고 개항했다. 강화도 조약은 조선이 외국과 맺은 최초의 근대적 조약이었지만, 불평등 조약이었다.

속 시원한 활동 풀이

스스로 활동 외국 세력의 통상 요구를 조선 사람들은 어떻게 생각했을지 상상하여 빈칸을 채워 봅시다.

잠깐! 확인해요

흥선 대원군은 임진왜란 때 불에 탄 경복궁을 다시 지었다. (O | X) (O)

확인 톡!톡!

정답과 해설 11쪽

1 프랑스는 프랑스의 배가 평양에 들어와 불에 탄 사건을 구실로 조선에 침입했다. (O | X)

2 강화도에 허락 없이 들어온 일본 군함과 조선군은 ( )에서 전투를 벌였다.

3 1876년 조선이 일본과 맺은 최초의 근대적 조약은? ( )

개항 이후 조선 사람들은 어떤 세상을 꿈꾸었을까요?(1)

1 개항 이후 조선의 상황

(1) ❶개화에 대한 조선 사람들의 생각

① 최익현 등의 사람들은 개항과 개화 정책에 반대했다. 보충 ❶

② 서양의 여러 문물을 받아들여 조선을 개화해야 한다는 사람들도 있었다.

(2) 개화를 주장한 사람들의 의견

① 김홍집을 중심으로 한 사람들(온건 개화파): 조선의 법과 제도를 지키면서 서양의 기술을 받아들여야 한다고 주장했다.

② 김옥균을 중심으로 한 사람들(급진 개화파): 서양의 기술뿐만 아니라 제도와 사상까지 받아들여야 한다고 주장했다.

▲ 개화에 대한 당시 사람들의 다양한 주장

2 갑신정변

(1) 갑신정변의 발생: 김옥균을 중심으로 한 사람들은 청의 간섭에서 벗어나 근대적인 국가를 만들고자 1884년에 갑신❷정변을 일으켰다. 시험 대비 핵심 자료

(2) 갑신정변의 내용 속 시원한 활동 풀이

① 정권을 잡은 이들은 새로운 정부를 구성했다.

② 새 정부는 자신들이 추구한 개혁안을 발표했다.

> **갑신정변의 개혁안(일부)**
> - 청에게 정기적으로 ❸조공을 바치며 큰 나라로 섬기던 태도를 버린다.
> - ❹문벌을 폐지하고, 백성들이 평등한 권리를 갖는 제도를 마련한다.
> - 세금 제도를 고쳐 관리의 부정을 막고 국가의 살림살이를 튼튼히 한다.
>
> – 김옥균, 『갑신일록』

(3) 갑신정변의 결과 보충 ❷

① 청의 군대가 개입하면서 3일 만에 실패로 끝났다.

② 갑신정변을 주도했던 김옥균, 박영효 등은 일본으로 피신했다.

보충 ❶

◉ **최익현**

조선 말기의 유학자이자 의병장이다. 외국 세력에 반대하던 인물로서 일본의 침략에 저항하며 의병을 일으켰다. 후일 그는 관군에 스스로 붙잡혀 일본의 쓰시마섬에서 감옥살이를 하다가 세상을 떠났다.

보충 ❷

◉ **일본으로 망명한 개화당**

갑신정변은 청군의 공격을 방어하지 못해 실패했다. 이에 김옥균 등 개화당의 집권은 '3일 천하'로 끝났다. 김옥균은 후일을 기약하며 박영효, 서광범, 서재필 등 9명의 동지들과 함께 일본으로 망명했다.

용어 사전

❶ **개화**(開: 열 개, 化: 될 화): 서양의 문화와 제도를 받아들여 새로운 생각, 문화와 제도 등을 갖게 되는 것을 말한다.

❷ **정변**(政: 정사 정, 變: 변할 변): 합법적이지 않은 방법으로 생긴 정치상 큰 변화를 말한다.

❸ **조공**(朝: 문안할 조, 貢: 바칠 공): 옛날에 중국의 주변 나라들이 정기적으로 중국에 예물을 바친 것을 말한다.

❹ **문벌**(門: 문 문, 閥: 공훈 벌): 대대로 내려오는 그 집안의 사회적 신분이나 지위를 말한다.

시험 대비 핵심 자료

우정총국에서 정변을 일으킨 사람들

▲ 갑신정변의 주역들

▲ 우정총국(서울특별시 종로구)

갑신정변의 주역들은 왼쪽부터 박영효, 서광범, 서재필, 김옥균이다. 이들은 갑신정변을 일으켜 새 정부를 조직하고 주요 개혁 정책을 발표했다. 그러나 청 군대의 무력 공격을 막아내지 못하고 갑신정변은 3일 만에 끝나 버리고 말았다. 김옥균은 박영효, 서광범, 서재필 등과 함께 일본으로 피신했다.
우정총국은 우리나라 최초의 우편 업무를 담당하던 관청이다. 갑신정변으로 우정총국은 20일 만에 폐쇄되었다. 현재는 체신기념관으로 운영 중이다.

속 시원한 활동 풀이

스스로 활동 갑신정변을 일으킨 사람들이 만들고자 한 나라의 모습을 말해 봅시다.

예
- '청에게 정기적으로 조공을 바치며 큰 나라로 섬기던 태도를 버린다.'라는 내용을 보면 그들이 청의 간섭을 받지 않는 자주적인 국가를 꿈꾸었음을 알 수 있습니다.
- '문벌을 폐지하고, 백성들이 평등한 권리를 갖는 제도를 마련한다.'라는 내용을 보면 그들이 신분과 문벌이 사라져 모든 사람이 동등한 권리를 갖는 사회를 만들고자 했음을 알 수 있습니다.
- '세금 제도를 고쳐 관리의 부정을 막고 국가의 살림살이를 튼튼히 한다.'라는 내용을 보면 세금을 철저하게 관리해 낭비를 막고, 국가 재정이 튼튼한 나라를 바라고 있었음을 알 수 있습니다.

확인 톡!톡!

정답과 해설 11쪽

1 김홍집을 중심으로 한 사람들은 조선의 법과 제도를 지키면서 서양의 기술을 받아들이자고 주장했다. (O | X)

2 김옥균을 중심으로 한 사람들이 1884년에 일으킨 정변은? ( )

3 갑신정변은 ( )의 군대가 개입하면서 3일 만에 실패로 끝났다.

개항 이후 조선 사람들은 어떤 세상을 꿈꾸었을까요?(2)

❸ 동학 농민 운동

(1) 개항 이후의 상황: 개항 이후 농민들의 삶은 더욱 어려워졌다.

(2) 동학의 세력 확대: 평등 사상과 사회 개혁을 강조한 동학을 믿고 따르는 사람들이 점점 늘어났다. 보충 ❶

(3) 동학 농민 운동의 전개: 1894년 농민들은 고부 ❶봉기를 계기로 동학 농민 운동을 일으켰다. (시험 대비 핵심 자료) (속 시원한 활동 풀이)

① 전라도 고부 군수 조병갑이 농민들을 수탈하자 동학의 지도자였던 전봉준은 농민들을 모아 고부 관아를 공격했다.

② 동학 농민군이 전주성을 점령하자 조선 정부는 청에 군대를 요청했고, 일본도 조선에 군대를 보냈다.

③ 농민군은 외국 군대의 개입을 막으려고 정부와 협상해 개혁안을 약속받고 스스로 물러났다.

동학 농민군의 개혁안(일부)
- 동학교도와 정부 사이의 반감을 없애고 정치에 협력한다.
- ❷탐관오리의 죄상을 조사하여 이를 엄중히 처벌한다.
- 노비 문서를 불태워 없앤다.
- 규정 이외의 모든 세금을 폐지한다.
- 일본에 협력하는 사람을 엄히 벌한다.

– 오지영, 『동학사』

④ 청과 일본은 조선의 군대 철수 요구를 무시하고 청·일 전쟁을 벌였다.

⑤ 전쟁을 진행하면서 일본은 조선에 간섭하며 개혁을 강요했다.

⑥ 일본이 조선의 정치에 간섭하자 동학 농민군은 일본을 몰아내기 위해 다시 일어났다.

⑦ 동학 농민군은 공주 우금치에서 벌어진 전투에서 일본군과 관군에 크게 패했다.

▲ **재판을 받으러 가는 전봉준** 부상을 입은 전봉준이 들것에 실려 가고 있다.

⑧ 동학 농민군은 후퇴를 거듭하다 해산했고, 전봉준은 체포되어 처형당했다.

❹ 갑오개혁

(1) 갑오개혁의 추진: 계속되는 개혁 요구에 조선은 개화파 관리들을 중심으로 개혁을 추진했다. 보충 ❷

(2) 갑오개혁의 의의: 일본의 강요로 시작된 개혁이었지만, 신분제가 폐지되는 등 갑신정변과 동학 농민 운동에서 제기된 요구가 일부 실현되었다.

보충 ❶

◉ **최제우가 만든 동학**
동학은 최제우가 민간 신앙과 유교, 불교, 천주교 등의 장점을 모아 만든 종교이다. 서학(천주교)에 대항해 동학이라고 이름을 지었다.

보충 ❷

◉ **갑오개혁의 내용**
제1차 갑오개혁에서는 궁내부 설치와 공사 노비제 폐지, 중국 연호 폐지, 독자적인 연호 사용 등이 이루어졌다. 또한 국가 재정을 탁지아문으로 일원화하고, 은 본위 화폐제를 채택했다.

용어 사전

❶ **봉기**(蜂: 벌 봉, 起: 일어날 기): 벌 떼처럼 떼 지어 세차게 일어나는 현상을 말한다.

❷ **탐관오리**(貪: 탐낼 탐, 官: 벼슬 관, 汚: 더러울 오, 吏: 벼슬아치 리): 탐욕이 많고 부정한 일을 일삼는 벼슬아치를 이르던 말이다.

공부한 날 월 일

시험 대비 **핵심 자료**

● 고부 봉기를 의논한 문서, 사발통문

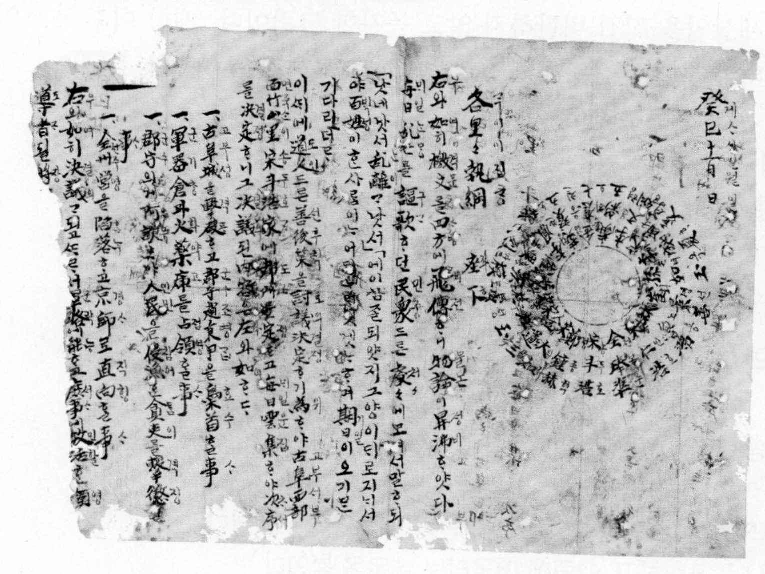

◀ 사발통문

사발통문은 고부 봉기 당시 사발을 엎어 그린 원을 중심으로 이름을 둥글게 써넣어 주동자를 알 수 없게 한 문서이다. 이것은 1968년 12월 전라북도 정읍시의 어느 집 마루 밑에 70여 년 동안 묻혀 있던 족보 속에서 발견되었다.

사발통문에는 전봉준 등 동학 간부 20여 명이 고부성을 공격하고 탐관오리들을 제거할 것을 결의한 내용이 담겨 있다. 또한 그들은 전주 감영을 함락하고 서울로 갈 것을 결의했다.

2 단원

속 시원한 **활동 풀이**

다 함께 활동 동학 농민군은 어떤 세상을 꿈꾸었을지 이야기해 봅시다.

예 동학 농민군은 신분 제도가 사라지고 모든 사람이 평등한 세상을 꿈꾸었을 것 같습니다.

예 동학 농민군은 농민들의 의견이 국가 정책에 반영되는 사회를 꿈꾸었을 것 같습니다.

잠깐! 확인해요

김옥균은 동학 농민 운동을 일으켜 조선 사회를 개혁하였다. (O | X) (X)

확인 톡!톡!

정답과 해설 11쪽

1 개항 이후 농민들의 삶은 더욱 어려워졌다. (O | X)

2 1894년 농민들은 (　　　　)을/를 계기로 동학 농민 운동을 일으켰다.

3 (갑신정변 / 갑오개혁)은 일본의 강요로 시작되었지만, 동학 농민 운동에서 제기된 요구가 일부 실현되었다.

조선 후기의 역사를 그림으로 표현해 볼까요?

1 시사만평의 의미와 특징

(1) **시사만평:** 당시의 세상일을 직접 비판하지 않고 풍자한 그림이다. 개항 이후 조선의 상황은 다른 나라의 신문이나 잡지에 종종 ❶풍자화로 그려져 알려졌다. 보충 ❶

(2) **시사만평의 특징**

① 당시 상황을 짐작할 수 있다.

② 각 등장인물의 행동에 의미가 담겨 있다.

③ 풍자하고자 하는 대상이 명확히 드러나 있다.

보충 ❶

◉ **시사만평 속 조선의 모습**

청·일 전쟁 풍자화로 프랑스 화가 조르주 페르디낭 비고의 작품이다. 물고기로 표현된 조선을 차지하기 위해 청과 일본이 경쟁하는 모습을 풍자했다.

2 조선 후기의 역사를 시사만평으로 표현하는 방법 보충 ❷

❶ 모둠별로 시사만평으로 표현하고 싶은 주제를 선정한다.
❷ 선택한 주제에서 어떤 인물이나 상황을 풍자하고 싶은지 결정한다.
❸ 시대 상황과 인물의 행동에 의미를 담아 시사만평의 장면을 구성한다.
❹ 시사만평을 그림으로 표현하고, 그림에 어울리는 제목을 붙인다.
❺ 모둠별로 완성한 시사만평의 내용을 친구들에게 설명한다.

보충 ❷

◉ **정지 화면 만들기 학습**

시사만평에 대한 이해를 바탕으로 시사만평 속 상황을 정지 화면으로 재구성해 보면서 당시 시대를 맥락적으로 이해할 수도 있다.

3 조선 후기의 역사를 시사만평으로 표현하는 활동 (속 시원한 활동 풀이)

(1) **시사만평으로 표현하고 싶은 주제 선정하기** 예 조선 후기 세도 정치 시기의 상황, 동학 농민 운동의 상황 등

(2) **선택한 주제에서 풍자하고 싶은 인물이나 상황 정하기** 예 세도 정치 시기 권력을 잡은 외척 세력과 백성들의 어려운 삶, 동학 농민 운동 당시 조선 정부와 일본의 태도 등

(3) **시사만평 장면 구성하기** 예 어린 왕이 양반의 손 위에 있고 백성들이 양반 한 명의 ❷재물을 떠받치고 있는 모습, 궁궐 안에서 겁에 질린 채 농민들의 모습을 바라만 보는 왕과 기회를 노리는 일본의 모습 등

(4) **시사만평을 그리고 어울리는 제목 붙이기** 예 허수아비 왕과 조선의 백성들, 외세의 침략과 농민들의 외침 등

▲ 허수아비 왕과 조선의 백성들

▲ 외세의 침략과 농민들의 외침

(5) **완성한 시사만평의 내용을 친구들에게 설명하기** 예 "권력을 잡은 외척 세력과 백성의 어려운 삶을 표현했어요.", "동학 농민 운동 당시 조선 정부와 일본을 풍자했어요." 등

용어 사전

❶ **풍자화**(諷: 풍자할 풍, 刺: 찌를 자, 畫: 그림 화): 인물이나 사회의 부정적인 측면을 빗대어 웃음을 자아내는 모습으로 드러내고 비판하는 그림이다.

❷ **재물**(財: 재물 재, 物: 물건 물): 돈이나 그 밖의 값나가는 물건을 통틀어 이르는 말이다.

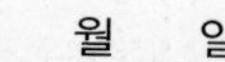

조선 후기의 역사를 그림으로 표현하기

예 조선 후기의 한글 소설『홍길동전』에서 홍길동이 양반의 재물을 빼앗아 가난한 백성들에게 나누어 주는 장면이 나옵니다. 이 그림은 조선 시대에 돈을 많이 가진 양반의 돈을 나누어 주는 정의로운 사람이 나타나길 바라는 백성들의 마음이 담겨 있습니다.

예 김옥균은 우정총국의 개국 축하 잔치를 이용해 정변을 일으켰지만, 청 군대의 개입으로 3일 만에 실패하고 말았습니다. 이를 3일 천하라고 합니다.

예 동학 농민 운동을 이끈 녹두 장군, 전봉준! 일본군을 몰아내고 누구나 평등한 사회를 이루고자 했으나, 우금치 전투에서 패한 후 끝내 체포되고 동학 농민 운동은 마무리됩니다. 전봉준은 키가 작아서 녹두 장군이라 불렸다고 합니다.

정답과 해설 11쪽

1 시사만평은 당시에 일어난 세상일을 직접 비판하지 않고 풍자한 그림이다. (O | X)

2 각 (   )의 행동에 의미가 담겨 있다는 것이 시사만평의 특징이다.

3 시사만평에는 (풍자 / 조롱)하고자 하는 대상이 명확히 드러나 있다.

즐겁게 정리해요

교과서 107쪽

'새로운 사회를 향한 움직임'에서 배운 내용을 떠올리며 인물과 사건을 일어난 순서대로 연결해 봅시다.

핵심 꿀꺽 질문

조선 후기 사회와 문화의 변화를 설명할 수 있나요?

사회 문제와 외국의 침략에 맞선 흥선 대원군의 정책을 말할 수 있나요?

개항 이후 사회 변화를 위해 노력한 인물의 활동을 파악할 수 있나요?

1 영조의 개혁 정책으로 알맞지 않은 것은 어느 것입니까? ( )

① 왕권을 강화했다.
② 혼란한 사회를 수습하고 정치를 안정시켰다.
③ 각 붕당의 인재를 고루 뽑아 쓰는 탕평책을 펼쳤다.
④ 정약용과 같은 인재를 뽑아 여러 정책을 함께 연구했다.
⑤ 백성을 위해 세금을 낮추고, 청계천 정비 공사를 시행했다.

중요
2 ㉠, ㉡에 들어갈 알맞은 말을 각각 쓰시오.

- (㉠)은/는 학문이나 정치적으로 생각이 같은 사람들이 모여서 만든 집단이다.
- (㉡)은/는 영조가 탕평 정치의 의지를 알리고자 세운 비석이다.

㉠ ____________
㉡ ____________

3 정조가 젊은 학자들에게 나랏일과 관련해 여러 학문을 연구하게 하기 위해 설치한 기관을 쓰시오.

____

4 밑줄 친 '이것'에 해당하는 문화유산을 쓰시오.

> 정조는 이것을 건설하여 개혁 정치를 펼치고자 했다. 이것을 건설할 때 정약용이 개발한 거중기를 이용해 공사 기간을 단축했다.

____

[5-6] 다음 자료를 읽고, 물음에 답하시오.

- **김정호 :** 우리 땅에 관심을 가지고 연구해서 산천과 지리를 잘 알아야 합니다.
- **정약용 :** 실용적인 학문을 연구하여 농사와 토지 제도를 개혁해야 합니다.
- **박지원 :** 나라를 발전시키기 위해서는 상공업을 발전시켜야 합니다.

5 위와 같은 사람들이 이러한 개혁을 위해 연구한 학문을 쓰시오.

____

6 위와 같은 사람들과 관련된 설명으로 알맞지 않은 것은 어느 것입니까? ( )

① 농민의 생활을 안정시키려 했다.
② 새로운 농사 기술을 보급하려 했다.
③ 김정호는 「대동여지도」를 만들었다.
④ 청의 문물을 적극적으로 받아들이려 했다.
⑤ 이들의 주장이 받아들여져 백성들의 삶이 크게 나아졌다.

7 조선 후기 서민 문화에 대한 설명으로 알맞은 것을 보기 에서 모두 골라 기호를 쓰시오.

보기
㉠ 탈놀이와 판소리 문화가 발달했다.
㉡ 김홍도는 한글 소설 『홍길동전』을 썼다.
㉢ 농업과 상공업의 발달로 서민 문화가 발달했다.

____

8 **흥선 대원군이 실시한 정책으로 알맞은 것은 어느 것입니까?** ( )

① 양반들에게는 세금을 면제시켜 주었다.
② 임진왜란 때 불에 탔던 경복궁을 다시 지었다.
③ 유교문화를 발전시키고자 서원을 더욱 지원해 주었다.
④ 사회 문제를 해결하지 않고, 왕권을 강화시키는 정책을 펼쳤다.
⑤ 세도 정치를 더욱 발전시키고, 외척과 관련된 인재를 등용했다.

9 **빈칸에 공통으로 들어갈 알맞은 말을 쓰시오.**

> □□ □□은/는 왕실과 결혼 관계를 맺은 가문들이 권력을 잡고 나랏일을 마음대로 하는 것을 말한다. 고종이 어린 나이에 왕위에 오르자 권력을 잡은 흥선 대원군은 □□ □□의 잘못된 점을 고치고 사회의 혼란을 수습하고자 노력했다.

중요
10 **흥선 대원군이 서양과의 수교를 거부하고, 전국에 세운 비석은 무엇입니까?** ( )

① 탕평비 ② 척화비
③ 열녀비 ④ 순수비
⑤ 정계비

중요
11 **강화도 조약에 대한 설명으로 알맞지 않은 것은 어느 것입니까?** ( )

① 외국과 맺은 최초의 근대적 조약이었다.
② 조선에 불리한 내용이 담긴 불평등 조약이었다.
③ 강화도 조약을 계기로 조선은 항구를 개항하게 되었다.
④ 흥선 대원군이 통상 수교가 필요하다고 생각해 맺게 된 조약이었다.
⑤ 강화도 조약을 계기로 조선은 서양의 여러 나라와도 조약을 맺게 되었다.

12 **다음 인물과 주장한 내용을 알맞게 선으로 연결하시오.**

(1) 김홍집 • • ㉠ "외세를 몰아내고, 조선의 유교문화를 유지하자."
(2) 최익현 • • ㉡ "청과의 관계를 유지하면서 천천히 개화를 해 나가자."
(3) 김옥균 • • ㉢ "청의 간섭에서 벗어나 발달된 서양의 제도와 사상까지도 받아들이자."

13 **밑줄 친 '이 나라'를 쓰시오.**

> **김옥균 :** 이 나라에게 정기적으로 바치던 조공을 멈추고, 큰 나라로 섬기던 태도를 버려야 한다.

맞은 개수 ____개 | 공부한 날 ___월 ___일

중요

14 **전봉준을 중심으로 한 동학 농민군이 꿈꾸었던 나라로 알맞지 않은 것은 어느 것입니까?** (   )

① 나쁜 관리가 없는 나라
② 양반이 토지를 가지는 나라
③ 불필요한 세금이 없는 나라
④ 노비가 없고 모두가 평등한 나라
⑤ 청과 일본으로부터 독립적인 나라

15 **다음 내용을 동학 농민 운동의 과정에 맞게 순서대로 기호를 쓰시오.**

㉠ 청과 일본이 서로 싸우자 동학 농민군이 다시 일어났다.
㉡ 전라남도 고부에서 조병갑의 횡포를 막기 위해 농민들이 일어났다.
㉢ 우금치 전투에서 패한 농민군은 흩어지고, 전봉준은 체포되어 처형되었다.
㉣ 동학 농민군이 전주성을 점령했으나, 정부군과 화해하고 스스로 해산했다.

16 **다음 내용과 관련 있는 개혁은 무엇인지 쓰시오.**

- 동학 농민 운동 과정에서 정부가 추진했다.
- 신분제가 폐지되는 등 갑신정변과 동학 농민 운동에서 제기된 요구가 일부 실현되었다.

워드 클라우드와 함께하는 서술형 문제

[17-18] 워드 클라우드의 단어를 이용하여 서술형 문제의 답을 쓰시오.

신미양요 경복궁 미국 프랑스 척화비 통상 수교 흥선 대원군 강화도 병인양요 천주교 왕권 강화 서원 철폐 세도 정치

17 **다음 두 사건이 공통으로 일어난 지역과 프랑스와 미국이 이 지역을 침입한 목적을 쓰시오.**

- 흥선 대원군이 프랑스 신부와 천주교를 믿는 사람들을 처형하자, 프랑스는 이를 구실로 1866년 조선에 침입했다(병인양요).
- 미국의 배가 평양에 들어와 난동을 피우다 불에 탄 것을 구실로 미국은 1871년 조선에 침입했다(신미양요).

18 **백성들의 불만을 샀음에도 불구하고, 흥선 대원군이 경복궁을 다시 지은 까닭을 쓰시오.**

외국 세력의 간섭으로 조선은 어떻게 되었을까요?

1 서울의 정동 일대

(1) ❶정동 일대의 유적: 덕수궁(경운궁)을 비롯해 오래된 학교와 교회, 공사관, 환구단 터 등이 남아 있다. 보충 ❶, ❷

(2) 정동 일대의 역할: 120여 년 전 외국 세력의 간섭이 심해지는 상황에서 자주독립 국가를 만들기 위한 노력이 이루어졌던 곳이다.

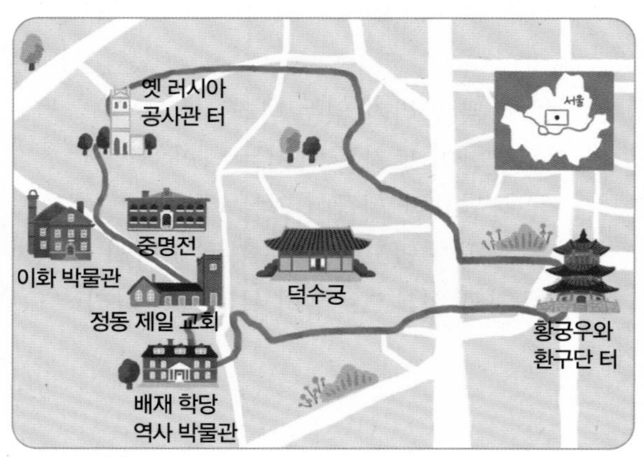

▲ 정동 역사 탐방길

보충 ❶

◉ **대한 제국 정치의 중심지, 정동**

1882년에 우리나라에 미국 외교관이 처음으로 들어 왔다. 이후 영국, 독일, 프랑스, 러시아 공사관 등이 하나둘씩 생겼다. 이처럼 황제가 머물던 궁궐인 덕수궁(경운궁)과 여러 외국 공사관 등이 있었기 때문에 대한 제국 시기 정동은 정치의 중심이 될 수 있었다.

보충 ❷

◉ **덕수궁(경운궁)**

조선 시대의 궁궐이다. 원래 월산 대군의 집터였던 것을 임진왜란 이후 선조가 잠시 이용했으며, 광해군 때부터 경운궁이라고 불렀다. 1907년 순종에게 양위한 고종이 이곳에 머무르게 되면서 고종의 장수를 빈다는 의미에서 이름을 덕수궁(德壽宮)으로 다시 바꾸었다.

2 청·일 전쟁 이후 조선이 처한 상황 (속 시원한 활동 풀이)

(1) 청 · 일 전쟁의 결과

① 청 · 일 전쟁에서 승리한 일본이 조선에서 세력을 넓히려고 했다.

② 러시아가 일본의 세력 확대를 가로막았다.

(2) 조선의 노력: 일본이 조선의 정치에 깊이 간섭하자 고종과 명성 황후는 일본을 견제하기 위해 러시아와 가까이 지내려고 했다.

내용+ 고종과 명성 황후는 일본의 간섭을 막으려고 적극적으로 외교적인 노력을 했다.

(3) 일본의 위협: 1895년 일본은 경복궁에 침입해 명성 황후를 살해하는 만행을 저질렀다(❷을미사변).

(4) 고종의 러시아 공사관 피신: 을미사변 후 일본의 위협을 느낀 고종은 일본의 감시를 피해 러시아 공사관으로 거처를 옮겼다(아관 파천). (시험 대비 핵심 자료)

(5) 고종 피신 이후의 상황

① 조선에서 일본의 영향력은 줄었으나, 러시아의 영향력이 커졌다.

② 러시아, 미국 등 여러 나라의 간섭과 경제적 침략은 심해졌다.

▲ 청·일 전쟁 이후 외국 세력의 간섭

용어 사전

❶ **정동**(貞: 곧을 정, 洞: 고을 동): 서울특별시 중구에 위치한 동이다.

❷ **을미사변**(乙: 새 을, 未: 아닐 미, 事: 일 사, 變: 변할 변): 일본이 을미년(1895)에 명성 황후를 시해한 사건을 이르는 말이다.

공부한 날 월 일

시험 대비 핵심 자료

● 러시아 공사관으로 피신한 고종의 모습

▲ 옛 러시아 공사관 일부

▲ 고종의 모습

오늘날 서울특별시 중구 정동에 남아 있는 옛 러시아 공사관 일부 모습과 러시아 공사관으로 피신한 고종의 모습을 담은 사진이다. 러시아 공사관은 6·25 전쟁 때 대부분 불타고 현재는 외벽 일부와 3층 전망탑만 남아 있다. 명성 황후가 일본인의 손에 목숨을 잃은 이후 고종은 신변에 위협을 느꼈다. 이에 왕세자와 함께 1896년 2월 11일부터 약 1년 동안 궁궐을 떠나 러시아 공사관에 머물렀다. 이 사건을 '아관 파천'이라고 부른다.

속 시원한 활동 풀이

다 함께 활동 다음 그림을 보고 조선이 처한 상황을 이야기해 봅시다.

〈102쪽 청·일 전쟁 이후 외국 세력의 간섭 그림 참조〉

예 외국 세력의 간섭과 경제적 침략으로 조선의 자주성은 약화되었고, 조선은 경제적인 어려움을 겪게 되었습니다.

확인 톡!톡!

정답과 해설 13쪽

1 정동 일대에는 덕수궁(경운궁)을 비롯해 오래된 학교와 교회, 공사관, 환구단 터 등이 남아 있다. (O | X)

2 (   )에서 승리한 일본은 조선에서 세력을 넓히려고 했다.

3 1895년 일본이 경복궁에 침입해 명성 황후를 살해한 사건은? (   )

자주독립 국가를 만들기 위해 어떤 노력을 했을까요?

1 독립 협회의 활동

(1)『독립신문』 창간 시험 대비 핵심 자료

① 외국 세력의 간섭에서 벗어나기 위해 사람들은 다양한 노력을 했다.

② 서재필은 정부의 지원으로『독립신문』을 펴내어 사람들에게 국내외 소식을 알리고 ❶자주독립 의식을 높였다.

(2) 독립 협회 설립: 서재필이『독립신문』을 펴낸 이후 정부의 관리와 개화 지식인들은 독립 협회를 설립했다. 시험 대비 핵심 자료

① 독립문 건립: 독립문을 세워 자주독립에 대한 강한 바람과 의지를 보여 주었다.

내용+ 독립 협회는 자주독립 의식을 높이고자 청의 사신을 맞이하던 영은문이 있던 자리 근처에 독립문을 세웠다.

② 만민 공동회 개최: 만민 공동회라는 집회를 열어 직업과 나이에 상관없이 누구나 참여해 나랏일에 대한 자신의 생각을 이야기할 수 있도록 했다.

백정 출신 박성춘, 관리들 앞에서 연설하다

"나는 대한의 가장 천한 사람으로 아는 것도 없습니다. …… 나라를 이롭게 하고 백성을 편하게 하려면 관리와 백성들이 마음을 하나로 모아야 합니다."

– 정교,『대한계년사』

2 대한 제국의 선포와 개혁 속 시원한 활동 풀이

(1) 고종의 환궁

① 차츰 왕이 궁으로 돌아와야 한다는 ❷여론이 높아졌다.

② 고종은 러시아 공사관에서 1년 만에 경운궁으로 돌아왔다.

(2) 대한 제국의 선포 보충 ❶

① 1897년 고종은 환구단에서 황제로 즉위했다.

② 고종은 나라 이름을 대한 제국으로 고쳐 자주독립국임을 선포했다.

내용+ 고종은 환구단에서 황제 즉위식을 거행함으로써 대한 제국이 중국과의 사대 관계를 청산하고 열강으로부터 벗어나 확실한 자주독립국임을 상징적으로 보여 주려고 했다.

(3) 대한 제국이 추진한 근대 개혁 속 시원한 활동 풀이 보충 ❷

개혁 내용	• 여러 가지 근대 시설을 도입하고 공장과 회사 설립을 지원했다. • 외국에 유학생을 파견하고, 학교를 세워 인재를 양성했다.
의의	황제 국가로서 자주독립국임을 국내외에 알리고 사회 여러 분야에 걸쳐 근대적인 개혁을 추진했다.
한계	황제를 중심으로 한 개혁이었고, 국민의 권리를 제대로 보장하지 못했다.
성과	외국 세력의 간섭으로 큰 성과를 거두지 못했다.

보충 ❶

◉ **환구단에서 황제로 즉위한 고종**

1897년 10월 11일, 고종은 나라 이름을 '대한'으로 바꾸었다. 그리고 다음 날에 새로 마련된 환구단에 나아가 하늘에 고하는 의식을 행한 후, 드디어 황제로 즉위했다. 이때 고종은 왕후 민씨를 황후로 책봉했다.

보충 ❷

◉ **근대 문물의 도입**

개항 이후 정부에서는 새로운 문물을 도입했다. 이에 호텔, 학교, 전등, 전화, 철도, 전차 등이 생기면서 사람들의 생활 모습도 크게 달라졌다.

용어 사전

❶ **자주독립**(自: 스스로 자, 主: 주인 주, 獨: 홀로 독, 立: 설 립): 다른 나라의 간섭을 받거나 의지하지 않고 자주권을 행사하는 것이다.

❷ **여론**(輿: 수레 여, 論: 논할 론): 어떤 주제에 대해 사회를 이루는 사람들이 공통으로 가지는 의견을 말한다.

시험 대비 핵심 자료

『독립신문』과 독립문

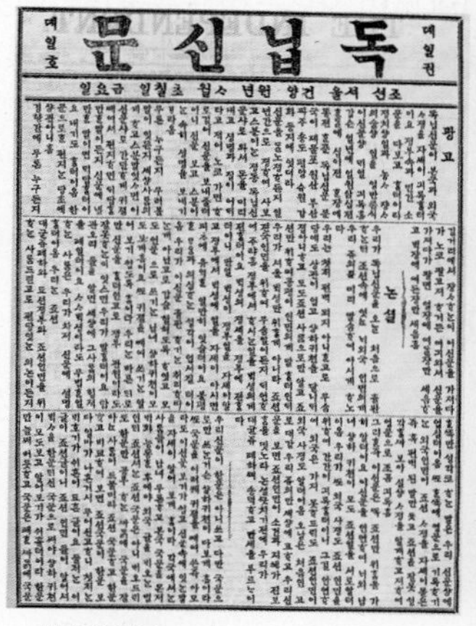

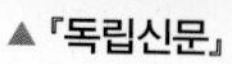
▲ 『독립신문』

▲ 독립문(서울특별시 서대문구)

『독립신문』은 1896년 4월 7일 서재필이 정부의 지원을 받아 창간한 최초의 민간 신문으로, 한글판과 영문판 두 종류로 발행되었다.
독립 협회는 자주독립의 의지를 널리 알리기 위해 청의 사신을 맞이하던 영은문을 헐고 그 부근에 독립문을 세웠다. 현판석 앞뒤에는 각각 한글과 한자로 '독립문'이라고 쓴 글씨와 함께 좌우에 태극기가 새겨져 있다.

속 시원한 활동 풀이

스스로 활동 독립 협회의 활동과 대한 제국의 개혁을 생각하며 빈칸을 채워 봅시다.

잠깐! 확인해요

고종은 황제로 즉위하고 나라 이름을 □□□□(으)로 고쳤다. (대한 제국)

확인 톡!톡!

정답과 해설 13쪽

1 백정 출신 박성춘은 정부의 지원으로 『독립신문』을 펴냈다. (O | X)

2 독립 협회가 세운 것으로, 자주독립에 대한 강한 바람과 의지를 보여 주는 것은? (　　　)

3 1897년 고종은 (　　　)에서 황제로 즉위했다.

일제의 침략에 맞서 어떤 노력을 했을까요?

❶ 일제의 대한 제국 침략

(1) 을사늑약 체결: 러시아와의 전쟁에서 승리한 ❶일제는 1905년 이토 히로부미를 대한 제국에 특사로 보내 외교권을 빼앗는 조약을 강제로 체결했다(을사늑약).

(2) 을사늑약 이후 조선의 상황

① 대한 제국은 독립국의 지위를 잃고 다른 나라와 외교 활동을 할 수 없게 되었다.

② 고종은 을사늑약의 부당함을 국제 사회에 알리려고 했다. 보충 ❶

③ 일제는 고종을 강제로 물러나게 하고, 대한 제국의 군대마저 없애 버렸다.

보충 ❶

◉ **헤이그에 파견된 특사**

고종은 네덜란드 헤이그에서 열리는 만국 평화 회의에 세 명(이준, 이상설, 이위종)의 특사를 보냈다. 이들은 일제의 방해로 회의장에 들어가지 못했지만, 회의장 앞에서 연설과 신문 인터뷰를 통해 을사늑약의 부당함을 알렸다.

❷ 항일 의병 활동

(1) 항일 의병의 노력 (속 시원한 활동 풀이)

을미사변 이후	을미사변이 일어나고 단발령이 내려지자 이에 반발한 지방 유생들과 농민들 중심으로 처음 일어났다.
을사늑약 체결 이후	• 을사늑약이 강제로 체결되자 전국 각지에서 의병이 일어났다. • 유학자나 관리 출신들이 의병 투쟁의 중심이 되었는데, 신돌석 같은 평민 출신 의병장도 있었다. 보충 ❷ • 윤희순 같은 여성들도 의병 투쟁에 참여하며 일제에 맞섰다. 보충 ❸
대한 제국 군대 해산 이후	• 고종이 강제로 물러나고 대한 제국의 군대가 해산되자 노동자와 농민, 상인 등 각계각층 사람들이 참여했다. • 의병 투쟁은 한층 강하게 전개되어 항일 의병 전쟁으로 발전했다.

(2) 일제의 탄압: 일제는 의병을 대대적으로 탄압했고, 많은 의병들이 다치거나 죽었다.

(3) 의병들의 이동: 살아 남은 의병들은 만주와 연해주로 건너가 독립군이 되었다.

보충 ❷

◉ **평민 의병장 신돌석**

을사늑약 이후 의병 활동에 농민들도 적극적으로 참여하면서 평민 출신 의병장들이 등장했다. 신돌석이 이끌었던 의병 부대는 강원도 경상도, 충청도를 중심으로 유격전을 펼치며 일본군을 무찔렀다. 신돌석은 '태백산 호랑이'라 불릴 정도로, 일본군의 경계 대상이 되었다.

보충 ❸

◉ **여성 의병장 윤희순**

윤희순은 대표적인 여성 의병으로, 의병가를 지어 의병 활동을 장려했고, 여성 의병단을 이끌었다. 그녀는 중국으로 망명한 이후에도 항일 운동을 전개했다.

❸ 일제의 침략에 맞선 사람들

(1) 민족의 실력을 길러 낸 안창호: 안창호 등이 조직한 비밀 단체인 신민회는 학교를 세워 인재를 기르고, 회사와 공장을 설립해 산업을 일으키려고 했다.

내용+ 안창호는 평양에 대성 학교를 세워 인재를 키워 냈고 신민회 간부들과 함께 중국으로 망명했다. 이후 미국으로 건너가 샌프란시스코에서 흥사단을 세워 우리 민족의 실력을 기르고자 했다.

(2) 전 재산을 바쳐 독립군을 키워 낸 이회영: 일제의 탄압이 심해지자 이회영과 신민회 간부 등은 만주로 건너가 독립운동의 터전을 마련하고, 항일 독립군을 길러 냈다.

내용+ 이회영은 만주에 신흥 강습소(신흥 무관 학교)를 세웠다. 신흥 무관 학교는 3,000명이 넘는 독립군을 길러 내며 독립운동에 중요한 역할을 했다.

(3) 나라 밖에서 ❷의거를 일으킨 안중근 (속 시원한 활동 풀이)

① 안중근은 만주 하얼빈 역에서 이토 히로부미를 저격했다.

② 안중근은 의거 직후 체포되었고, 이후 뤼순 감옥에 갇혀 재판을 받았다.

③ 재판 과정에서 안중근은 이토 히로부미를 죽인 이유를 당당히 밝혔다.

용어 사전

❶ **일제**(日: 날 일, 帝: 임금 제): '일본 제국주의'를 줄인 말로, 자기 나라의 이익을 위해 주변 나라를 침략한 일본을 가리키는 말이다.

❷ **의거**(義: 뜻 의, 擧: 근거 거): 정의를 위해 개인이나 집단이 의로운 일을 행하는 것을 말한다.

교과서 114~117쪽

공부한 날 월 일

속 시원한 활동 풀이

다 함께 활동 사진 속 의병들은 어떤 사람이었을지 추측해 보고, 그중 한 사람이 되어 의병이 된 까닭을 이야기해 봅시다.

예 사진 속 의병들은 군인 출신도 있고, 표시된 부분처럼 어린 소년도 있는 것 같습니다. 이들은 모두 일제에 맞서 나라를 지켜 내고자 하는 마음이었을 것입니다. 이들 중 가장 어려 보이는 소년은 "부모님과 형제를 죽게 만든 일제로부터 나라를 되찾자!"라는 생각으로 의병이 되었을 것 같습니다.

스스로 활동 다음 그림을 보고 안중근이 의거를 일으킨 까닭을 써 봅시다.

두 동생을 만나고 있는 안중근

안중근이 의거를 일으킨 까닭은 예 대한의 독립과 동양 평화를 위함입니다.

잠깐! 확인해요

을사늑약 이후 우리나라 사람들은 다양한 형태로 일제에 저항하였다. (O | X) (O)

확인 톡!톡!

정답과 해설 13쪽

1 일제는 1905년 이토 히로부미를 대한 제국에 특사로 보내 을사늑약을 맺고 외교권을 빼앗아 갔다. (O | X)

2 안창호 등이 조직한 (   )은/는 학교를 세워 인재를 기르고, 회사와 공장을 설립해 산업을 일으키려고 했다.

3 만주 하얼빈 역에서 이토 히로부미를 저격한 독립운동가는? (   )

일제의 식민 통치로 어떤 어려움을 겪었을까요?

1 일제 식민 통치의 시작

(1) **일제 식민 통치의 시작:** 1910년 대한 제국의 국권을 강제로 빼앗은 일제는 조선 총독부를 설치해 식민 통치를 했다.

(2) **식민 통치에 따른 한국인의 어려움**

① 일제는 ❶헌병 경찰을 앞세워 무력으로 한국인을 통제하고 독립운동을 탄압했다.

② 한국인은 죄를 지으면 정식 재판 없이 처벌당하기도 했다. 보충 ❶

③ 한국인은 신문과 잡지 등 출판의 자유와 집회의 자유를 빼앗겼다.

보충 ❶

◉ **한국인에게만 적용한 형벌**

일제는 한국인에게만 태형을 적용했다. 태형이란 대나무를 묶어 만든 태로 볼기를 때리는 형벌을 말한다.

2 토지 조사 사업

(1) **토지 조사 사업의 실시:** 일제는 식민 통치에 필요한 재정을 마련하기 위해 토지 조사 사업을 실시했다.

(2) **토지 조사 사업의 내용:** 토지를 소유한 사람은 정해진 기간 내에 신고를 해야 했다.

(3) **토지 조사 사업의 결과:** 토지세를 내는 대상이 크게 늘어나 한국인은 힘겨운 생활을 했고, 일제는 식민 통치의 자금을 확보할 수 있었다.

3 산미 증식 계획

(1) **산미 증식 계획의 실시:** 일본에서 쌀값이 크게 오르자, 일제는 한국에서 쌀을 들여와 이 문제를 해결하려고 산미 증식 계획을 실시했다. 보충 ❷

(2) **산미 증식 계획의 내용:** 한국의 쌀 생산을 늘리는 계획을 실시했다.

(3) **산미 증식 계획의 결과:** 늘어난 양보다 더 많은 양의 쌀이 일본으로 빠져나가 한국인은 쌀 부족의 어려움을 겪었다. (시험 대비 핵심 자료)

보충 ❷

◉ **산미 증식 계획**

제1차 세계 대전을 전후로 일본은 급격한 인구 증가와 산업화에 따른 도시화로 식량이 부족해졌다. 이에 일제는 우리나라에서 쌀 생산량을 늘려 일본으로 가져가려는 산미 증식 계획을 시행했다.

4 일제의 침략 전쟁과 민족 말살 정책

(1) **일제의 침략 전쟁과 민족 말살 정책의 시행:** 일제는 1930년대 후반 침략 전쟁을 확대하면서 한국인의 민족성을 없애려고 민족 말살 정책을 시행했다.

(2) **민족 말살 정책의 내용**

황국 신민 서사	일제는 한국인에게 ❷황국 신민 서사를 외우게 했다.
신사 참배	일제는 한국인에게 전국 곳곳에 세워진 ❸신사에 참배할 것을 강요했다.
우리말 사용 금지	일제는 한국인에게 우리말 대신 일본어를 사용하도록 했다.
일본식 성명 강요	우리의 성과 이름을 일본식으로 바꾸게 했다.

(3) **일제의 침략 전쟁에 따른 한국인의 어려움** (속 시원한 활동 풀이)

① 1937년 중 · 일 전쟁 이후 일제는 곡물과 각종 금속류 등의 물자를 빼앗아 갔다.

② 한국인들을 탄광, 공장 등으로 끌고 갔고, 학생과 청년들을 전쟁터로 내몰았다.

③ 여성들은 일본군 '위안부'로 끌려가 인권을 침해당했다.

용어 사전

❶ **헌병 경찰**(憲: 법 헌, 兵: 병사 병, 警: 깨우칠 경, 察: 살필 찰): 군대의 경찰인 헌병이 일반 경찰의 업무를 담당하는 것이다.

❷ **황국 신민**(皇: 임금 황, 國: 나라 국, 臣: 신하 신, 民: 백성 민): 일본 왕이 다스리는 나라의 신하된 백성이라는 뜻이다.

❸ **신사**(神: 귀신 신, 社: 모일 사): 일본의 토속신이나 왕실의 조상, 일제가 일으킨 침략 전쟁에서 공을 세운 사람의 위패를 모신 곳이다.

시험 대비 핵심 자료

일제의 침략에 활용된 철도 건설

▲ 주요 철도망과 항구 ▲ 일제가 군산항에 쌓아 놓은 쌀가마니

일제 강점기의 주요 철도망과 항구를 표시한 지도와 일제가 군산항에 쌓아 놓은 쌀가마니를 담은 사진이다. 일제는 대한 제국을 식민지로 만든 뒤 이전부터 놓인 철도를 연결하여 X자형 철도망을 완성했다. 일제는 철도를 이용해 한국에서 생산된 곡물과 자원을 일본으로 가져가고, 일본 제품을 한국에 가져와 팔았다. 또한 중국을 침략할 준비를 해 나갔다.

속 시원한 활동 풀이

다 함께 활동 일제의 침략 전쟁 이후 한국인은 어떤 삶을 살았는지 이야기해 봅시다.

예
- 곡식, 금속 등의 물자를 강제로 빼앗겼습니다.
- 탄광, 공장, 전쟁터 등으로 끌려갔습니다.
- 여성들은 일본군 '위안부'로 끌려갔습니다.

잠깐! 확인해요

일제는 침략 전쟁에 한국인을 강제로 동원하였다. (O | X) (O)

확인 톡!톡!

정답과 해설 13쪽

1 일제의 식민 통치 이후 한국인은 신문과 잡지 등 출판을 마음대로 할 수 없었다. (O | X)

2 일제는 토지를 소유한 사람은 정해진 기간 내에 신고를 해야 하는 ( )을/를 실시했다.

3 일제가 1930년대 후반 침략 전쟁을 확대하면서 한국인의 민족성을 없애려고 실시한 정책은? ( )

3·1 운동과 대한민국 임시 정부의 활동을 알아볼까요?

❶ 3·1 운동

(1) 3·1 운동의 배경

① 일제의 식민 통치로 많은 어려움을 겪으면서 독립에 대한 한국인의 열망은 더욱 높아졌다.

② 제1차 세계 대전이 끝날 무렵 식민 지배를 받는 민족은 그들의 운명을 스스로 결정할 권리가 있다는 주장이 나왔고, 이 소식에 독립운동가들은 독립의 희망을 품었다. 보충 ❶

(2) 3·1 운동의 준비: 국외 독립운동가들은 우리의 독립 의지를 세계에 알렸고, 국내에서는 종교계와 학생들이 중심이 되어 「독립 선언서」를 제작·배포하고 만세 시위를 준비했다. (속 시원한 활동 풀이)

(3) 3·1 운동의 전개

1919년 3월 1일, 독립 선언서에 서명한 민족 대표들은 서울 태화관에서 독립을 선언하는 독립 선언식을 했음. → 서울 탑골 공원에서는 학생과 시민들이 「독립 선언서」를 낭독하고, 거리로 나가 태극기를 흔들며 '독립 만세'를 외쳤음. → 만세 시위는 점차 농촌으로 퍼져 나갔고, 학생과 상인, 노동자, 농민 등 다양한 계층이 만세 시위에 참여했음. →

전국에서 만세 시위가 일어나자 일제는 총칼로 탄압했음. → 일제의 탄압에 수많은 사람이 감옥에 갇히거나 목숨을 잃었음. 보충 ❷ → 만주와 연해주, 미국 등의 해외 동포들도 만세 시위를 하며 뜻을 같이 했음.

❷ 대한민국 임시 정부

(1) 대한민국 임시 정부의 수립 (시험 대비 핵심 자료)

① 독립운동가들은 3·1 운동 과정에서 독립을 위한 힘을 하나로 모으고 독립운동을 체계적으로 이끌 중심이 필요하다고 생각했다.

② 여러 곳에서 임시 정부가 세워졌고, 이후 중국 상하이에 여러 임시 정부를 통합한 대한민국 임시 정부가 수립되었다.

③ 대한민국 임시 정부는 ❶주권이 국민에게 있음을 명확히 했고, 우리 역사상 최초의 민주 ❷공화제 정부 수립이었다.

(2) 대한민국 임시 정부의 활동

비밀 연락망 조직	비밀 연락망을 조직해 국내의 독립운동을 수행했다.
독립 자금 모금 및 외교 활동	독립운동에 필요한 자금을 모으고, 다른 나라와 외교 활동을 하며 독립운동을 펼쳤다. 보충 ❸
『독립신문』 발행	『독립신문』을 발행해 독립운동 소식을 알렸다.

(3) 대한민국 임시 정부가 겪은 어려움

① 독립운동의 방법을 놓고 의견이 나뉘어 갈등을 겪기도 했다.

② 일제의 중국 침략 이후 탄압을 피해 중국 각지로 이동하며 많은 어려움을 겪었다.

보충 ❶

◉ **제1차 세계 대전**
1914년부터 1918년까지 일어난 전쟁이다. 30여 개 국가가 참가해 세계적인 규모로 전개되었다.

보충 ❷

◉ **만세 시위에 참여한 유관순**
이화 학당에 다니던 유관순은 고향인 충청남도 천안에서 만세 시위를 계획했다. 아우내 장날이던 4월 1일 계획된 독립 만세 운동이 벌어지자 일제는 유관순을 주모자로 체포했다. 유관순은 감옥에 갇혀서도 독립 만세를 외쳤지만 모진 고문으로 목숨을 잃었다.

보충 ❸

◉ **대한민국 임시 정부에서 활동한 여성들**
- 김마리아는 중국 상하이로 건너가 대한민국 임시 정부 군자금을 모으기 위한 활동을 벌였다. 대한민국 임시 의정원 최초의 여성 의원으로도 활동했다.
- 정정화는 독립운동 자금을 모으고 비밀 연락 업무를 담당하는 등 대한민국 임시 정부의 수립과 운영에 큰 역할을 했다.

용어 사전

❶ **주권**(主: 주인 주, 權: 권력 권): 국가의 의사를 최종적으로 결정하는 권력이다.

❷ **공화제**(共: 함께 공, 和: 화할 화, 制: 절제할 제): 나랏일을 절대적인 권력을 가진 한 사람이 아닌, 합의에 의해 결정하는 정치 제도이다.

대한민국 임시 정부의 헌법

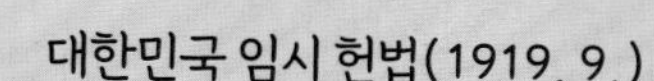

대한민국 임시 헌법(1919. 9.)

제1조 대한민국은 대한 인민으로 조직한다.
제2조 대한민국의 주권은 대한 인민 전체에 있다.
제4조 대한민국 인민은 일체 평등하다.

대한민국 임시 정부의 특징을 보여 주는 대한민국 임시 헌법이다. 3·1 운동의 정신을 바탕으로 주권이 국민에게 있음을 밝히고 있다. 오늘날 대한민국과 그 헌법은 3·1 운동 정신과 그 역사적 산물인 대한 민국 임시 정부와 그 헌법 이념을 계승한 것임을 알 수 있다.

속 시원한 활동 풀이

다 함께 활동 「독립 선언서」를 읽고 가장 마음에 와 닿은 내용과 그 까닭을 이야기해 봅시다.

「독립선언서」

우리는 오늘 조선이 독립한 나라이며, 조선인이 이 나라의 주인임을 선언한다. 우리는 이를 세계 모든 나라에 알려 인류가 모두 평등하다는 큰 뜻을 분명히 하고, 우리 후손이 민족 스스로 살아갈 정당한 권리를 영원히 누리게 할 것이다.

▲「독립 선언서」(서울 서예 박물관)

예 인류가 모두 평등하다는 내용입니다. 조선의 독립뿐만 아니라 전 인류의 평화를 꿈꾼 것이기 때문입니다.

잠깐! 확인해요

3·1 운동 이후 중국 상하이에 대한민국 □□ □□이/가 세워졌다. (임시 정부)

정답과 해설 13쪽

1 국외 독립운동가들이 중심이 되어 「독립 선언서」를 제작 · 배포했다. (O | X)

2 1919년 3월 1일, 서울에서는 학생과 시민들이 거리로 나가 태극기를 흔들며 '(　　　)'을/를 외쳤다.

3 대한민국 임시 정부가 발행한 신문으로, 독립운동 소식을 알린 것은? (　　　)

독립을 위해 국내외에서 어떤 노력이 이루어졌을까요?

1 국내의 독립운동과 민족정신을 지키기 위한 노력 (속 시원한 활동 풀이)

(1) 다양한 독립운동의 전개 보충 ❶

① ❶국산품을 애용해 경제적 자립을 이루자는 운동을 전개했다.

② '아는 것이 힘'이라는 생각에 문자를 가르치고 보급하자는 운동도 벌였다.

③ 삶이 어려운 농민과 노동자들은 단체를 만들어 일제에 저항했다.

④ 방정환은 '아이'를 '어린이'로 고쳐 부르자고 했고, 어린이날을 만들었다.

(2) ❷민족정신을 지키기 위한 노력

신채호	일제가 우리 역사를 축소하고 왜곡하자 이에 맞서 역사를 연구하며 한국인에게 민족정신을 심어 주고자 역사를 소개하는 책을 펴냈다.
조선어 학회	주시경은 우리말을 가르치고 체계적으로 정리했고, 조선어 학회는 『조선말(우리말) 큰사전』을 펴내는 작업을 하며 우리말과 글을 지켰다.
이육사	저항 정신이 담긴 작품을 지어 꺾이지 않는 독립 의지를 보여 주었다.

2 국외의 무장 독립 투쟁 (시험 대비 핵심 자료) (속 시원한 활동 풀이)

(1) 독립군 부대의 활동

① 3·1 운동 이후 일부 독립운동가들은 만주와 연해주에서 독립군 부대를 조직해 무장 독립 투쟁을 벌였다.

② 독립군 부대는 국경을 넘어와 일본군을 공격하고, 일제 통치 시설을 파괴했다.

③ 일본군이 독립군의 근거지를 공격하자 홍범도 부대는 일본군을 유인해 봉오동 일대에서 무찔렀다(봉오동 전투).

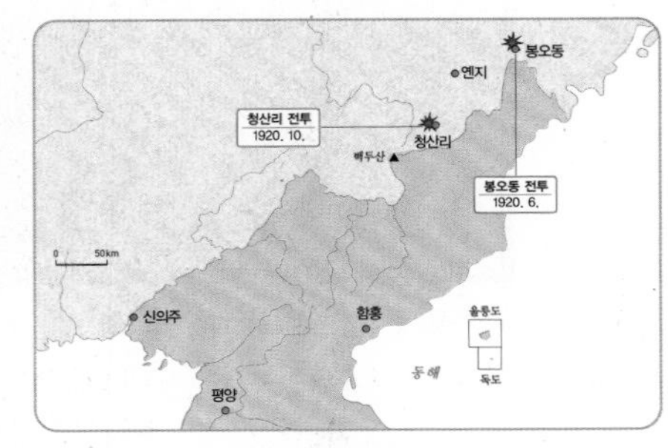

▲ 1920년대 국외 무장 독립 투쟁

④ 일본군이 더 많은 수의 부대로 독립군을 공격하자 김좌진과 홍범도를 중심으로 한 연합군 부대가 청산리 일대에서 일본군과 싸워 승리를 거두었다(청산리 전투).

(2) 의열단과 한인 애국단의 활동

의열단	• 적극적인 의거 활동이 필요하다고 생각한 김원봉 등은 의열단을 조직했다. • 일본 고위 관리 및 친일파를 암살하고, 조선 총독부, 경찰서 등 식민 통치 기구를 파괴하는 투쟁을 벌였다.
한인 애국단	• 김구는 대한민국 임시 정부의 활동에 활력을 불어 넣고자 한인 애국단을 조직했다. • 한인 애국단 단원이었던 이봉창, 윤봉길은 의거를 일으키며 일제에 저항했다.

(3) 한국광복군의 활동

① 대한민국 임시 정부는 한국광복군을 조직해 우리 손으로 독립을 이루고자 했다.

② 일제가 태평양 전쟁을 일으키자 즉시 일제에게 선전 포고를 했고, 전쟁을 벌일 준비를 했다. 보충 ❷

보충 ❶

◉ **강주룡의 시위**

평양 평원 고무 공장의 노동자인 강주룡은 을밀대라는 건물 지붕 위에 올라가 시위를 벌였다. 당시 한국인 노동자는 일본 노동자의 절반 정도의 임금을 받는 등 차별 대우를 받았다. 그런데도 일제를 등에 업은 공장 주인이 노동자들의 임금을 마음대로 깎자, 강주룡은 여성에 대한 차별과 노동자들이 받은 부당한 대우를 널리 알리고자 했다.

보충 ❷

◉ **태평양 전쟁**

1941년부터 1945년까지 일어난 전쟁이다. 태평양과 동아시아에서 일제와 미국을 중심으로 전개되었다.

용어 사전

❶ **국산품**(國: 나라 국, 産: 낳을 산, 品: 물건 품): 자기 나라에서 생산된 물품을 이르는 말이다.

❷ **민족정신**(民: 백성 민, 族: 겨레 족, 精: 정할 정, 神: 귀신 신): 어떤 민족의 독특한 정신을 뜻하는 표현이다.

시험 대비 핵심 자료

국외 무장 독립 투쟁과 의거 활동

봉오동 전투	• 봉오동의 지형을 잘 알고 있던 홍범도 부대는 전투에 유리한 지역으로 대규모의 일본군을 유인해 포위한 후 공격해 큰 승리를 거두었다. • 1920년 독립군 최초의 대규모 승리로, 독립군은 일본군을 이길 수 있다는 자신감을 갖게 되었다.
청산리 전투	• 김좌진과 홍범도가 이끄는 독립군 부대는 청산리 일대에서 일주일 동안 이어진 크고 작은 전투에서 일본군에 맞서 싸웠고 대부분 전투에서 승리했다. • 독립군이 거둔 가장 큰 승리였기 때문에 청산리 대첩이라고 부른다.
이봉창 의거	• 평범한 청년이었던 이봉창은 일본으로 건너가 차별을 경험한 후 일자리를 찾아 상하이로 갔다. • 이봉창은 독립운동을 결심하고 김구를 찾아가 한인 애국단원이 되었고, 일본에서 일왕의 마차에 폭탄을 던지는 의거를 거행했다.
윤봉길 의거	• 일제가 상하이를 점령한 것을 축하하기 위해 훙커우 공원에서 기념식을 열자, 윤봉길은 폭탄을 던져 일본 관리와 군인을 처단했다. • 윤봉길의 의거는 일제와 싸우던 중국인들에게 깊은 인상을 주었고, 중국이 대한민국 임시 정부를 도와주는 계기를 마련했다.

속 시원한 활동 풀이

다 함께 활동 국내외에서 활동한 독립운동가들을 조사해 봅시다.

예 제가 조사한 독립운동가는 남자현입니다. 남자현은 만주에서 독립군 여성 대원으로 활동했습니다. 또한 조선 총독 암살을 시도했습니다.

김좌진은 독립군 부대를 이끌며 무장 독립 투쟁을 벌였다. (O | X) (O)

확인 톡!톡!

정답과 해설 13쪽

1 방정환은 '아이'를 '어린이'로 고쳐 부르자고 했다. (O | X)

2 『조선말(우리말) 큰사전』을 펴내는 작업을 하며 우리말과 글을 지킨 단체는? (　　)

3 (　　)은/는 대한민국 임시 정부의 활동에 활력을 불어 넣고자 한인 애국단을 조직했다.

독립운동가 인물 카드를 만들어 볼까요?

❶ 일제 감시 대상 인물 카드의 의미와 특징

(1) 일제 감시 대상 인물 카드: 일제가 독립운동가들을 감시하고 탄압하기 위해 만든 카드로, 6,000장이 넘게 발견되었다. 보충 ❶

(2) 일제 감시 대상 인물 카드의 특징: 카드의 앞면에는 사진이 붙어 있다. 카드의 뒷면에는 이름, 출생지, 주소, 신분과 직업, ❶죄명, ❷형 기간 등이 적혀 있다.

▲ 일제 감시 대상 카드 앞면

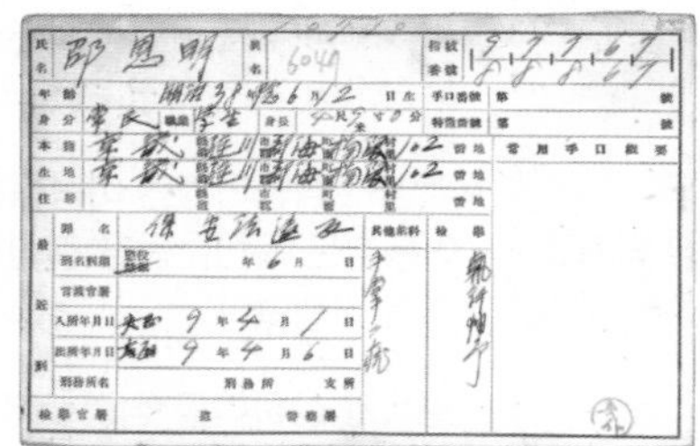
▲ 일제 감시 대상 카드 뒷면

보충 ❶

◉ **서대문 형무소 역사관**

일제에 저항한 독립운동가들이 옥고를 치렀던 곳이다. 옛 서울 구치소를 일제 강점기 때의 모습으로 복원하여 역사관으로 만들었다.

❷ 독립운동가 인물 카드를 만드는 방법 보충 ❷

❶ 일제 감시 대상 인물 카드에는 어떤 인물들이 있는지 알아본다.
❷ 자신이 새롭게 소개하고 싶은 독립운동가를 선택해 카드의 내용을 살펴본다.
❸ 선택한 인물이 실제 어떤 활동을 한 독립운동가인지 조사해 본다.
❹ 독립운동가를 기억하기 위한 새로운 인물 카드를 제작해 전시한다.
❺ 전시된 카드를 살펴보고 느낀 점을 발표한다.

보충 ❷

◉ **역사 인물 사전 만들기 학습**
독립운동가들의 활동을 담아 역사 인물 사전을 만들어 본다. 이를 통해 다양한 독립운동가들의 활동을 한눈에 파악할 수 있다. 또한 독립운동가들의 활동에 대한 평가를 해 보면서 역사적 판단력도 기를 수 있다.

❸ 독립운동가 인물 카드를 만드는 활동 (속 시원한 활동 풀이)

(1) 일제 감시 대상 인물 카드에 있는 인물 알아보기 예 안창호 등

(2) 새롭게 소개하고 싶은 독립운동가를 선택해 카드의 내용 살펴보기 예 치안 유지법을 어긴 안창호 등

(3) 선택한 인물이 실제 어떤 활동을 한 독립운동가인지 조사하기 예 신민회, 대성 학교 설립, 대한민국 임시 정부 수립에 기여한 안창호 등

(4) 독립운동가를 기억하기 위한 새로운 카드를 제작해 전시하기 예 안창호 인물 카드 등

▲ 독립운동가 인물 카드 앞면

이름	안창호
출생 - 사망	1878–1938년
주요 활동	신민회, 대성 학교 설립, 대한민국 임시 정부 수립에 기여
인물 소개	우리 국민의 실력을 길러 나라를 지키려고 하였고, 대한민국 임시 정부에서 중요한 역할을 담당하였다.

▲ 독립운동가 인물 카드 뒷면

(5) 전시된 카드를 살펴보고 느낀 점 발표하기 예 "수많은 독립운동가들이 나라를 되찾기 위해 노력했고, 이러한 노력이 소중하다는 것을 다시 한 번 깨닫게 되었습니다." 등

용어 사전

❶ **죄명**(罪: 죄 죄, 名: 이름 명): 저지른 죄의 이름을 말한다.
❷ **형**(刑: 형벌 형): 형벌을 뜻하는 한자이다.

속 시원한 활동 풀이

독립운동가 인물 카드 만들기

예 독립운동가 나석주의 인물 카드

이름	나석주
출생 - 사망	1892년 – 1926년
주요 활동	• 신흥 무관 학교를 나오고, 의열단에 가입 • 동양 척식 주식회사에 폭탄을 던지는 의거를 실행
인물 소개	토지 조사 사업을 통해 우리나라의 토지를 빼앗아 간 동양 척식 주식회사에 폭탄을 던지고, 나라를 위해 목숨을 바쳤다.

예 독립운동가 이봉창의 인물 카드

이름	이봉창
출생 - 사망	1901년 – 1932년
주요 활동	• 대한민국 임시 정부에 들어가 한인 애국단에 가입 • 1932년 도쿄 경시청 앞에서 일왕에게 폭탄을 던지는 의거를 실행
인물 소개	일제 침략의 부당함을 알리기 위해 1932년 일왕의 행사에서 폭탄을 던져 암살을 시도했으나 실패했다. 그 자리에서 체포되어 여러 차례 재판을 받고 사형에 처해졌다.

예 독립운동가 김구의 인물 카드

이름	김구
출생 - 사망	1876년 – 1949년
주요 활동	• 한인 애국단 조직, 대한민국 임시 정부의 주석 역임 • 광복 후에도 우리나라의 통일을 위해 노력
인물 소개	여러 어려움에도 독립운동가들을 이끌고 독립운동을 하는 데 앞장섰다. 그 중에서도 한인 애국단을 조직해 윤봉길, 이봉창 의거를 도왔다. 광복 후 통일 정부 수립을 위해 애쓰다가 암살당했다.

확인 톡!톡!

정답과 해설 13쪽

1 일제는 독립운동가들을 감시하고 탄압하기 위해 '일제 감시 대상 인물 카드'를 만들었다. (O | X)

2 일제 감시 대상 인물 카드의 앞면에 붙어 있는 것은? (　　　)

3 (　　　)은/는 신민회, 대성 학교 설립, 대한민국 임시 정부 수립에 기여한 독립운동가였다.

즐겁게 정리해요

교과서 133쪽

'일제의 침략과 광복을 위한 노력'에서 배운 내용을 떠올리며 가상 전시회에 전시할 사진의 제목을 붙여 봅시다.

사진으로 만나는 역사의 한 장면

예 고종, 황제로 즉위하다.

예 소년이 총을 든 까닭은?

예 거리마다 울려 퍼진 만세 소리

예 대한민국 임시 정부, 국민이 주인인 나라를 꿈꾸다

핵심 꿀꺽 질문

일제의 침략에 맞선 인물의 활동을 설명할 수 있나요?

일제의 식민 통치와 광복을 위한 노력을 말할 수 있나요?

독립운동가의 노력을 소중히 여기는 태도를 갖게 되었나요?

1 청 · 일 전쟁 이후 조선이 처한 상황으로 알맞지 않은 것은 어느 것입니까? ( )

① 일본이 경복궁을 침입해 명성 황후를 살해했다.
② 청 · 일 전쟁에서 승리한 일본은 조선의 정치에 깊이 간섭했다.
③ 고종은 일본의 감시를 피해 미국 공사관으로 거처를 옮겼다.
④ 외국 세력의 간섭을 벗어나기 위해 백성들은 다양한 노력을 했다.
⑤ 고종이 거처를 옮긴 후 러시아, 미국 등의 간섭과 경제적 침략이 이어졌다.

중요

2 빈칸 ㉠, ㉡에 들어갈 알맞은 말을 쓰시오.

[㉠]은/는 정부 관리와 개화 지식인들이 독립에 대한 의식을 높이기 위해 세운 단체이다. [㉡]은/는 직업과 나이에 상관없이 많은 사람이 참여해 나랏일에 대한 자신의 생각을 이야기하던 집회이다.

㉠ ____________

㉡ ____________

3 빈칸에 들어갈 알맞은 말을 쓰시오.

러시아 공사관에서 경운궁(덕수궁)으로 돌아온 고종은 환구단에서 황제 즉위식을 하고, [ ][ ][ ][ ]을/를 선포했다.

____

[4-5] 다음 자료를 보고, 물음에 답하시오.

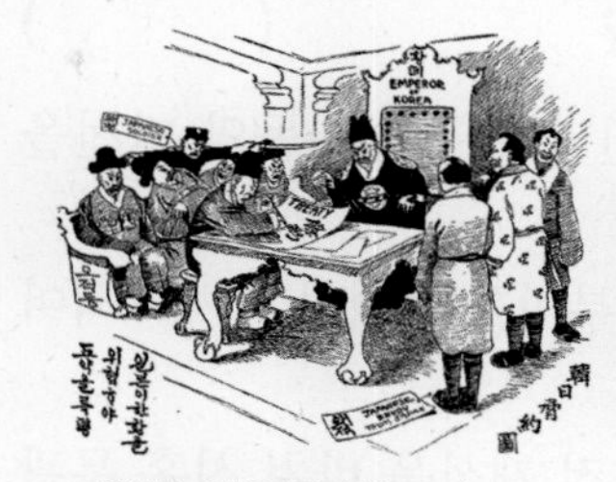
▲ 을사늑약을 풍자한 그림

▲ 헤이그 특사

4 을사늑약이 강제로 체결되면서 대한 제국이 일제에 빼앗긴 권리는 무엇인지 쓰시오.

____

중요

5 을사늑약 체결과 관련된 설명으로 알맞지 않은 것은 어느 것입니까? ( )

① 일제는 고종을 강제로 물러나게 했다.
② 일제는 대한 제국의 군대를 없애 버렸다.
③ 나라가 위기에 처하자 전국 각지에서 의병이 일어났다.
④ 고종은 을사늑약이 무효임을 국제 사회에 알리고자 노력했다.
⑤ 헤이그에 파견된 특사는 여러 나라에 을사늑약의 부당함을 알리는 데 성공했다.

6 빈칸 ㉠, ㉡에 들어갈 알맞은 인물을 쓰시오.

- [㉠]은/는 평민 출신 의병장으로 경상도와 강원도 일대에서 활동하며 '태백산 호랑이'로 불렸다.
- [㉡]은/는 의병가를 지어 의병 활동을 장려하고 여성 의병단을 이끌었다.

㉠ ____________

㉡ ____________

7 **일제의 침략에 맞선 사람들의 노력으로 알맞지 않은 것은 어느 것입니까?** (　　　)

① 이회영은 만주로 건너가 독립운동의 터전을 마련했다.
② 안중근은 이토 히로부미를 저격하고 체포되어 재판을 받았다.
③ 이회영과 가족들은 전 재산을 바쳐 신흥 무관 학교를 설립했다.
④ 안중근은 재판에서 을사늑약의 부당함을 알린 노력이 인정되어 풀려났다.
⑤ 안창호는 평양에 대성 학교를 세워 교육을 통해 독립운동가를 기르고자 했다.

8 **빈칸에 들어갈 알맞은 말을 쓰시오.**

일제에게 국권을 빼앗긴 이후 국민을 일깨우고 실력을 길러 나라를 지키려는 사람들이 있었다. 이에 안창호 등이 중심이 되어 모인 비밀 단체인 □□□은/는 학교를 세워 인재를 기르고, 회사와 공장을 설립했다.

중요

9 **다음과 같은 일이 배경이 되어 일어난 운동은 무엇입니까?** (　　　)

제1차 세계 대전이 끝날 무렵 식민 지배를 받는 민족은 그들의 운명을 스스로 결정할 권리가 있다는 소식이 전해졌다.

① 3·1 운동
② 애국 계몽 운동
③ 국채 보상 운동
④ 동학 농민 운동
⑤ 6·10 만세 운동

10 **보기의 내용을 일제의 식민 통치 과정에 맞게 순서대로 기호를 쓰시오.**

보기
㉠ 일제는 식민 통치에 필요한 재정을 마련하기 위해 토지 조사 사업을 실시했다.
㉡ 일제는 헌병 경찰을 내세워 무력으로 한국인을 통제하고 독립운동을 탄압했다.
㉢ 일제는 침략 전쟁을 확대하면서 한국인의 민족성을 없애기 위해 한국식 이름을 없애고 일본식으로 바꾸라고 강요했다.

11 **다음에서 설명하는 일제의 식민 통치 정책을 쓰시오.**

토지를 소유한 사람은 정해진 기간 내에 신고를 해야 했다. 일제는 토지 소유자들에게 세금을 더 많이 거두어들여 통치 자금을 확보할 수 있었다.

12 **다음과 관련된 시기의 식민 통치에 대한 설명으로 알맞은 설명은 어느 것입니까?** (　　　)

- 황국 신민 서사를 외우는 교사와 학생들
- 전국 곳곳에 세워진 신사에 참배하는 사람들

① 토지 조사 사업을 시행했다.
② 헌병이 독립운동을 탄압했다.
③ 헌병을 앞세워 한국인을 통제했다.
④ 학생이나 청년들이 전쟁터에 동원되었다.
⑤ 쌀 생산을 늘리는 산미 증식 계획을 시행했다.

중요

13 대한민국 임시 정부가 수립된 까닭으로 알맞은 것을 보기 에서 모두 골라 기호를 쓰시오.

보기
- ㉠ 독립운동을 효율적으로 이끌기 위해서
- ㉡ 나라를 되찾으려는 사람들의 뜻이 약해졌기 때문에
- ㉢ 독립을 위한 힘을 여러 곳으로 나누어 진행하기 위해
- ㉣ 국내외 여러 곳에 세워진 임시 정부를 통합하기 위해

14 다음에서 설명하는 인물은 누구인지 쓰시오.

만세 시위로 이화 학당이 휴교하게 되자, 고향인 충청남도 천안으로 내려가 천안 아우내 장터에서 만세 시위를 계획했다.

15 독립을 위해 노력했던 인물들과 그 업적을 바르게 연결해 보시오.

(1) 신채호 • • ㉠ 청산리에서 일본군을 크게 무찔렀다.

(2) 홍범도 • • ㉡ 일제의 침략에 맞서 우리의 민족정신을 높이고자 노력했다.

(3) 김구 • • ㉢ 한인 애국단을 조직하고, 우리 손으로 독립을 이루고자 노력했다.

워드 클라우드와 함께하는 서술형 문제

[16-17] 워드 클라우드의 단어를 이용하여 서술형 문제의 답을 쓰시오.

독립 의지 홍범도 청산리 전투 중국
윤봉길 이봉창 대한민국 임시 정부
봉오동 전투 김좌진 지형 · 지리 전술

16 봉오동 전투와 청산리 대첩을 이끌었던 인물들을 각각 쓰고, 이들이 일본군을 이길 수 있었던 까닭을 쓰시오.

17 다음 사건의 의의를 두 가지 이상 쓰시오.

윤봉길은 상하이 훙커우 공원에서 일본 왕의 생일을 기념하는 행사장에 폭탄을 던지는 의거를 실행했다.

톡톡 튀는 이야기

78년 만에 고국으로 돌아온 홍범도

1895년 을미사변을 계기로 전국적으로 의병이 일어나자 홍범도는 강원도에서 소규모 의병 부대를 조직해 활동했습니다. 을미의병이 해산된 이후에는 풍산 북청 지역에서 산짐승을 잡는 포수로 활동했습니다. 그는 화승총을 다루는 솜씨뿐만 아니라 동료들 사이에 신임이 두터웠고 뛰어난 우두머리였습니다.

1907년 고종의 강제 퇴위와 함께 대한 제국군의 군대 해산이 있었고, 민간인이 가지고 있는 화승총과 사냥총까지 모두 회수당했습니다. 이에 홍범도는 포수들과 청년들을 모아 의병을 일으켰습니다. 홍범도 의병 부대는 일본군과 싸움에서 연달아 승리했습니다.

▲ 1920년대의 홍범도 모습

1910년에 들어서면서 더 이상 국내에서 싸우기가 어려워지자, 홍범도는 의병들을 이끌고 두만강을 건너 간도로 가서 근거지를 마련했습니다. 그는 1919년 3·1 운동 이후 가장 먼저 대한 독립군을 조직해 국내 진입 작전에서 일본군을 기습 공격했습니다.

1920년 6월, 일본군이 봉오동을 공격해 오자 일본군에 크게 승리했습니다. 그로부터 4개월 뒤 청산리 전투에도 참여해 김좌진의 북로 군정서군과 함께 대승을 거두었습니다. 그런데 이후 계속된 일본군의 토벌 작전으로 연해주 및 시베리아로 후퇴한 독립군은 결국 소련의 지원을 받기 위해 자유시로 이동했습니다.

▲ 봉오동 전투(민족 기록화)

1937년 소련의 스탈린 정부는 시베리아 일대에 거주하는 모든 한국인을 중앙아시아로 강제 이주시키는 비인도적인 정책을 폈습니다. 이때 홍범도도 수많은 한국인과 함께 중앙아시아 카자흐스탄의 크질오르다 지방에 정착해 집단 농장을 개척했습니다.

▲ 카자흐스탄 크질오르다에 있는 홍범도 묘소

한때 '날으는 홍장군'이라 불릴 정도로 일본군을 두렵게 했던 독립군 대장이었지만, 이주를 당한 후의 삶은 편안하지 않았습니다. 카자흐스탄에서 병원 경비로 일하기도 했고, 극장의 빈 창고에 모아둔 무대 기구를 지키는 일을 하며 지냈습니다.

그러던 중 태장춘이라는 극작가를 만났고, 홍범도 장군 이야기는 「의병들」이란 제목의 연극으로 상영되기도 했습니다. 조국을 잃고 쓸쓸하게 말년을 보내다가 광복을 2년 앞둔 1943년 카자흐스탄에서 75세로 세상을 떠났습니다. 그의 유해는 조국으로 돌아오지 못하고, 카자흐스탄에 묻혀 있다가 78년이 지나서 2021년 8월 15일 대한민국으로 돌아왔습니다. 우리나라는 독립운동을 위해 희생하신 홍범도 장군을 최고의 예우로 대전 현충원에 모셨습니다.

▲ 의장대가 홍범도 장군의 영정과 유해를 들고 입장하는 모습

광복을 맞은 사람들의 바람은 무엇이었을까요?

보충 ❶

◉ **독일과 일본의 항복**

연합국의 노르망디 상륙 작전이 성공하면서 파리가 독일군으로부터 해방되었다. 이후 연합군이 독일의 수도 베를린을 점령하면서 독일은 무조건 항복을 선언했다. 미국이 히로시마와 나가사키에 원자 폭탄을 떨어뜨리자 일본 역시 항복하면서 인류 역사상 가장 큰 전쟁은 막을 내렸다.

❶ 광복절의 의미

(1) 광복절 기념행사: 매년 8 · 15 광복절 ❶경축식 행사가 열린다.

(2) 광복절(8월 15일)

① 8월 15일은 우리 민족이 일제의 식민 통치에서 벗어난 것을 기념하는 날이다.

② 8월 15일은 대한민국 임시 정부를 계승한 대한민국 정부 수립 기념일이기도 하다.

보충 ❷

◉ **역사 뉴스 제작 학습**

8 · 15 광복을 맞은 당시 상황과 사람들의 마음을 담은 역사 뉴스를 제작해 볼 수 있다. 이러한 활동을 하면서 과거 역사를 생생하게 체험할 수 있다.

❷ 8·15 광복과 나라를 세우기 위한 노력

(1) 8 · 15 광복 (시험 대비 핵심 자료) 보충 ❶

① ❷연합국이 전쟁에 승리하면서 우리 민족은 1945년 8월 15일, 꿈에 그리던 광복을 맞이했다.

② 광복은 일본이 연합국에 항복한 결과였지만, 우리 민족이 끈질기게 벌여온 독립운동의 결실이었다.

▲ 광복을 기뻐하며 만세를 부르는 사람들

내용+ 8 · 15 광복을 위한 우리 민족의 노력과 연합국의 약속

우리 민족의 노력	• 중국 상하이에 대한민국 임시 정부를 만들어 독립운동을 전개했다. • 한국광복군을 만들어 일제에 저항했다.
연합국의 독립 약속	제2차 세계 대전 중 일본과 싸우던 연합국은 국내외 독립운동가들의 끊임없는 노력을 인정하여 여러 회담에서 우리 민족의 독립을 약속했다.

(2) 광복 이후 새로운 나라를 세우기 위한 사람들의 노력 (속 시원한 활동 풀이) 보충 ❷

① 각계각층의 사람들은 혼란한 사회를 안정시키고 새로운 국가를 세우려고 노력했다.

내용+ 대한민국 임시 정부는 건국의 원칙을 발표했다.

② 국내에서 건국을 준비하는 단체가 만들어져 치안과 질서를 유지하고자 노력했다.

(3) 광복 이후 국내로 돌아온 사람들

① 광복 소식이 전해지자 중국, 일본, 미국 등 다른 나라에 머물던 동포들이 국내로 돌아왔다.

② 해외에서 활동하던 여러 독립운동가들도 국내로 돌아왔다.

▲ 대한민국 임시 정부 주요 인물들의 귀국 환영 행사

③ 1945년 10월에는 이승만, 11월에는 김구를 비롯한 대한민국 임시 정부의 주요 인물들이 귀국했다.

용어 사전

❶ **경축**(慶: 경사 경, 祝: 빌 축): 경사로운 일을 축하하는 것을 뜻한다.

❷ **연합국**(聯: 연이을 연, 合: 합할 합, 國: 나라 국): 1939년부터 1945년까지 일어난 제2차 세계 대전 중 독일, 일본 등과 맞서 싸운 여러 나라를 말한다.

공부한 날 월 일

(시험 대비) 핵심 자료

● 광복을 바라던 우리 민족의 마음을 표현한 시

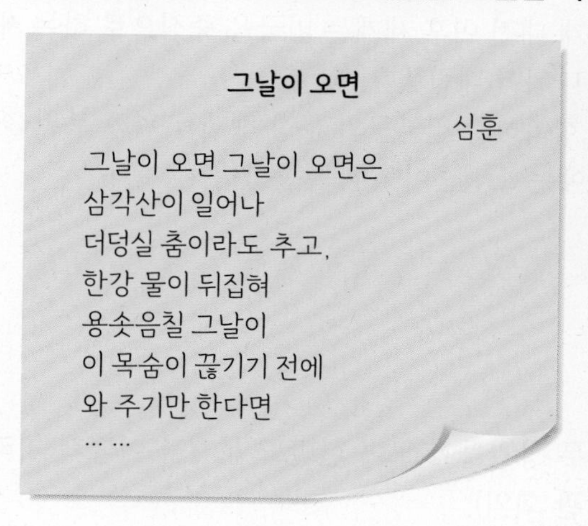

일제 강점기에 광복을 간절히 바라던 우리 민족의 마음을 표현한 시이다. 이 시를 지은 심훈은 당시에 활동하던 독립운동가이자 소설가 겸 시인이었다. 「그날이 오면」은 1930년 3 · 1절을 맞이해 1919년 3 · 1 운동에 참여했던 당시 시인의 감정을 되살린 시이다. 또한 이 시는 광복을 맞은 그날을 열정적으로 노래한 저항시이기도 하다. 이처럼 당시 문학 작품에는 광복의 그날을 꿈에 그리던 우리 민족의 마음이 잘 드러나 있다.

(속 시원한) 활동 풀이

스스로 활동 광복을 맞은 사람들이 어떤 세상을 꿈꾸었을지 생각하며 빈칸을 채워 봅시다.

확인 톡!톡!

정답과 해설 14쪽

1 광복절은 우리 민족이 일제의 식민 통치에서 벗어난 것을 기념하는 날이다. (O | X)

2 광복절은 임시 정부를 계승한 (   ) 수립 기념일이기도 하다.

3 1945년 8월 15일에 맞이한 것으로, 우리 민족이 꿈에 그리던 것은? (   )

통일 정부를 수립하기 위해 어떤 노력을 했을까요?

1 광복 이후 한반도의 상황

(1) **제2차 세계 대전 이후의 세계:** 제2차 세계 대전 이후 세계는 미국을 중심으로 하는 세력과 소련을 중심으로 하는 세력으로 나뉘어 대립했다. 보충 ❶

(2) **미군과 소련군의 한반도 ❶주둔:** 일본이 항복하자 일본군의 무장 해제를 위해 북위 38도선을 기준으로 남쪽에는 미군, 북쪽에는 소련군이 각각 주둔했다.

2 신탁 통치와 민족의 갈등

(1) **❷신탁 통치의 결정**

① 모스크바에서 미국, 영국, 소련의 외무 장관들이 모여 한반도 문제를 어떻게 처리할지 의논했다(모스크바 3국 외무 장관 회의).

② 모스크바 3국 외무 장관 회의에서는 한반도에 임시 민주 정부를 세우되, 정부가 수립될 때까지 최대 5년간 신탁 통치를 실시하기로 결정했다.

(2) **신탁 통치를 둘러싼 갈등** (시험 대비 핵심 자료)

① 신탁 통치 소식이 국내에 알려졌다.

② 신탁 통치를 반대하는 세력과 모스크바 3국 외무 장관 회의 결정 내용을 지지하는 세력이 나뉘어 대립했다.

신탁 통치 반대 의견	신탁 통치는 자주적인 정부 수립을 방해하기 때문에 반대했다.
회의 결정 내용 찬성	신탁 통치를 하더라도 우선 임시 정부를 수립하면 더 빨리 자주적인 정부 수립이 가능하기 때문에 찬성했다.

3 통일 정부 수립을 위한 노력

(1) **미소 공동 위원회의 결렬:** 임시 민주 정부 수립을 논의하기 위해 서울에서 미소 공동 위원회가 열렸지만 두 나라의 의견이 서로 달라 합의를 이루지 못했고, 미국은 한국의 문제를 국제 연합(UN)에 넘겼다.

(2) **국제 연합의 결정**

남북한 총선거 결정	• 국제 연합은 남북한 ❸총선거로 통일 정부를 수립하기로 결정했다. • 선거를 공정하게 관리하려고 한국 임시 위원단을 조직해 한반도로 보냈다.
남한만의 총선거 결정	소련과 북한이 이를 받아들이지 않자, 국제 연합은 선거가 가능한 지역만이라도 총선거를 실시해 정부를 세우기로 결정했다.

(3) **정부 수립에 대한 두 주장의 대립** (속 시원한 활동 풀이) 보충 ❷, ❸

이승만	국제 연합의 결정에 따라 남한만이라도 총선거를 실시하자고 주장했다.
김구	남북이 함께 총선거에 참여하여 통일된 독립 국가를 만들어야 한다고 주장했다. 북한 지도자들을 만나 남북 협상을 했으나 만족할 만한 성과를 거두지 못했다.

보충 ❶

◉ **소련**
1922년부터 1991년까지 있었던 소비에트 연방 공화국으로, 지금의 러시아와 그 주변 국가들이다.

보충 ❷

◉ **남북 협상의 의의**
남북 지도자들은 통일 정부 수립 문제를 논의했으나, 결과적으로 분단 정부가 들어서는 것을 막지 못했다. 그러나 당시 남한만의 정부 수립을 반대하는 사람들에게 열렬한 지지를 받았다.

보충 ❸

◉ **제주 4·3 사건**
1948년 제주도에서는 남한만의 총선거를 반대해 봉기가 일어났다. 정부는 군대와 경찰 등을 동원해 이를 진압했고, 이 과정에서 많은 민간인 등이 죽거나 다쳤다.

용어 사전

❶ **주둔**(駐: 머무를 주, 屯: 진 칠 둔): 군대가 한 지역에 머무르는 것이다.

❷ **신탁 통치**(信: 믿을 신, 託: 부탁할 탁, 統: 거느릴 통, 治: 다스릴 치): 국제 연합이나 강대국들이 독립할 능력이 없는 나라를 정치적으로 안정될 때까지 대신 통치하는 제도를 말한다.

❸ **총선거**(總: 다 총, 選: 가릴 선, 擧: 들 거): 국회 의원을 선출하기 위해 실시하는 국가 단위의 선거이다.

시험 대비 핵심 자료

● 신탁 통치를 둘러싼 갈등을 보여 주는 두 사진

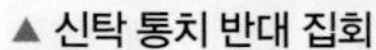

▲ 신탁 통치 반대 집회

▲ 모스크바 3국 외무 장관 회의 결정 지지 집회

신탁 통치를 반대하는 세력은 신탁 통치를 식민 지배가 계속되는 것이라고 보았다. 회의 결정을 지지하는 세력은 임시 민주 정부 수립이 중요한 내용이라고 보았다.

속 시원한 활동 풀이

스스로 활동 정부 수립에 대한 두 주장을 살펴보고, 이에 대한 자신의 생각을 써 봅시다.

> **이승만:** 우리 남쪽만이라도 임시 정부 혹은 위원회 같은 것을 조직하여 38도선 이북에서 소련이 물러나도록 세계의 여론에 호소해야 할 것입니다.
>
> -『서울신문』, 1946.

> **김구:** 우리는 남북이 함께 총선거에 참여하여 통일된 독립 국가를 만들어야 합니다. …… 남한만의 정부를 수립하면 …… 남북 분단이 더 확실해지도록 할 것입니다.
>
> -「삼천만 동포에게 읍고함」, 1948.

1 이승만과 김구의 주장이 각각 무엇인지 이야기해 봅시다.

예 이승만은 남한만의 총선거를 주장하고, 김구는 통일 정부 수립을 주장했습니다.

2 두 사람의 주장에 대한 나의 생각을 써 봅시다.

예 통일 정부를 세워야 한다고 생각합니다. 그것이 한반도의 분단을 막을 수 있는 방법이기 때문입니다.

잠깐! 확인해요

모스크바 3국 외무 장관 회의에서 □□ □□을/를 실시하기로 결정하였다. (신탁 통치)

확인 톡!톡!

정답과 해설 14쪽

1 광복 이후 북위 38도선을 기준으로 남쪽에는 소련군, 북쪽에는 미군이 주둔했다. (O | X)

2 모스크바에서 미국, 영국, 소련의 외무 장관들이 모여 한반도 문제를 의논한 회의는? (   )

3 (   ) 등은 북한 지도자들을 만나 남북 협상을 시도했다.

대한민국 정부가 세워진 과정을 알아볼까요?

1 대한민국 정부 수립

(1) 대한민국 정부 수립 과정

5·10 총선거 실시	• 1948년 5월 10일, 국제 연합의 결정대로 남한에서 총선거가 실시되었다. • 국회 의원을 뽑는 첫 번째 민주 선거였다. (시험 대비 핵심 자료)
제헌 국회 구성	총선거로 선출된 국회 의원들은 헌법을 만들 제헌 국회를 구성했다.
제헌 헌법 공포	제헌 국회는 나라 이름을 '대한민국'으로 정하고, 우리나라 최초의 헌법을 만들어 널리 알렸다. (속 시원한 활동 풀이)
대통령 선출과 대한민국 정부 수립	• 헌법에 따라 국회에서는 이승만을 ❶초대 대통령으로 선출했다. 보충 ❶ • 1948년 8월 15일에 대한민국 정부가 수립되었다.

▲ 대한민국 정부 수립 선포식

(2) 대한민국 정부 수립의 의의

① 대한민국 임시 정부의 전통을 이었다.

② 우리 민족의 오랜 ❷염원이었던 민주적인 독립 정부를 수립했다.

보충 ❶

◉ **초대 대통령 선거**

국회에서 국회 의원의 3분의 2 이상이 출석하고 출석한 의원 중 3분의 2 이상이 찬성해서 대통령을 선출하는 간접 선거 방식으로 이루어졌다.

보충 ❷

◉ **오늘날까지 해결되지 못한 친일파 처리 문제**

건국 초기에 친일파를 제대로 처벌하지 못했던 부작용은 오랫동안 한국 사회에 영향을 미쳤다. 노무현 정부는 2004년 '일제 강점하 반민족 행위 진상 규명에 관한 특별법'을 제정하여 친일파를 다시 조사·규명하고, 2006년에 '친일 반민족 행위자 재산 조사 위원회'를 출범하여 친일파의 재산을 몰수했다.

2 대한민국 정부 수립 이후의 상황

(1) 새로운 국가를 만들기 위한 다양한 노력

① 국회에서는 친일파의 ❸반민족 행위를 조사해 처벌하기 위한 특별 위원회를 설치했으나 친일파를 제대로 처벌하지 못했다. 보충 ❷

② 친일파 처리 외에 여러 개혁 시도도 만족할 만한 성과를 거두지 못해 민주 국가를 건설하는 데 큰 어려움을 겪었다.

▲ 반민족 행위를 고발하는 모습

(2) 조선 민주주의 인민 공화국의 수립

① 북한에서는 1948년 9월에 조선 민주주의 인민 공화국이라는 이름으로 별도의 정권이 수립되었다.

② 조선 민주주의 인민 공화국의 수립으로 한반도는 남북으로 분단되었다.

용어 사전

❶ **초대**(初: 처음 초, 代: 대신할 대): 어떤 것의 첫 번째 차례, 또는 그 사람의 시대를 뜻한다.

❷ **염원**(念: 생각할 염, 願: 원할 원): 마음에 간절히 생각하고 기원하는 것이다.

❸ **반민족 행위**(反: 돌이킬 반, 民: 백성 민, 族: 겨레 족, 行: 다닐 행, 爲: 할 위): 일제 강점기에 일제에 협력한 행위이다.

시험 대비 핵심 자료

● 5·10 총선거 실시

▲ 5·10 총선거 홍보 포스터

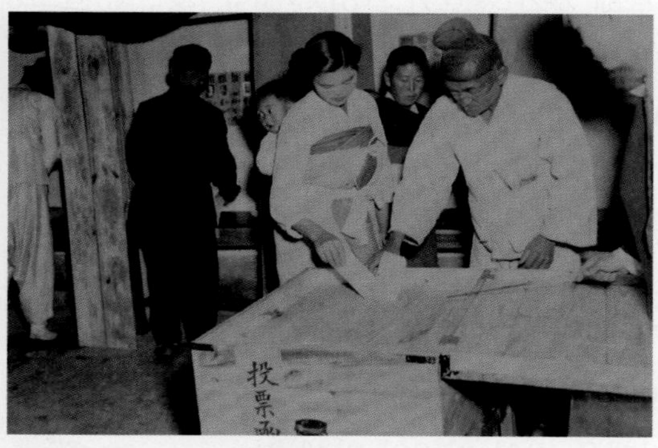
▲ 5·10 총선거에 참여한 유권자

1948년에 치러진 5·10 총선거는 21세 이상 모든 국민에게 투표권이 주어진 우리나라 최초의 보통 선거였다. 남한 지역에서만 실시된 총선거는 전체 의석 200석 중에 제주도 2개구를 제외하고 198개구에서 198명의 제헌 국회 의원이 선출되었다.

속 시원한 활동 풀이

우리나라 최초의 헌법인 「제헌 헌법」의 내용에서 중요하다고 생각하는 부분에 밑줄을 그어 보고, 그 까닭을 써 봅시다.

「제헌 헌법」(1948. 7.)

[전문] 우리 대한 국민은 3·1 운동으로 대한민국을 건립하여 세계에 선포한 위대한 독립 정신을 계승하여 이제 민주 독립 국가를 재건함에 있어서 …… 민주주의 모든 제도를 수립하여 정치, 경제, 문화의 모든 영역에서 각 사람의 기회를 균등히 하고 …… 안으로는 국민 생활의 균등한 향상을 기하고 밖으로는 국제 평화의 유지에 노력하여 …… .

제1조 대한민국은 민주 공화국이다.

제2조 대한민국의 주권은 국민에게 있고 모든 권력은 국민으로부터 나온다.

예 '대한민국의 주권은 국민에게 있고 모든 권력은 국민으로부터 나온다.'라는 내용에 밑줄을 그었습니다. 대한민국이 민주주의를 지향함을 보여 주기 때문입니다.

5·10 총선거로 구성된 국회를 □□ □□(이)라고 한다. (제헌 국회)

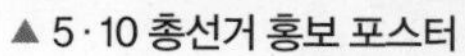

확인 톡!톡!

정답과 해설 14쪽

1 1948년 5월 10일, 국제 연합의 결정대로 남한에서 총선거가 실시되었다. (O | X)

2 헌법에 따라 국회에서는 (   )을/를 초대 대통령으로 선출했다.

3 북한에서 1948년 9월에 수립한 별도 정권의 이름은? (   )

6·25 전쟁은 어떻게 전개되었을까요?

❶ 6·25 전쟁의 배경과 원인

(1) **배경:** 남과 북에 각각 정부가 들어선 이후 38도선 부근에서 남북 간의 크고 작은 충돌이 자주 일어났다.

(2) **원인:** 1950년 6월 25일, 소련의 지원을 받은 북한군이 남한을 침략하며 6·25 전쟁이 시작되었다. 보충 ❶

보충 ❶

◉ **북한 정권의 전쟁 준비**

정치적 혼란을 거듭하고 있던 남한에 비해 일찍이 북한 정권은 일제의 잔재를 청산하고 통치 기반을 확립했다. 그리고 이러한 토대 위에 군사력 증강에 매진하여 남한에 비해 압도적으로 우세한 군비를 갖추었다.

❷ 6·25 전쟁의 과정과 결과 (시험 대비 핵심 자료) (속 시원한 활동 풀이)

(1) **북한군의 ❶남침**

① 북한군은 전쟁을 벌인 지 3일 만에 서울을 점령하고, 남쪽으로 계속 밀고 내려왔다.

② 남한 정부는 대전을 거쳐 부산으로 피란했다.

▲ 서울을 침공한 북한군의 전차

(2) **국군과 ❷국제 연합군의 반격**

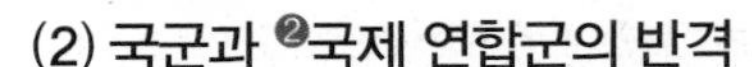

① 국제 연합에서는 북한의 침략 행위를 비판하며, 미국 등 16개국 군대로 구성된 국제 연합군을 한국에 보냈다.

② 국군과 국제 연합군은 인천 상륙 작전을 펼쳐 서울을 되찾았고, 38도선을 넘어 북으로 진격해 압록강까지 나아갔다.

▲ 인천 상륙 작전을 수행 중인 국제 연합군

(3) **중국군의 참전**

① 상황이 북한에게 불리해지자 중국군이 전쟁에 참여했다. 국제 연합군에 이어 중국군까지 전쟁에 참여하면서 전쟁은 국제전으로 확대되었다.

② 국군과 국제 연합군은 한강 이남으로 다시 후퇴했지만 곧 빼앗긴 서울을 되찾았다.

▲ 압록강을 건너는 중국군

(4) **❸정전 협정의 체결** 보충 ❷

① 남한과 북한은 38도선 부근에서 서로 밀고 밀리며 전투를 이어 갔다.

② 전쟁이 끝나지 않자 정전 협상이 시작되었다. 회담은 2년 가까이 진행되었고, 1953년 7월에 ❹판문점에서 정전 협정이 맺어졌다.

③ 한반도는 전쟁을 멈춘 상태로 분단되어 오늘에 이르고 있다.

▲ 정전 협정 체결 모습

보충 ❷

◉ **정전 협정의 주요 내용**

정전 협정은 본문 5개조 및 63개 항으로 구성되었다. 비무장 지대(DMZ)의 설정, 군사 정전 위원회 및 중립국 감시 위원회 설치, 포로 교환, 고위급 정치 회담 등에 관해 규정했다.

용어 사전

❶ **남침**(南: 남녘 남, 侵: 침범할 침): 북쪽에서 남쪽을 침범한 것이다.

❷ **국제 연합군**(國: 나라 국, 際: 가 제, 聯: 잇닿을 연, 合: 합할 합, 軍:군사 군): 국제 평화와 안전의 유지를 위해 국제 연합이 여러 나라 군인을 모아 편성한 군대이다.

❸ **정전**(停: 머무를 정, 戰: 싸울 전): 전쟁 중에 군사적 행동을 멈추는 것을 말한다.

❹ **판문점**(板: 널빤지 판, 門: 문 문, 店: 가게 점): 경기도 파주시 진서면 군사 분계선에 걸쳐 있는 마을이다.

● 6·25 전쟁의 전개 과정

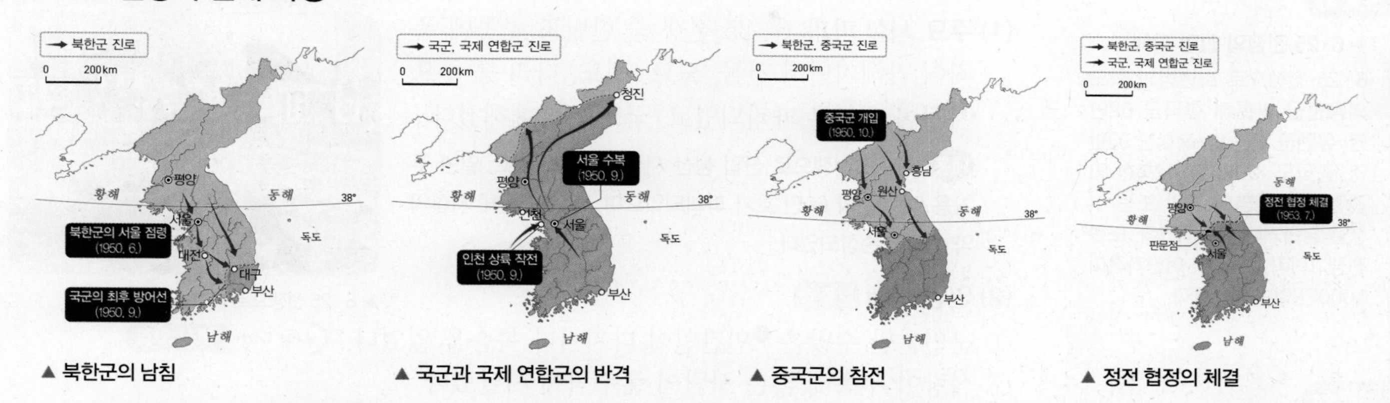

▲ 북한군의 남침 ▲ 국군과 국제 연합군의 반격 ▲ 중국군의 참전 ▲ 정전 협정의 체결

전쟁에 대비하지 못한 국군은 북한군의 공격을 이겨 내지 못하고 낙동강 이남까지 후퇴했다. 이후 국군과 국제 연합군은 인천 상륙 작전으로 전세를 역전시켰고, 10월 말에는 압록강 일대까지 진격했다. 하지만 중국군이 압록강을 넘어 전쟁에 참여하면서 국군과 국제 연합군은 다시 후퇴했다. 38도선을 중심으로 치열한 전투가 벌어졌고, 1953년 7월에 정전 협정이 맺어지면서 전쟁은 멈추게 되었다.

속 시원한 활동 풀이

다 함께 활동 6·25 전쟁을 다룬 사진, 영상, 책 등을 조사하여 친구들에게 소개해 봅시다.

예 6·25 전쟁 속 사람들의 모습을 보여 주는 사진을 소개하고 싶습니다.

예 6·25 전쟁을 겪은 어린이의 이야기를 담은 『몽실 언니』를 함께 읽어 보고 싶습니다.

잠깐! 확인해요

정전 협정이 맺어지면서 전쟁은 완전히 끝났다. (○ | X) (X)

확인 톡!톡!

정답과 해설 14쪽

1 북한군의 남침으로 6·25 전쟁이 시작되었다. (○ | X)

2 상황이 북한에게 불리해지자 ( )이/가 전쟁에 참여했다.

3 1953년 7월 판문점에서 체결된 협정은? ( )

6·25 전쟁은 어떤 피해와 상처를 남겼을까요?

1 6·25 전쟁의 피해 (속 시원한 활동 풀이)

(1) 주요 시설 파괴: 6·25 전쟁 중 한반도 곳곳에 폭격이 가해지면서 건물, 도로, 철도, 다리 등 주요 시설이 대부분 파괴되었고, 국토는 황폐해졌다.

내용+ 6·25 전쟁으로 산업 생산 시설이 파괴되었고, 일반 주거용 주택은 약 60만 호가 파괴되었으며, 철도는 전체 시설의 약 43%가 손상되었다.

▲ 6·25 전쟁으로 파괴된 서울 시내

(2) 인명 피해 보충 1

① 군인뿐만 수많은 ❶민간인이 다치거나 목숨을 잃었다. (시험 대비 핵심 자료)

② 식량이 부족해 많은 사람이 굶주림에 시달렸다.

③ ❷피란을 가지 못한 사람 중에는 점령군이 바뀔 때마다 상대편 군대에게 도움을 주었다는 이유로 죽임을 당하는 경우도 있었다.

(3) 피란민과 이산가족의 발생

① 피란 중에 가족이 서로 헤어져 만나지 못하는 이산가족과 부모를 잃은 전쟁고아들이 생겨났다.

② 전쟁이 중단되자 피란민들은 고향으로 돌아갔지만, 피란 생활을 했던 곳에서 집을 짓고 일자리를 구하기도 했다.

③ 북한에서 내려온 사람들은 고향에 돌아갈 수 없게 되자, 휴전선 부근에 마을을 이루고 살기도 했다.

(4) 남북한의 적대감 고조: 남한과 북한이 서로 상대방을 증오하고 적대감을 갖게 되어 대화나 타협을 가로막는 분위기가 자리잡았다.

2 6·25 전쟁의 상처

(1) 민간인 희생

① 6·25 전쟁 중 북한군뿐만 아니라 국군과 미군에 의해서도 많은 민간인이 희생되었다.

② 경상남도 거창에서는 국군에 의해 700여 명의 민간인이 죽임을 당했다.

③ 충청북도 영동 노근리에서는 미군에 의해 200여 명의 민간인이 죽고 다쳤다.

④ 최근 정부에서 이러한 사실들을 공식적으로 인정했고, 이들에 대한 명예 회복을 추진했다.

(2) 이산가족의 아픔

① 한국 방송 공사(KBS)는 1983년 6월 30일부터 11월 14일까지 이산가족 찾기 특별 생방송을 진행했다.

② 생방송을 통해 국내에 있던 10,189명의 이산가족이 만날 수 있었지만, 북한에 있는 이산가족들은 찾을 수 없었다.

③ 전쟁과 분단의 아픔을 보여 준 KBS 특별 생방송 '이산가족을 찾습니다' 관련 기록물은 유네스코 세계 기록 유산으로 등재되었다.

(3) 평화를 지키기 위한 노력: 6·25 전쟁은 남북한 모두에게 아물지 않은 상처를 남겼지만, 오늘날은 서로 화해하고 협력하며 평화를 다지기 위한 노력을 하고 있다. 보충 2

보충 1

◉ **6·25 전쟁의 인명 피해**

6·25 전쟁으로 소년병과 학도 의용군을 비롯해 한국군 62만 명, 유엔군 16만 명, 북한군 93만 명, 중국군 100만 명, 남북한 민간인 250만 명이 사망 또는 부상을 당하거나 실종되었다. 또한 전쟁고아가 10만 명, 이산가족이 1,000만 명이 발생했다.

보충 2

◉ **오늘날 평화를 다지기 위한 노력**

최근 여러 곳에서 전쟁의 흔적을 찾아내고, 이를 기리기 위한 다양한 일들을 추진하고 있다. 이는 전쟁의 흔적이 평화의 소중함을 일깨워 주기 때문이다.

용어 사전

❶ **민간인**(民: 백성 민, 間: 사이 간, 人: 사람 인): 관리나 군인이 아닌 일반 사람이다.

❷ **피란**(避: 피할 피, 亂: 어지러울 난): 난리를 피하여 옮겨 가는 것이다.

시험 대비 핵심 자료

전쟁이 집어삼킨 청소년의 꿈

> 어머님! 전쟁은 왜 해야 하나요? 이 복잡하고 괴로운 심정을 어머니께 알려 드려야 내 마음이 가라앉을 것 같습니다. …… 어머님! 제가 어쩌면 오늘 죽을지도 모릅니다. 저 많은 적들이 저희를 살려두고 그냥 물러날 것 같진 않으니까 말입니다. 어머님, 죽음이 무서운 것은 결코 아닙니다. 어머니와 형제들을 다시 한번 못 만나고 죽을 생각을 하니 죽음이 약간 두렵다는 말입니다. 하지만 저는 살아가겠습니다. 꼭 살아서 돌아가겠습니다.

6·25 전쟁 당시 수많은 청소년이 참전하여 목숨을 잃었다. 왼쪽 글은 1950년 8월 포항여중 전투에 참여한 학도병 이우근이 쓴 편지의 내용 중 일부이다. 전쟁에 참여한 청소년들의 심정이 잘 드러나 있다.

속 시원한 활동 풀이

다 함께 활동 전쟁 속 사람들의 심정을 생각하며 빈칸을 채워 보고, 평화를 지키기 위해 노력해야 하는 까닭을 이야기해 봅시다.

예 평화를 지켜야 소중한 가족과 함께 살 수 있기 때문입니다.

잠깐! 확인해요

6·25 전쟁으로 수많은 이산가족과 전쟁고아가 생겨났다. (O | X) (O)

확인 톡!톡!

정답과 해설 14쪽

1 6·25 전쟁의 피해는 주로 남한에 집중되었다. (O | X)

2 6·25 전쟁 중 북한군뿐만 아니라 국군과 미군에 의해서도 많은 (   )이/가 희생되었다.

3 한국 방송 공사(KBS)가 1983년에 진행한 특별 생방송으로 만나게 된 가족은? (   )

광복 이후 6·25 전쟁까지의 역사를 동화로 만들어 볼까요?

1 광복 이후 6·25 전쟁까지의 역사를 동화로 만드는 방법 보충 1

1. 모둠별로 다룰 주제를 선택한다.
2. 주제의 내용을 참고해 동화의 ❶주요 장면을 선정한다.
3. 주요 장면을 글과 그림으로 표현해 동화책을 완성한다.
4. 다른 모둠의 동화책을 살펴보며 느낀 점과 새롭게 알게 된 점을 이야기해 본다.

2 광복 이후 6·25 전쟁까지의 역사를 동화로 만드는 활동

속 시원한 활동 풀이 보충 2

(1) 모둠별로 다룰 주제 선택하기 예 광복 이후 첫 등교, 내가 꿈꾸는 나라, 두 자매가 그린 전쟁과 평화 등

▲ 역사 동화의 주제들

(2) 동화의 주요 장면 선정하기 예 6·25 전쟁이 시작되는 장면, 피란길에 가족과 헤어지는 장면, 평화를 바라는 두 ❷자매의 마음을 담은 장면 등

(3) 주요 장면을 표현해 동화책 완성하기 예 '1950년 6월 25일, 대포 소리에 깜짝 놀라 잠에서 깼다.', '우리 가족은 짐을 꾸려 남쪽으로 피란을 가야 했다.' 등

▲ 완성된 역사 동화책

두 자매가 그린 전쟁과 평화

▲ 역사 동화책 표지

(4) 다른 모둠의 동화책을 보고 느낀 점과 새롭게 알게 된 점 이야기해 보기 예 "전쟁을 통해 평화의 소중함을 깨닫게 되었어요." 등

보충 1

◉ **역사 동화의 장점**

역사 동화는 역사적 내용을 바탕으로 상상력을 발휘해 구성된 이야기를 말한다. 이는 어렵고 부담스러운 주제를 어린이들이 쉽게 이해할 수 있게 도와 준다.

보충 2

◉ **역사 동화를 활용한 역할극 학습**

역사 동화를 역할극으로 진행해 볼 수 있다. 학생들 스스로 연극의 대본을 구성하며 역사적 글쓰기를 경험하게 하고, 이 과정에서 역사적 상상력을 기를 수 있다.

용어 사전

❶ **주요**(主: 주인 주, 要: 중요할 요): 어떤 것들 중에 주되고 중요한 것을 이르는 말이다.

❷ **자매**(姉: 손위누이 자, 妹: 누이 매): 손위누이인 언니와 손아래 누이인 동생을 말한다.

광복 이후 6·25 전쟁까지의 역사를 동화로 만들기

예 5·10 총선거를 치른 선거 사무원의 하루

1948년 5월 10일, 우리나라 역사상 처음으로 국회 의원을 뽑는 선거가 실시되는 날이다. 국민들의 첫 민주주의 정치 참여에 나는 선거 사무원으로 출근을 했다.

투표 사무소에는 투표하러 나온 노인, 아낙네, 젊은이가 한 줄로 늘어서 있었다. 시민들에게 투표를 어떻게 하는지 안내했다. 시민들은 열심히 내 설명을 들었다.

시민들은 처음으로 하는 투표라서 흐뭇해하면서도 어려워했다. 투표용지를 접지 않고 다 보이게 넣는 시민들이 많았다. 나는 투표용지를 접어서 넣으라고 안내하기도 했다.

투표가 마무리 된 후 일일이 개표하며 후보별로 나온 득표수를 계산했다. 새벽이 되어서야 당선인을 정할 수 있었다. 우리나라에서 처음으로 시작된 민주적인 선거에 내가 참여한 것이 뿌듯했다.

확인 톡!톡!

정답과 해설 14쪽

1 광복 이후 6·25 전쟁까지의 역사를 동화로 만들 때는 모둠별로 다룰 주제를 정한다. (O | X)

2 광복 이후 6·25 전쟁까지의 역사를 동화로 만들 때는 주제의 내용을 참고해 동화의 주요 (   )을/를 선정한다.

3 다른 모둠의 동화책을 살펴보며 느낀 점과 (새롭게 알게 된 / 원래 알고 있던) 점을 이야기해 본다.

즐겁게 정리해요

교과서 151쪽

'대한민국 정부의 수립과 6 · 25 전쟁'에서 배운 내용을 떠올리며 사건이 일어난 순서대로 붙임 딱지를 붙여 봅시다. 붙임 6 활용

핵심 꿀꺽 질문

- 8 · 15 광복과 통일 정부 수립을 위한 노력을 말할 수 있나요?
- 대한민국 정부 수립 과정과 의의를 설명할 수 있나요?
- 6 · 25 전쟁의 과정과 그 영향을 조사할 수 있나요?

정답과 해설 14쪽

1 **우리 민족이 광복을 맞이한 배경과 광복 이후의 모습으로 알맞지 않은 것은 어느 것입니까?** ( )

① 제2차 세계 대전에서 연합국이 승리했다.
② 우리 민족이 끈질기게 벌여온 독립운동의 결실이었다.
③ 사회를 안정시키고 새로운 국가를 세우기 위해 노력했다.
④ 해외에서 활동하던 독립운동가들이 우리나라에 돌아오지 못했다.
⑤ 광복 이후 학교에서 우리나라 말과 글로 수업을 받을 수 있게 되었다.

중요

2 **㉠, ㉡에 들어갈 알맞은 나라를 쓰시오.**

제2차 세계 대전 이후 한반도에는 일본군의 무장 해제를 이유로 다른 나라의 군대가 들어왔다. 북위 38도선을 중심으로 북쪽에는 (㉠) 군대가, 남쪽에는 (㉡) 군대가 주둔했다.

㉠ ______

㉡ ______

3 **빈칸에 들어갈 알맞은 말을 쓰시오.**

모스크바 3국 외무 장관 회의에서는 한반도에 임시 정부 수립과 최대 5년간 □□ □□을/를 실시한다는 내용이 결정되었다.

______

4 **미소 공동 위원회가 합의를 이루지 못한 결과로 발생한 일은 어느 것입니까?** ( )

① 6·25 전쟁이 발생했다.
② 이승만이 대통령으로 선출되었다.
③ 모스크바 3국 외무 장관 회의가 열렸다.
④ 미국이 한국의 문제를 국제 연합에 넘겼다.
⑤ 한반도에 민주적인 임시 정부가 수립되었다.

5 **대한민국 정부 수립 과정에서 다음과 같은 주장을 했던 ㉠, ㉡의 인물은 누구인지 쓰시오.**

(㉠): 우리 남쪽만이라도 임시 정부를 세우고, 북쪽에서 소련이 물러나야 합니다.
(㉡): 우리는 남북이 함께 총선거에 참여해 통일된 독립 국가를 만들어야 합니다.

㉠ ______

㉡ ______

6 **통일 국가를 수립하기 위한 김구의 노력으로 알맞은 것은 어느 것입니까?** ( )

① 미국의 세력과 뜻을 함께했다.
② 남북 협상을 위해 38도선을 넘어 평양에 갔다.
③ 소련과 뜻을 함께하여 통일 정부를 세우고자 했다.
④ 통일된 국가는 공산주의 국가가 되기를 주장했다.
⑤ 남북 협상을 성공적으로 이끌고, 통일 정부 수립에 만족할 만한 성과를 거두었다.

7 **빈칸에 공통으로 들어갈 국제 기구를 쓰시오.**

- 임시 민주 정부 수립을 논의하고자 미소 공동 위원회가 열렸지만 두 나라의 의견이 서로 달라 합의를 이루지 못했다. 결국 미국은 한국 문제를 ☐☐ ☐☐에 넘겼다.
- ☐☐ ☐☐은/는 선거가 가능한 남한에서만 총선거를 하여 정부를 수립하기로 결정했다.

8 **5·10 총선거에 대한 설명으로 알맞은 것은 어느 것입니까?** (　　　)

① 헌법을 만들었다.
② 초대 대통령을 뽑았다.
③ 20세 이상 남자만 참여했다.
④ 대한민국 정부가 수립되었다.
⑤ 국회 의원을 뽑는 첫 번째 민주 선거였다.

9 **다음을 대한민국 정부 수립 과정에 맞게 순서대로 기호를 쓰시오.**

㉠ 대한민국 정부 수립
㉡ 이승만 초대 대통령 선출
㉢ 헌법을 만들 제헌 국회 구성
㉣ 국회 의원을 뽑는 총선거 실시

10 **대한민국 정부 수립에 대한 설명으로 알맞지 않은 것은 어느 것입니까?** (　　　)

① 1948년 8월 15일에 수립되었다.
② 초대 대통령은 간접 선거로 선출했다.
③ 대한민국 임시 정부의 전통을 이었다.
④ 남한과 북한의 통일 정권을 수립했다.
⑤ 우리 민족의 염원이었던 독립 정부가 세워졌다.

중요

11 **6·25 전쟁에 대한 설명으로 알맞지 않은 것은 어느 것입니까?** (　　　)

① 인천 상륙 작전의 성공으로 서울을 되찾았다.
② 미국 등의 연합국이 우리나라에 군대를 파병해 주었다.
③ 우리나라는 전쟁 초기에 북한을 제압하며 전쟁을 손쉽게 이겼다.
④ 1950년 6월 25일 북한이 기습적으로 남쪽을 침입하여 전쟁이 일어났다.
⑤ 중국군이 압록강을 건너 전쟁에 개입하면서 국군과 국제 연합군이 다시 후퇴했다.

12 **빈칸에 들어갈 알맞은 말을 쓰시오.**

국군과 국제 연합군은 평양을 비롯한 북한 지역의 대부분을 장악한 후 압록강까지 진격했다. 그러나 ☐☐☐이/가 전쟁에 개입하면서 국군과 국제 연합군은 다시 후퇴했다.

13 밑줄 친 '정전 협정'을 통해 결정된 것은 어느 것입니까? (   )

> 전쟁이 끝나지 않자 정전 협상이 시작되어 1953년 7월에 판문점에서 정전 협정이 맺어졌다.

① 북한이 남한에 항복하도록 한다.
② 휴전선을 정하고 전쟁을 멈춘다.
③ 전쟁을 어디에서 할 지 구역을 나눈다.
④ 남과 북은 전쟁을 1년 동안 쉬기로 한다.
⑤ 세계의 여러 나라가 전쟁에 더 참여한다.

중요

14 6·25 전쟁의 피해와 영향을 바르게 설명한 학생을 모두 쓰시오.

> **다온:** 6·25 전쟁은 남한의 승리로 끝이 나서 우리나라가 더욱 발전할 수 있었어.
> **세진:** 6·25 전쟁 중에 가족이 서로 헤어져 1,000만 명이 넘는 이산가족이 생겼어.
> **경환:** 군인을 포함한 수만 명의 사람들이 죽고, 많은 사람이 굶주림에 시달렸어.
> **선민:** 전쟁이 끝나고 모든 사람이 고향으로 돌아가서 안정적인 생활을 할 수 있었어.

15 ㉠, ㉡에 들어갈 알맞은 말을 쓰시오.

> • 6·25 전쟁으로 가족이 흩어져 서로 생사를 확인하기 어려운 (㉠)이/가 생겨났다.
> • 전쟁으로 인해 부모를 잃은 (㉡)들이 수없이 생겨났다.

㉠

㉡

워드 클라우드와 함께하는 서술형 문제

[16-17] 다음 워드 클라우드의 단어를 이용해 서술형 문제의 답을 쓰시오.

> 6·25 전쟁 수도 모스크바 3국 외무 장관 회의 김구 인천 상륙 작전 중국군 개입 전쟁고아 신탁 통치 남북 협상 낙동강 방어선 무장 해제 제헌 국회 일본군 이산가족

16 일본이 항복하자 미국과 소련 두 나라가 38도선을 경계로 남쪽과 북쪽에 각각 주둔하게 된 이유를 쓰시오.

17 6·25 전쟁의 과정 중 다음 지도와 관련된 시기에 있었던 상황을 쓰시오.

단원을 마무리 해요 2. 사회의 새로운 변화와 오늘날의 우리

이 단원에서 배운 내용을 글과 그림으로 정리해 봅시다.

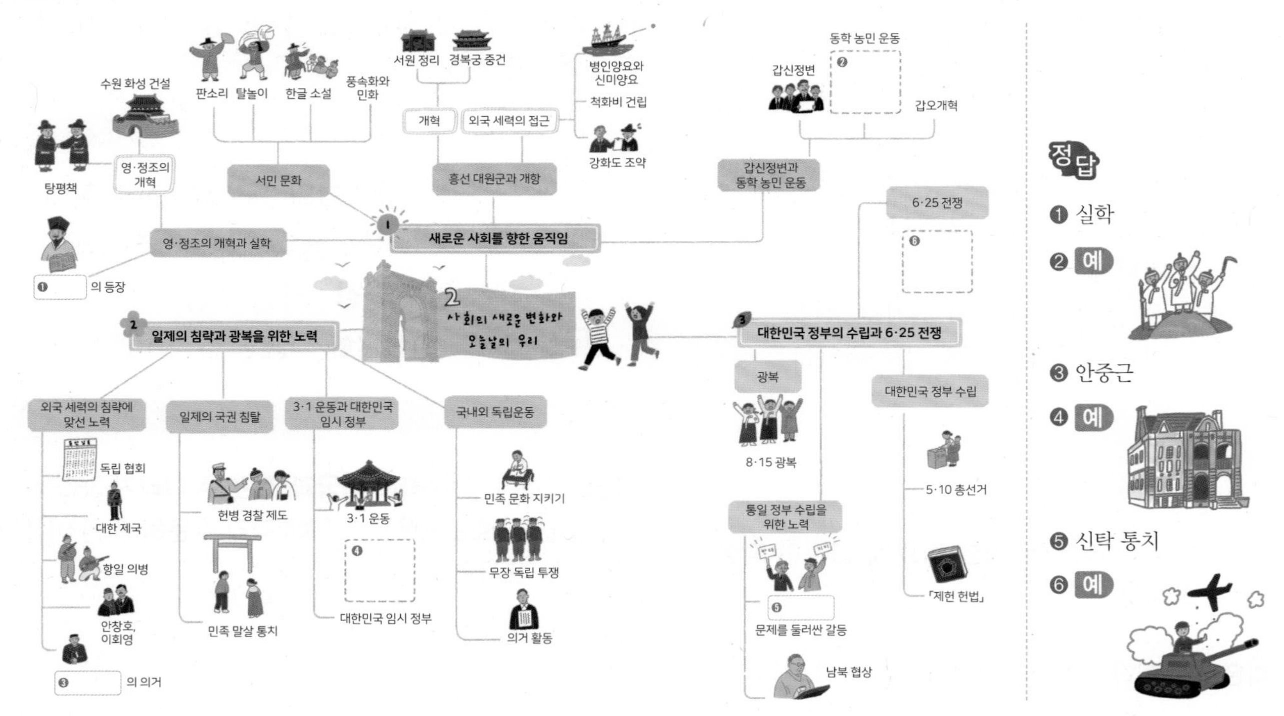

정답

❶ 실학
❷ 예
❸ 안중근
❹ 예
❺ 신탁 통치
❻ 예

역사 속 인물을 소개하는 포스터를 만들어 봅시다.

만드는 방법

❶ 역사 속 인물 한 명을 선정합니다. 이때 잘 알려지지 않은 인물을 선정해도 좋습니다.

- 수원 화성 공사에 참여한 농민
- 신채호
- 예 유관순

❷ 인물의 활동과 시대 상황을 생각하며 포스터의 내용을 구상합니다.

- 예 만세를 부르는 유관순 의 모습

❸ 인물을 한눈에 파악할 수 있도록 포스터를 그려 완성하고, 친구들에게 소개합니다.

수원 화성 공사에 참여한 농민을 그렸습니다. 그들은 하루하루 열심히 살아갔습니다.

우리 역사를 연구하며 민족정신을 지켜낸 역사학자 신채호를 포스터에 담았습니다.

예 유관순은 3·1 운동에 앞장서며 일제에 저항했습니다. 저는 감옥에서도 독립을 위해 만세를 부르던 유관순의 모습을 포스터에 표현했습니다.

역사 속 장면을 재현하여 사진으로 남기기

역사 속 장면 선정하기

예 우리 모둠은 6 · 25 전쟁 중 국군과 국제 연합군이 우리나라 수도 서울을 되찾은 9 · 28 서울 수복 장면을 재현할 거야.

선정 이유 9 · 28 서울 수복은 6 · 25 전쟁의 전투 중 하나로, 1950년 9월 15일 실시된 인천 상륙 작전의 성공 이후 9월 28일까지 서울 수복을 위해 치러진 전투이다. 수도 서울을 북한군에게 빼앗기고 석 달 만에 완전히 되찾은 뜻깊은 전투이기 때문이다.

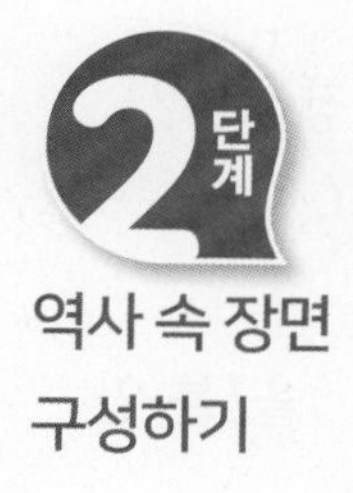

역사 속 장면 구성하기

예 서울 수복 후 중앙청에 태극기를 게양하는 역사 속 장면을 칠판 위에 태극기를 게양하는 모습 등으로 구성한다.

[9 · 28 수복 당시 역사 속 장면]

◀ 서울 수복 후 중앙청에 태극기를 게양하는 한국군의 모습

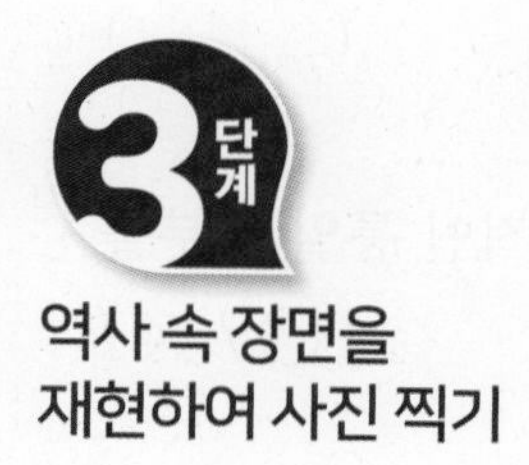

역사 속 장면을 재현하여 사진 찍기

예 나라를 지키기 위해 애쓰신 군인처럼 군복을 입은 모둠 친구들이 칠판 위에 게양된 태극기를 향해 거수 경례를 하며 애국가를 부르는 모습을 사진으로 찍는다.

쪽지 시험 2 사회의 새로운 변화와 오늘날의 우리

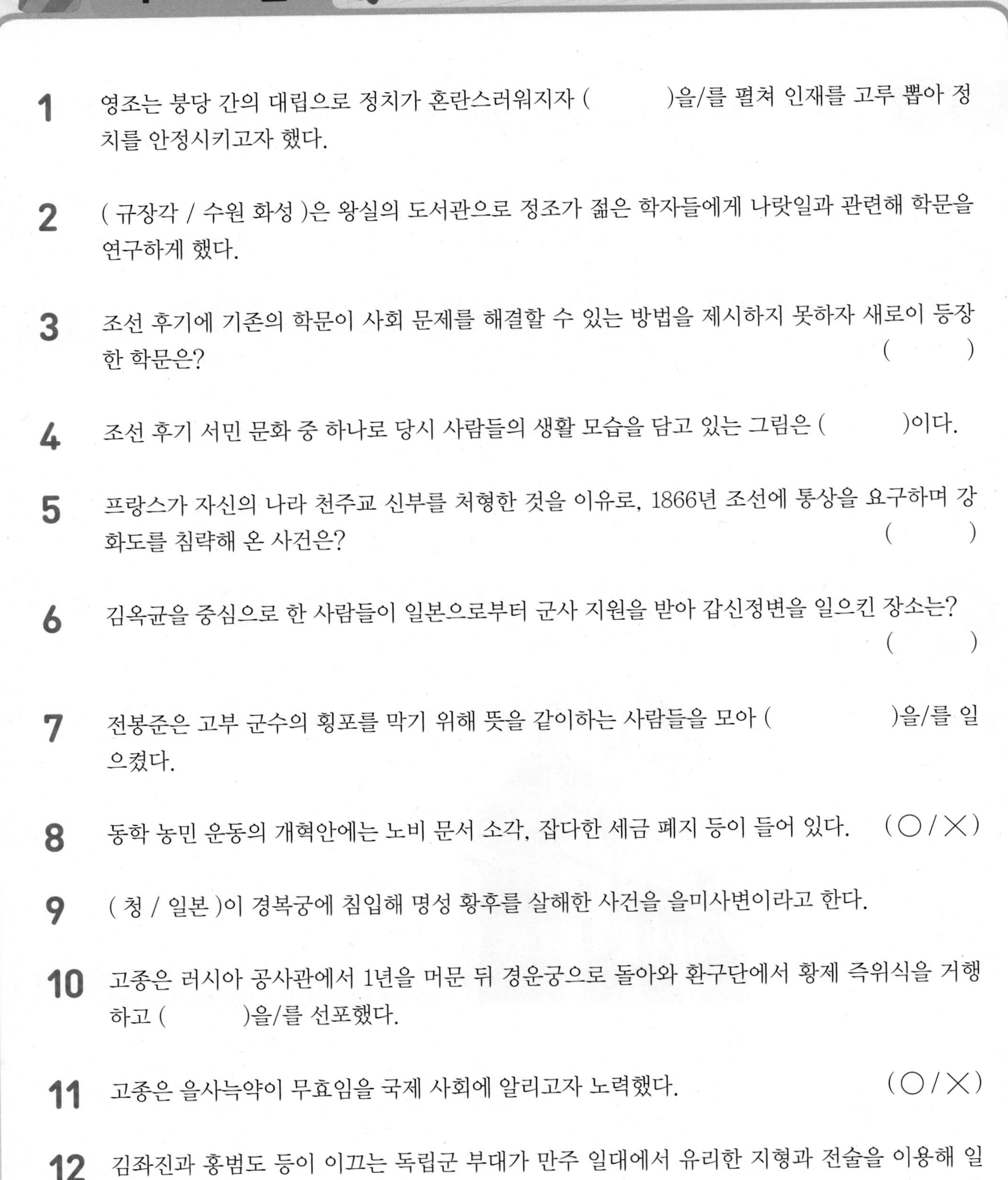

1 영조는 붕당 간의 대립으로 정치가 혼란스러워지자 (　　　)을/를 펼쳐 인재를 고루 뽑아 정치를 안정시키고자 했다.

2 (규장각 / 수원 화성)은 왕실의 도서관으로 정조가 젊은 학자들에게 나랏일과 관련해 학문을 연구하게 했다.

3 조선 후기에 기존의 학문이 사회 문제를 해결할 수 있는 방법을 제시하지 못하자 새로이 등장한 학문은? (　　　)

4 조선 후기 서민 문화 중 하나로 당시 사람들의 생활 모습을 담고 있는 그림은 (　　　)이다.

5 프랑스가 자신의 나라 천주교 신부를 처형한 것을 이유로, 1866년 조선에 통상을 요구하며 강화도를 침략해 온 사건은? (　　　)

6 김옥균을 중심으로 한 사람들이 일본으로부터 군사 지원을 받아 갑신정변을 일으킨 장소는? (　　　)

7 전봉준은 고부 군수의 횡포를 막기 위해 뜻을 같이하는 사람들을 모아 (　　　)을/를 일으켰다.

8 동학 농민 운동의 개혁안에는 노비 문서 소각, 잡다한 세금 폐지 등이 들어 있다. (○ / ×)

9 (청 / 일본)이 경복궁에 침입해 명성 황후를 살해한 사건을 을미사변이라고 한다.

10 고종은 러시아 공사관에서 1년을 머문 뒤 경운궁으로 돌아와 환구단에서 황제 즉위식을 거행하고 (　　　)을/를 선포했다.

11 고종은 을사늑약이 무효임을 국제 사회에 알리고자 노력했다. (○ / ×)

12 김좌진과 홍범도 등이 이끄는 독립군 부대가 만주 일대에서 유리한 지형과 전술을 이용해 일본군에 크게 승리한 전투는? (　　　)

13 광복 이후 우리나라는 모스크바 3국 외무 장관 회의를 통해 자주적이고 독립적인 통일 정부를 구성했다. (○ / ×)

1 영조가 시행했던 정책으로 알맞지 않은 것은 어느 것입니까? ( )

① 백성을 위해 세금을 낮추었다.
② 왕권을 강화하기 위해 노력했다.
③ 수원 화성을 건설해 개혁 정치를 펼쳤다.
④ 홍수 피해를 막기 위해 청계천을 정비했다.
⑤ 붕당의 인재를 고루 뽑아 쓰는 탕평책을 펼쳤다.

중요

2 ㉠, ㉡에 들어갈 알맞은 서민 문화를 쓰시오.

- (㉠)은/는 노래와 이야기를 엮은 공연으로, 서민뿐만 아니라 양반도 즐겼다.
- (㉡)은/는 탈을 쓰고 하는 연극과 춤으로, 사람이 많이 모이는 장터에서 공연되었다.

㉠ ______

㉡ ______

3 다음과 같은 내용의 비석을 세워 서양과 통상 수교 거부의 뜻을 알린 인물은 누구인지 쓰시오.

"외세가 침범했는데 싸우지 않는 것은 곧 나라를 팔아 먹는 것이다."

______

4 밑줄 친 '이 조약'은 무엇인지 쓰시오.

- 이 조약은 외국과 맺은 최초의 근대적 조약이었지만 불평등한 조약이었다.
- 이 조약 이후 조선은 서양의 다른 나라들과도 조약을 맺어 교류했다.

______

[5-6] 다음 자료를 읽고, 물음에 답하시오.

○○○○의 개혁안

- 청에게 정기적으로 조공을 바치며 큰 나라로 섬기던 태도를 버린다.
- 문벌을 폐지하고, 백성들이 평등한 권리를 갖는 제도를 마련한다.
- 세금 제도를 고쳐 관리의 부정을 막고, 국가의 살림살이를 튼튼히 한다.

5 위 개혁안과 관련 있는 사건을 쓰시오.

______

6 위의 개혁안과 관련된 사건에 대한 설명으로 알맞은 것은 어느 것입니까? ( )

① 김홍집 등의 관리가 일으킨 사건이다.
② 우정총국 축하연에서 사건이 일어났다.
③ 러시아 군사의 도움을 받아 진행되었다.
④ 개혁의 성공으로 나라가 근대적으로 변화했다.
⑤ 일본의 간섭에서 벗어나 근대적 국가를 만들고자 했다.

7 다음 단어와 관련된 설명으로 알맞은 것을 보기 에서 모두 골라 기호를 쓰시오.

녹두 장군, 동학, 농민, 새야 새야 파랑새야

보기

㉠ 평등 사상과 사회 개혁을 주장했다.
㉡ 천주교를 믿는 세력이 중심이 되어 일어났다.
㉢ 고부 군수 조병갑의 횡포를 계기로 일어났다.
㉣ 동학 농민군은 평양성을 점령하고 정부와 화해했다.

______

8 청 · 일 전쟁 이후의 국내 상황으로 알맞지 않은 것은 어느 것입니까? ( )

① 일본의 간섭이 심해졌다.
② 일본은 경복궁에 침입해 명성 황후를 살해했다.
③ 고종은 일본의 감시를 피해 미국 공사관으로 거처를 옮겼다.
④ 러시아와 미국, 일본 등의 간섭이 늘어나고 경제적 침략이 심해졌다.
⑤ 고종과 명성 황후는 일본을 견제하기 위해 러시아 세력과 가까이 지냈다.

9 빈칸에 공통으로 들어갈 알맞은 단체를 쓰시오.

정부 관리와 개화 지식인들은 ☐☐ ☐☐을/를 설립했다. ☐☐ ☐☐은/는 독립문을 세워 자주독립에 대한 의지를 보여 주고, 만민 공동회라는 집회도 열었다.

중요 10 대한 제국 시기에 고종이 추진한 근대적인 개혁으로 알맞지 않은 것은 어느 것입니까? ( )

① 근대 시설 도입
② 공장과 회사 설립
③ 만민 공동회 개최
④ 근대적 학교 설립
⑤ 외국에 유학생 파견

11 고종이 을사늑약의 부당함을 국제 사회에 알리기 위해 한 노력은 무엇입니까? ( )

① 을사오적 처단
② 헤이그 특사 파견
③ 신흥 무관 학교 설립
④ 국호를 대한 제국으로 변경
⑤ 러시아 공사관으로 거처를 옮김.

12 다음 자료와 관련된 사람들을 무엇이라고 부르는지 쓰시오.

"나는 나라를 지키기 위해 그저 총을 들었을 뿐이오. 내 한 목숨 바쳐 나라가 독립한다면 소원이 없겠소."

13 1910년대 일제의 식민 통치로 우리 민족이 겪은 고통으로 알맞지 않은 것은 어느 것입니까? ( )

① 죄를 지으면 정식 재판 없이 처벌을 받기도 했다.
② 학교에서 우리말 대신 일본어를 쓰도록 강요했다.
③ 신문이나 잡지 등의 출판을 마음대로 할 수 없었다.
④ 학생들은 군인 제복을 입고 칼을 찬 교사에게 수업을 받았다.
⑤ 일부 농민들은 자신이 소유한 토지를 기한 내에 신고하지 않아 땅을 잃기도 했다.

중요

[14-15] 다음 자료를 읽고, 물음에 답하시오.

나는 고향으로 내려와 사람들에게 만세 시위에 대해 알리고, 일제 침략의 부당함을 설명했다. 사람들은 나의 말에 동감하고, 마을의 장터 앞에서 함께 만세 시위에 참여하기로 했다. 다른 지역에서도 수많은 사람이 만세 시위에 참여한다고 한다.

– 이화 학당에 다니던 ○○○의 1919년 일기 –

14 위의 밑줄 친 '만세 시위'를 무엇이라고 부르는지 쓰시오.

____

15 위의 만세 시위의 영향으로 알맞지 않은 것은 어느 것입니까? ( )

① 상하이에 대한민국 임시 정부가 수립되었다.
② 한국인의 독립 의지를 강화하는 역할을 했다.
③ 독립을 위한 힘을 하나로 모을 필요성을 깨닫게 했다.
④ 일본의 강압적인 탄압으로 수많은 사람이 독립에 대한 뜻을 포기했다.
⑤ 활동 자금을 모으고, 비밀 연락망을 통해 체계적으로 독립운동을 하게 되었다.

16 다음에 설명하는 인물을 쓰시오.

상하이 훙커우 공원에서 일본 왕의 생일을 기념하는 행사장에 폭탄을 던지는 의거를 실행했다.

____

17 다음에서 설명하는 것은 무엇인지 쓰시오.

• 1948년 남한에서 실시되었다.
• 국회 의원을 뽑는 첫 번째 민주 선거였다.

____

중요

18 밑줄 친 '이 나라'를 쓰시오.

1945년 광복을 맞이하고 얼마 되지 않아 남쪽에는 이 나라의 군대가 들어와 주둔했다. 이 나라는 6·25 전쟁이 일어났을 때도 군사적으로 큰 도움을 주었다.

____

19 6·25 전쟁의 과정으로 ㉠, ㉡에 들어갈 말을 알맞게 짝 지은 것은 어느 것입니까? ( )

전쟁 초기 국군은 북한군에 밀려 [㉠]이남까지 후퇴했다. 인천 상륙 작전으로 북한까지 진격했으나 [㉡]의 개입으로 다시 전세가 역전되었다.

	㉠	㉡		㉠	㉡
①	낙동강	소련군	②	한강	중국군
③	한강	소련군	④	낙동강	중국군
⑤	낙동강	일본군			

20 6·25 전쟁의 피해로 알맞지 않은 것은 어느 것입니까? ( )

① 국토의 황폐화
② 이산가족의 발생
③ 고향을 잃은 피란민
④ 전쟁으로 생겨난 고아
⑤ 원자 폭탄으로 인한 피해

2 단원

[1-3] 다음 자료를 읽고, 물음에 답하시오.

개항 이후 사람들은 조선이 나아가야 할 방향에 대해 다양한 생각을 가지고 있었다.

최익현: 서양과 일본은 조선의 유교 문화를 어지럽히는 세력입니다. 우리의 문화인 유교를 지키고, 나라의 문을 절대 열어서는 안 됩니다.

(　　　): 우리나라는 청과의 관계를 유지하면서 천천히 개화해야 합니다. 우리의 법과 제도를 지키면서 서양의 기술을 받아들여야 합니다.

김옥균: 우리 조선은 너무나도 개항이 늦습니다. 그렇기에 모든 법과 제도를 고치고, 서양의 기술뿐만 아니라 사상까지 받아들여야 합니다.

1 빈칸에 들어갈 인물을 쓰시오.

2 밑줄 친 '조선이 나아가야 할 방향'에 대해 사람들의 생각이 다른 까닭을 쓰시오.

3 김옥균이 주장한 내용에서 조선의 모든 법과 제도를 고치기 위해 시행한 일을 간단히 쓰시오.

[4-6] 다음 독립운동가들의 활동을 정리한 표를 보고, 물음에 답하시오.

㉠	미국으로 건너가 흥사단을 세우고 우리 민족의 실력을 기르기 위해 노력했다.
㉡	만주에 신흥 강습소(신흥 무관 학교)를 설립해 많은 독립운동가와 독립군을 키워 냈다.
㉢	이토 히로부미가 만주에 온다는 소식을 듣고 만주 하얼빈역에서 그를 저격했다.

4 ㉠, ㉡에 들어갈 인물을 각각 쓰시오.

㉠ ＿＿＿＿, ㉡ ＿＿＿＿

5 ㉠, ㉡의 인물들과 같이 독립운동가들이 다른 나라로 건너가 나라 밖에서 활동한 이유를 쓰시오.

6 ㉢에 들어갈 인물을 쓰고, 이 인물이 의거를 일으킨 이유를 쓰시오.

7 밑줄 친 '대한민국 임시 정부'가 세워진 이유에 대해 쓰시오.

1919년 9월, 중국 상하이에서 여러 임시 정부를 통합한 대한민국 임시 정부가 수립되었다.

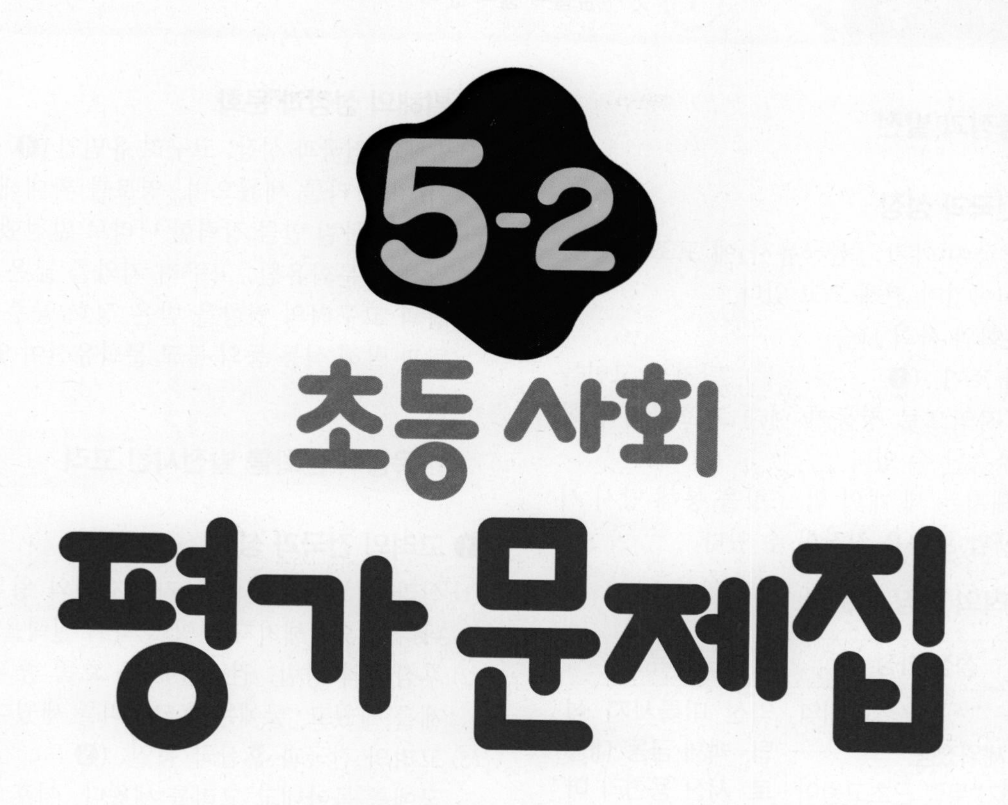

문제 톡톡

학교 시험 완벽 대비!

금성출판사

(1) 나라의 등장과 발전

❶ 고조선의 건국과 성장

(1) 고조선의 건국 이야기: 『삼국유사』에 고조선과 관련된 건국 이야기가 전해 오고 있다.

(2) 고조선의 문화와 사회 모습

① 미송리식 토기, (❶), 탁자식 고인돌의 분포 지역으로 청동기 시대 고조선의 문화 범위를 추측할 수 있다.

② 현재 전해지는 세 개의 법 조항을 통해 당시 사람들의 생활 모습을 짐작할 수 있다.

❷ 백제, 고구려의 성장과 문화

나라	성장 과정	문화유산
백제	• (❷) 지역에 세워졌음. • 4세기 무렵 근초고왕이 영토를 크게 넓혔음.	익산 미륵사지 석탑, 백제 금동 대향로, 서산 용현리 마애 여래 삼존상 등
고구려	• 압록강 지역의 졸본에 세워졌음. • 5세기 무렵 광개토 대왕과 장수왕이 영토를 크게 넓혔음.	광개토 대왕릉비, 금동 연가 7년명 여래 입상, 수산리 고분 벽화 등

❸ 신라, 가야의 성장과 문화

나라	성장 과정	문화유산
신라	• 경주 지역의 사로국에서 시작했음. • 6세기 무렵 진흥왕이 영토를 크게 넓혔음.	황룡사 9층 목탑, 금관총 금관, 경주 첨성대 등
가야	• 낙동강 지역에서 시작되었음. • 처음에는 (❸) 이/가, 5세기 후반부터는 대가야가 연맹을 이끌었으나 신라에 통합되었음.	철제 판갑옷과 투구, 고령 지산동 32호분 출토 금동 관 등

❹ 삼국 통일과 통일 신라의 문화

(1) 신라의 삼국 통일: 신라는 당과 동맹을 맺고 백제와 고구려를 멸망시켰으나, 당이 약속했던 것보다 더 많은 영토를 차지하려고 하자 당을 몰아냈다.

(2) 통일 신라의 문화유산: 불국사와 석굴암 등 불교 문화유산이 있다.

❺ 발해의 성장과 문화

(1) 발해의 건국과 성장: 고구려 유민인 (❹) 이/가 나라를 세웠으며, 영토를 확대해 '해동성국'이라고 불릴 만큼 강력한 나라로 발전했다.

(2) 발해의 문화유산: 고구려 기와를 닮은 발해 기와, 당과 고구려의 영향을 받은 정효 공주 무덤, 영광탑과 발해 석등 등의 불교 문화유산이 있다.

(2) 독창적 문화를 발전시킨 고려

❶ 고려의 건국과 성장

(1) 신라 말 상황: 연이은 자연재해와 왕위 다툼으로 나라가 혼란해지자 지방 호족이 권력을 키워 갔다.

(2) 후삼국의 성립: 권력을 키운 호족 중 견훤은 후백제를 세웠고, 궁예는 후고구려를 세웠다.

(3) 고려의 건국과 후삼국 통일: (❺)은/는 궁예를 몰아내고 고려를 세웠다. 이후 신라의 항복을 받고 후백제를 물리치며 후삼국을 통일했다.

❷ 고려와 주변 나라와의 관계

(1) 거란의 침입과 극복 과정

1차 침입	(❻)이/가 거란의 장수를 만나 담판을 벌여 강동 6주를 확보했음.
2차 침입	수도인 개경을 빼앗기기도 했음.
3차 침입	강감찬이 이끌던 고려군이 후퇴하던 거란군을 추격해 귀주에서 크게 물리쳤음.

(2) 고려와 주변 나라들의 관계

거란	전쟁을 치렀으나 좋은 관계를 맺고 매년 서로 사신을 파견했음.
여진	갈등을 빚었으나 곧 회복해 서로 사신을 보내는 등 좋은 사이를 유지했음.
송	사신뿐만 아니라 상인들도 자주 오가며 활발히 교류했음.

❸ 고려와 몽골의 관계

(1) 몽골의 침입: 고려에 왔던 몽골 사신이 돌아가는 길에 죽자 이를 구실로 삼아 고려를 침입했다.

(2) 고려의 대응: 도읍을 강화도로 옮겨 몽골의 침입에 맞섰다. 고려군과 백성은 힘을 합쳐 귀주성, 처인성, 충주성 등에서 몽골군을 물리쳤다.

❹ 고려의 불교 문화유산

(1) 고려의 불교: 왕실의 보호와 지원을 받으면서 발전해 고려 사람들의 삶에 많은 영향을 미쳤다.
(2) 불교 문화유산: 논산 관촉사 석조 미륵보살 입상, 평창 월정사 팔각 구층 석탑, 영주 부석사 무량수전, 팔관회, 연등회 등

❺ 고려의 인쇄 기술

『팔만대장경』	부처의 힘으로 몽골을 물리치고자 만들었으며, 글자가 고르고 틀린 글자도 거의 없음.
(❼)	현재 전해지는 금속 활자 인쇄본 중 가장 오래된 것임.
금속 활자	여러 종류의 책을 인쇄할 수 있으며, 목판보다 보관이 쉬웠음.

❻ 고려의 공예 기술

특징	(❽) 기법을 적용해 독창적인 고려청자를 만들었음.
쓰임새	지배층은 주전자, 의자, 찻잔, 베개, 향로 등 다양한 용도로 사용했음.
기술	가마를 만드는 기술, 불을 다루는 기술, 광택을 내고 단단하게 하는 유약을 만드는 기술이 발달했음.

(3) 민족 문화를 지켜 나간 조선

❶ 조선의 건국과 한양 천도

(1) 조선의 건국: 이성계는 요동 지역을 공격하러 가던 중 (❾)에서 군대를 돌려 개경으로 돌아왔다. 이성계와 신진 사대부는 권력을 잡고 조선을 세웠다.
(2) 한양을 도읍으로 정한 까닭: 한양은 나라의 중심에 있고 교통이 편리했으며, 한강으로 물자를 실어 나르기에도 좋았다. 세 면이 산으로 둘러싸여서 외적의 침입을 막기에도 유리했다.

❷ 조선 전기 정치의 특징과 주변 나라와의 관계

(1) 조선 전기 정치의 특징: (❿)을/를 나라의 기본 정신으로 삼았다. 법전을 만들고 그에 따라 나라를 다스렸다.
(2) 주변 나라와의 관계

명	태종 이후부터 좋은 관계를 유지하며 서로 사신을 보내고 선물을 주고받았음.
여진	국경을 넘어와 피해를 주자 세종 대에 4군 6진을 설치해 영토를 넓혔음.
일본	왜구가 자주 침입하자 세종 때 그들의 소굴인 쓰시마섬을 정벌했음.

❸ 조선 전기 문화와 과학 기술의 발전

(1) 서적 편찬: 집현전 학자들은 『농사직설』, 『향약집성방』 등의 책을 펴냈다.
(2) (⓫) 창제: 세종은 백성이 글을 몰라 겪는 어려움을 덜기 위해 우리글을 만들어 반포했다.
(3) 과학 기구: 혼천의, 앙부일구(해시계), 자격루(물시계), 측우기와 같은 과학 기구를 만들어 백성의 생활에 도움을 주었다.

❹ 조선 전기의 사회 모습

(1) 『경국대전』: 나라를 다스리는 가장 기본적인 법전으로, 당시 조선 사회의 모습을 엿볼 수 있다.
(2) 『삼강행실도』: 유교의 가르침을 잘 실천한 사람들의 이야기를 모아 만든 책이다.
(3) 신분 제도: (⓬)(양반, 중인, 상민)과 천인으로 나뉘었고 신분에 따라 생활 모습이 달랐다.

❺ 임진왜란의 과정과 조선의 노력

(1) 일본의 침입: 일본을 통일한 도요토미 히데요시가 조선과 명을 정복하고자 침입했다.
(2) 극복 과정: 바다에서는 (⓭)이/가 이끄는 조선 수군이 승리했다. 육지에서는 곽재우를 비롯한 의병이 활약했고, 권율의 부대는 행주산성에서 백성과 함께 일본군을 크게 물리쳤다.

❻ 병자호란의 과정과 조선의 노력

(1) 청의 침입: 청이 조선에 임금과 신하의 관계를 요구했으나 이를 거절하자 침입했다.
(2) 과정: 인조와 신하들은 남한산성으로 피신해 맞서 싸웠지만, 상황이 점점 불리해지자 남한산성에서 나와 청에 항복했다.
(3) 결과: 청과 조선은 임금과 신하의 관계를 맺었고, 소현 세자와 봉림 대군 그리고 많은 신하와 백성이 청에 끌려갔다.

정답과 해설 19쪽

가로 문제와 세로 문제를 읽고, 퍼즐을 풀어 보시오.

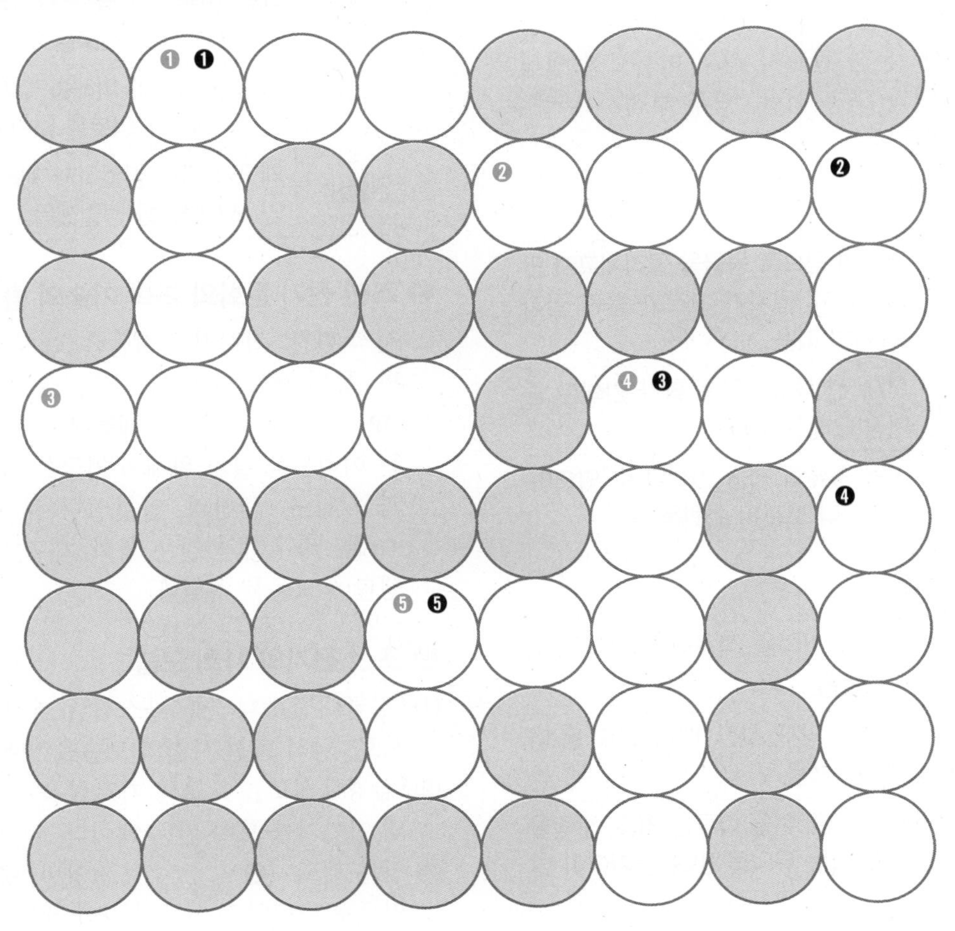

가로 문제

1 청동기 시대에 등장한 □□□은/는 우수한 청동기 문화를 바탕으로 세력을 키워 나갔다.

2 4세기 무렵 백제의 □□□□은/는 주변 나라를 압박해 영토를 크게 넓혔다.

3 청은 조선이 임금과 신하의 관계를 맺자는 요구를 거절하자 □□□□을/를 일으켰다.

4 경주 지역의 사로국에서 시작한 □□은/는 고구려와 백제보다 나라의 발전이 늦었다.

5 □□□은/는 부처의 나라를 현실에 나타내려는 신라인의 소망을 담아 경주 토함산에 만든 절이다.

세로 문제

1 고려 사람들은 상감 기법을 적용해 예술적인 □□□□을/를 만들었다.

2 □□은/는 송악의 호족으로, 궁예를 돕다가 918년에 그를 몰아내고 고려를 세웠다.

3 고려 말 □□ □□□ 중 일부는 무인 세력과 손잡고 고려 사회를 개혁하려고 했다.

4 『□□□□』은/는 조선 시대 나라를 다스리는 기본 법전으로 여섯 개 영역으로 나눠 있다.

5 현재 고구려의 절은 남아 있지 않으며, □□(으)로는 금동 연가 7년명 여래 입상 등이 전해진다.

정답과 해설 19쪽

단원명 옛 사람들의 삶과 문화

평가 목표 인물의 활동과 대표적 문화유산을 통해 우리 역사 속에 나타난 변화와 사건을 파악할 수 있다.

평가 문항

[1-3] 다음 자료를 보고, 물음에 답하시오.

㉠ 서산 용현리 마애 여래 삼존상

㉡ 문무왕

㉢ 청자 상감 모란 운학 무늬 베개

㉣ 권율

1 ㉠~㉣의 인물이나 문화유산과 관련 있는 나라를 쓰시오.

㉠		㉡	
㉢		㉣	

2 빈칸에 들어갈 알맞은 말을 각각 쓰시오.

㉠	온화한 미소를 띤 불상으로, '백제의 미소'라고 불리기도 한다.
㉡	( )을/를 몰아내고 삼국 통일을 완성했으며, 죽은 뒤 동해 바다에 묻혔다.
㉢	상감 기법을 적용해 만든 청자로, 베개로 사용되었다고 추측된다.
㉣	임진왜란 때 군대와 백성을 이끌고 ( )에서 일본군을 크게 물리쳤다.

3 ㉢에서 청자의 상감 기법이란 무엇인지 쓰시오.

중요

1 다음 법 조항으로 알 수 있는 고조선의 사회 모습으로 알맞은 것을 두 가지 고르시오. (,)

> 남의 물건을 훔친 사람은 노비로 삼으며, 죄를 면하려면 50만 전을 내야 한다.

① 신분제가 있었다.
② 화폐의 개념이 있었다.
③ 개인의 재산을 인정했다.
④ 농업을 중요하게 생각했다.
⑤ 큰 죄는 법으로 엄격하게 다스렸다.

[2-3] 다음 자료를 보고, 물음에 답하시오.

▲ 수산리 고분 「곡예도」

2 위와 같은 벽화를 남긴 나라를 쓰시오.

____

서술형

3 위 벽화에서 사람들의 크기를 다르게 그린 까닭을 쓰시오.

____

____

4 빈칸에 공통으로 들어갈 알맞은 나라를 쓰시오.

> • ☐☐의 악기인 가야금은 오늘날까지 전해지고 있다.
> • ☐☐은/는 많은 철기 문화유산을 남겼다.

____

중요

5 삼국의 전성기를 순서에 맞게 바르게 나열한 것은 어느 것입니까? ( )

① 고구려 → 백제 → 신라
② 고구려 → 신라 → 백제
③ 백제 → 고구려 → 신라
④ 백제 → 신라 → 고구려
⑤ 신라 → 고구려 → 백제

6 삼국을 통일한 신라의 왕은 누구입니까? ( )

① 무열왕 ② 진흥왕
③ 문무왕 ④ 근초고왕
⑤ 광개토 대왕

7 불국사와 관련 없는 것은 어느 것입니까? ( )

① 다보탑 ② 금동 대향로
③ 청운교와 백운교 ④ 유네스코 세계 유산
⑤ 무구정광대다라니경

8 **석굴암에 대한 설명으로 알맞지 않은 것은 어느 것입니까?** ( )

① 천장은 돔형으로 되어 있다.
② 절의 구조와 건축물로 불교의 이치를 표현했다.
③ 경주 토함산에 화강암을 쌓아 올려 동굴처럼 만든 절이다.
④ 본존불이 있고, 불교의 여러 신과 인물들이 조각되어 있다.
⑤ 본존불은 수학적 비례를 적용해 안정감이 느껴지도록 했다.

[9-10] 다음 자료를 읽고, 물음에 답하시오.

발해는 스스로 고려를 계승한 나라임을 내세웠다. 또한 당의 문물과 말갈의 전통을 받아들이고 영토를 확대해 강력한 나라로 발전했다. 이에 당은 바다 동쪽에서 크게 번성하는 나라라는 뜻에서 발해를 '□□□□'(이)라고 불렀다.

9 **발해를 세운 인물을 쓰시오.**

____

10 **빈칸에 들어갈 알맞은 말을 쓰시오.**

____

11 **㉠, ㉡에 들어갈 나라를 바르게 짝 지은 것은 어느 것입니까?** ( )

신라 말 연이은 자연재해와 왕위 다툼으로 나라가 혼란해지자 지방에서는 호족이 권력을 키워 나갔다. 그중 견훤은 [㉠]을/를 세웠고, 궁예는 [㉡]을/를 세웠다. 이들이 신라와 경쟁하던 시기를 후삼국 시대라고 한다.

	㉠	㉡
①	신라	후고구려
②	후백제	신라
③	후백제	후고구려
④	후고구려	후백제
⑤	후고구려	신라

12 **왕건이 고려 건국 후 펼친 정책으로 알맞지 않은 것은 어느 것입니까?** ( )

① 발해 유민을 받아들였다.
② 백성에게 유교를 장려했다.
③ 호족과 좋은 관계를 유지했다.
④ 중앙 정부의 힘을 키워 나갔다.
⑤ 북쪽으로 점차 영토를 넓혀 나갔다.

중요

13 **빈칸에 들어갈 알맞은 말을 쓰시오.**

거란의 세 번째 침입 때 강감찬이 이끌던 고려군은 후퇴하던 거란군을 추격해 □□에서 크게 물리쳤다.

____

14 **몽골의 침입과 고려의 대응에 대한 설명으로 알맞지 않은 것은 어느 것입니까? ( )**

① 고려 정부는 도읍을 강화도로 옮겼다.
② 권율은 행주산성에서 몽골군을 물리쳤다.
③ 김윤후와 백성들은 처인성에서 몽골군을 물리쳤다.
④ 고려군과 백성은 산성이나 섬으로 들어가 몽골군에 맞섰다.
⑤ 몽골과 맞서 싸우는 한편 그들과 협상해 전쟁을 멈추고자 노력했다.

중요

15 **『직지』에 대한 설명으로 알맞지 않은 것은 어느 것입니까? ( )**

① 목판으로 인쇄한 최초의 책이다.
② 원본은 프랑스 국립 도서관에 있다.
③ 금속 활자 인쇄본 중 가장 오래되었다.
④ 유네스코 세계 기록 유산으로 등재되어 있다.
⑤ 유럽 최초의 금속 활자 인쇄본보다 70여 년 이상 앞서 제작되었다.

16 **고려청자에 대한 설명으로 알맞은 것을 보기에서 모두 골라 기호를 쓰시오.**

보기
㉠ 만들기 어렵고 귀한 물건이었다.
㉡ 평민들도 쉽게 사용할 수 있었다.
㉢ 고려 문화를 대표하는 예술품이다.
㉣ 제사상을 차릴 때만 사용할 수 있었다.

서술형

17 **다음 글의 밑줄 친 부분에 들어갈 알맞은 내용을 쓰시오.**

> 고려 정부는 이성계에게 요동 지역을 공격하게 했다. 이성계는 요동을 정벌하기 위해 가는 도중
> ________________
> 이성계와 신진 사대부는 반대 세력을 몰아내고 권력을 잡았다.

중요

18 **조선이 나라를 세운 후 도읍을 개경에서 한양으로 옮긴 이유로 알맞지 않은 것은 어느 것입니까? ( )**

① 교통이 편리했다.
② 한양은 옛 고조선의 도읍이었다.
③ 나라의 중심에 위치하고 있었다.
④ 한강으로 물자를 실어 나르기에 좋았다.
⑤ 세 면이 산으로 둘러싸여 있어 외적의 침입을 막기에 유리했다.

19 **조선 전기 주변 나라와의 관계에 대한 설명으로 알맞지 않은 것은 어느 것입니까? ( )**

① 여진이 국경을 넘어와 피해를 주었다.
② 조선과 명은 서로 사신을 보내면서 선물을 주고받았다.
③ 압록강 유역에 4군, 두만강 유역에 6진을 설치해 영토를 넓혔다.
④ 명과 갈등을 빚었으나 세종 이후부터는 좋은 관계를 유지했다.
⑤ 일본의 해적인 왜구가 침입하자 세종 때 그들의 소굴인 쓰시마섬을 정벌했다.

20 『경국대전』에 대한 설명으로 알맞은 것을 보기에서 모두 골라 기호를 쓰시오.

보기
- ㉠ 나라를 다스리는 가장 기본적인 법전이다.
- ㉡ 그 내용을 통해 당시 조선 사회의 모습을 엿볼 수 있다.
- ㉢ 조선에서 지켜야 할 규범을 여섯 개 영역으로 나누었다.
- ㉣ 유교 질서를 강조하고 백성에게 가르치기 위해 만들었다.

[21-22] 다음 자료를 보고, 물음에 답하시오.

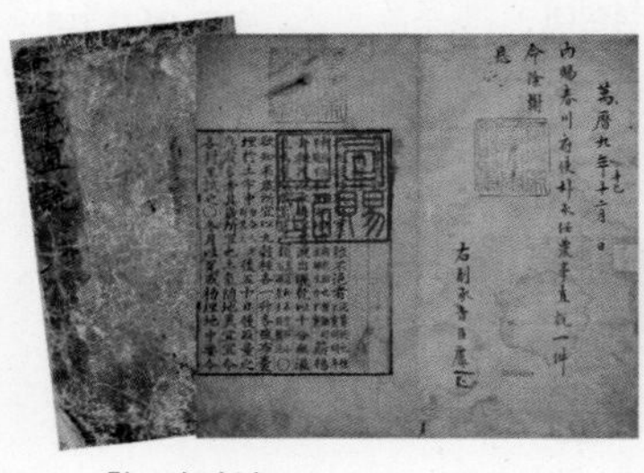

▲ 『농사직설』 ▲ 앙부일구

21 위와 같은 과학 기술 발전에 힘쓴 왕을 쓰시오.

서술형

22 위와 같은 책이나 과학 기구가 당시 백성들의 생활에 어떠한 도움을 주었는지 쓰시오.

23 임진왜란의 전개 과정에서 가장 먼저 일어난 일은 어느 것입니까? ( )

① 선조는 의주로 피란했다.
② 도읍인 한양을 빼앗겼다.
③ 조선과 명의 연합군은 한양을 되찾았다.
④ 이순신이 한산도에서 큰 승리를 거두었다.
⑤ 권율 부대가 행주산성에서 일본군을 크게 물리쳤다.

24 임진왜란 이후 조선이 처한 상황으로 알맞지 않은 것은 어느 것입니까? ( )

① 후금의 압박을 받던 명이 조선에 도움을 요청했다.
② 광해군은 명에 군대를 파견하지 않고 후금을 도왔다.
③ 여진은 부족을 통합해 후금을 세우고 명을 위협했다.
④ 광해군은 명과 후금 중 어느 한쪽에 치우치지 않고자 했다.
⑤ 광해군을 반대한 세력은 광해군을 내쫓고 인조를 왕으로 세웠다.

25 조선 시대의 신분 중 중인이 하는 일을 쓰시오.

1 **고조선에 대한 설명으로 알맞지 않은 것은 어느 것입니까?** (　　　)

① 우리 역사 속 최초의 국가이다.
② 청동기 문화를 바탕으로 세력을 넓혔다.
③ 단군왕검은 평양성에 도읍을 정하고 고조선을 세웠다.
④ 사회 질서를 유지하기 위한 법 조항 여덟 개가 있었다.
⑤ 빗살무늬 토기, 비파형 동검, 탁자식 고인돌은 고조선을 대표하는 문화유산이다.

2 **다음에서 설명하는 문화유산은 어느 것입니까?** (　　　)

- 백제의 문화유산이다.
- 우리나라 석탑의 초기 모습을 보여 준다.
- 목탑의 모습을 본떠 돌을 쌓아 만들었다.

① 영광탑　② 불국사 다보탑
③ 불국사 삼층 석탑　④ 익산 미륵사지 석탑
⑤ 황룡사 9층 목탑

서술형
3 **다음 지도를 보고, 장수왕의 업적을 쓰시오.**

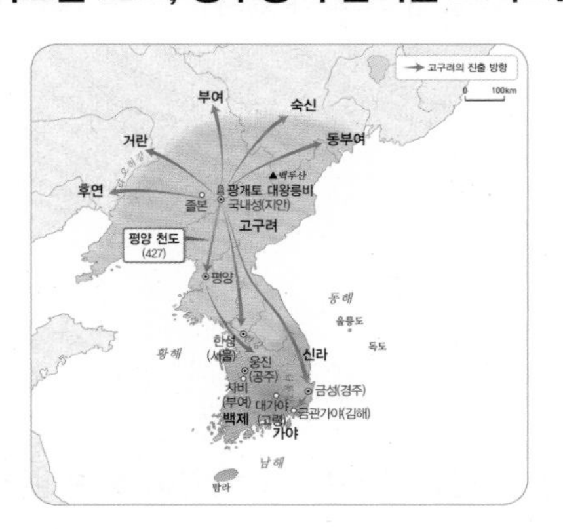

4 **다음 설명과 관계 깊은 신라 왕을 쓰시오.**

- 고구려와 백제를 공격해 영토를 넓혔다.
- 한강 유역을 차지해 중국과 교류할 길을 확보했다.
- 가야 연맹을 완전히 정복했으며, 넓어진 영토의 경계에 비석을 세웠다.

5 **고구려의 문화유산은 어느 것입니까?** (　　　)

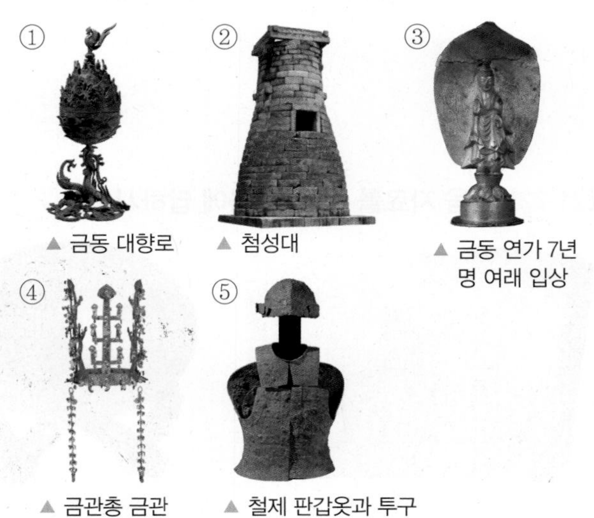

① ▲ 금동 대향로
② ▲ 첨성대
③ ▲ 금동 연가 7년명 여래 입상
④ ▲ 금관총 금관
⑤ ▲ 철제 판갑옷과 투구

서술형
6 **두 나라의 기와가 닮았다는 사실을 통해 알 수 있는 것을 쓰시오.**

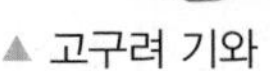

▲ 고구려 기와　▲ 발해 기와

7 신라의 삼국 통일 과정에 대한 설명으로 알맞지 않은 것은 어느 것입니까? ( )

① 신라는 당과 동맹을 맺었다.
② 고구려의 평양성이 함락되었다.
③ 신라가 당과 전쟁을 벌여 승리했다.
④ 백제를 멸망시킨 신라는 당을 공격했다.
⑤ 신라군이 황산벌에서 백제군을 물리쳤다.

8 빈칸에 공통으로 들어갈 알맞은 말을 쓰시오.

신라 말 나라가 혼란스러워지자 지방에서는 ☐☐이/가 권력을 키워 갔다. 여러 ☐☐ 중에서 세력을 키운 견훤은 후백제를 세웠고, 궁예는 후고구려를 세웠다.

9 거란의 1차 침입의 이유로 알맞은 것은 어느 것입니까? ( )

① 고려가 여진과 가까이해서
② 고려와 송을 정복하기 위해
③ 고려와 송의 관계를 끊기 위해
④ 고려의 북쪽 땅 일부를 빼앗기 위해
⑤ 임금과 신하의 관계를 요구하기 위해

중요

10 몽골의 침입으로 인한 피해로 알맞지 않은 것은 어느 것입니까? ( )

① 일부 영토를 몽골에 내어 주었다.
② 몽골과 고려는 문화적으로 교류했다.
③ 오랜 전쟁으로 고려의 국토는 황폐해졌다.
④ 황룡사 9층 목탑 등 문화유산이 파괴되었다.
⑤ 많은 사람이 죽거나 몽골에 포로로 끌려갔다.

11 팔관회에 대한 설명으로 알맞지 않은 것은 어느 것입니까? ( )

① 가을 추수가 끝난 후 음력 11월에 열렸다.
② 궁궐 안에서는 공연이 밤늦도록 이어졌다.
③ 곳곳에 등불을 밝혀 부처의 가르침이 널리 퍼지기를 빌었다.
④ 부처와 고려를 지켜 주는 신들에게 나라의 안녕을 빌었다.
⑤ 각지의 관리와 다른 나라 사람들이 찾아와 왕에게 축하 인사를 올렸다.

12 고려의 불교문화를 대표하는 문화유산과 관련 없는 것은 어느 것입니까? ( )

① 연등회
② 익산 미륵사지 석탑
③ 영주 부석사 무량수전
④ 평창 월정사 팔각 구층 석탑
⑤ 논산 관촉사 석조 미륵보살 입상

서술형

13 고려 시대에 팔만대장경판의 귀퉁이를 다음과 같이 구리판으로 마감했던 이유를 쓰시오.

14 고려의 금속 활자에 대한 설명으로 알맞지 않은 것은 어느 것입니까? (　　　)

① 금속을 다루는 기술이 발달했다.
② 활자에 판을 고정하는 기술이 발달했다.
③ 여러 종류의 책을 인쇄하는 데 효율적이었다.
④ 금속 활자 인쇄에 맞는 먹과 종이 등이 발달했다.
⑤ 고려의 금속 활자 인쇄 기술은 최고 수준에 이르렀다.

15 고려청자에 대한 설명으로 알맞지 않은 것은 어느 것입니까? (　　　)

① 만들기가 어렵고 귀한 물건이었다.
② 청자는 고려에서 처음 만든 기술이었다.
③ 당시 지배층의 화려한 문화를 엿볼 수 있다.
④ 향로, 찻잔, 주전자, 베개 등 다양한 용도로 사용했다.
⑤ 청자를 만들려면 가마를 만드는 기술, 불을 다루는 기술 등이 발달해야 했다.

16 고려 말의 상황에 대한 설명으로 알맞지 않은 것은 어느 것입니까? (　　　)

① 외적의 침입이 이어졌다.
② 신진 사대부가 등장했다.
③ 명과 좋은 관계를 유지했다.
④ 권문세족이 토지와 노비를 많이 차지했다.
⑤ 고려 사회를 개혁하려는 세력들이 있었다.

중요

17 빈칸에 공통으로 들어갈 알맞은 말을 쓰시오.

> 세종은 백성이 글을 몰라 겪는 어려움을 덜기 위해 우리말을 소리 나는 대로 적을 수 있는 문자인 □□□□을/를 만들어 반포했다. □□□□은/는 배우기 쉽고 거의 모든 소리를 적을 수 있는 과학적이고 독창적인 문자였다.

중요

18 조선 시대 양인의 생활 모습으로 알맞지 않은 것은 어느 것입니까? (　　　)

① 농사를 짓거나 장사를 했다.
② 수확 일부를 세금으로 냈다.
③ 유교의 가르침이 담긴 책을 공부했다.
④ 궁궐에서 그림을 그리거나 통역을 했다.
⑤ 주인을 위해 허드렛일이나 물건을 만드는 일을 했다.

19 『농사직설』에 대한 설명으로 알맞은 것은 어느 것입니까? (　　　)

① 훈민정음을 읽는 방법을 설명한 책이다.
② 조선의 왕들이 나라를 다스린 기록을 모은 역사책이다.
③ 우리나라에서 자라는 약재를 활용한 치료법을 모은 책이다.
④ 집현전 학자들이 우리나라 환경에 맞는 농사법을 모은 책이다.
⑤ 유교의 가르침을 잘 실천한 사람들의 이야기를 모아 만든 책이다.

20 세종의 업적으로 알맞지 않은 것은 어느 것입니까? ( )

① 왜구의 소굴인 쓰시마섬을 정벌했다.
② 집현전을 확대해 의례와 제도를 정비하도록 했다.
③ 백성들이 쉽게 우리글을 쓸 수 있도록 훈민정음을 만들었다.
④ 신하들에게 혼천의, 앙부일구와 같은 과학 기구를 발명하게 했다.
⑤ 두만강 유역에 4군, 압록강 유역에 6진을 설치해 영토를 넓혔다.

[21-22] 다음 자료를 보고, 물음에 답하시오.

▲ 혼천의

▲ 측우기

▲ 자격루

▲ 앙부일구

21 시각을 알려 주는 과학 기구의 이름을 모두 쓰시오.

서술형
22 측우기의 쓰임새를 쓰시오.

23 조선이 임진왜란을 극복할 수 있었던 이유로 알맞은 것을 보기에서 모두 골라 기호를 쓰시오.

보기
㉠ 서희의 담판
㉡ 신진 사대부의 성장
㉢ 곽재우를 비롯한 의병의 활동
㉣ 이순신이 이끄는 조선 수군의 활약

24 다음에서 설명하는 전쟁은 어느 것입니까? ( )

- 조선이 명을 가까이하고 후금을 멀리하자 명과 전쟁 중이던 후금이 조선을 침략했다.
- 패배 후 조선은 후금과 형제 관계를 맺었다.

① 정묘호란 ② 병자호란
③ 임진왜란 ④ 몽골의 침입
⑤ 정유재란

중요
25 빈칸에 공통으로 들어갈 알맞은 말을 쓰시오.

- 청군이 빠른 속도로 한양에 이르자 인조는 □□□□(으)로 피신했다.
- □□□□은/는 높은 산봉우리를 연결해 쌓은 성이다. 가파르고 험한 곳에 있으며, 안쪽은 평평해서 전쟁 시 머무르면서 적의 공격을 막는 데 유리했다.
- □□□□은/는 이러한 가치를 인정받아 유네스코 세계 유산으로 지정되었다.

1 다음 문화유산의 분포 지역을 통해 알 수 있는 사실을 쓰시오.

▲ 미송리식 토기 ▲ 비파형 동검 ▲ 탁자식 고인돌

평가 실마리
- **관련 내용** 교과서 14쪽, 개념 톡톡 12쪽
- **출제 의도** 고조선을 대표하는 문화유산 이해하기
- **선생님의 한마디**
"위 자료는 고조선의 문화유산이야."

2 다음 지도에서 삼국의 전성기에 나타난 공통점을 쓰시오.

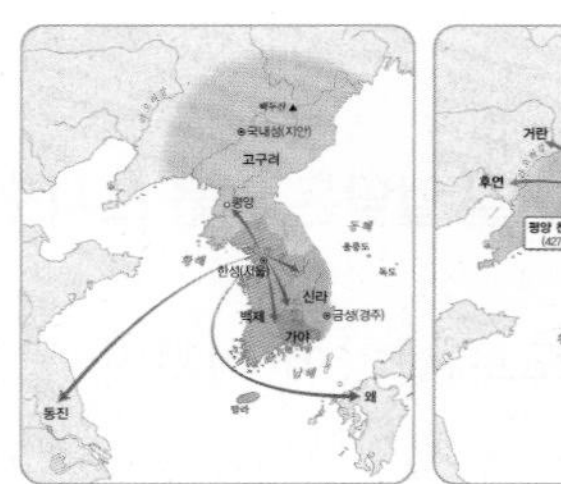

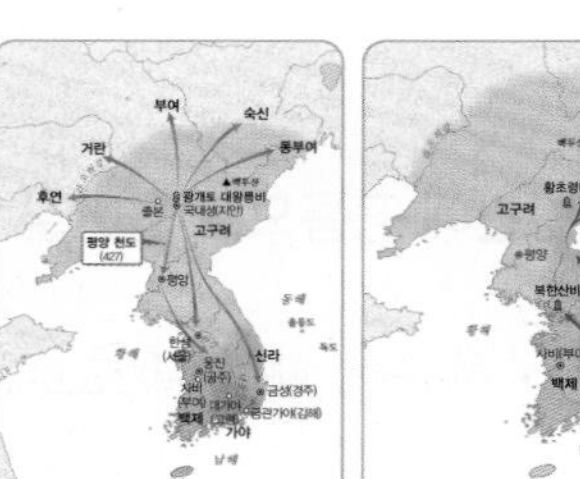

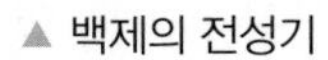

▲ 백제의 전성기 ▲ 고구려의 전성기 ▲ 신라의 전성기

평가 실마리
- **관련 내용** 교과서 16, 18, 20쪽, 개념 톡톡 14~16쪽
- **출제 의도** 삼국의 전성기 이해하기
- **선생님의 한마디**
"위 자료는 삼국의 전성기 때를 나타낸 지도야."

3 다음 문화유산과 관련된 종교를 쓰고, 삼국이 이 종교를 받아들인 까닭을 쓰시오.

▲ 익산 미륵사지 석탑 ▲ 금동 연가 7년명 여래 입상 ▲ 황룡사 복원 모형도

평가 실마리
- **관련 내용** 교과서 17, 19, 21쪽, 개념 톡톡 14~17쪽
- **출제 의도** 삼국의 문화유산 이해하기
- **선생님의 한마디**
"위 자료는 삼국의 해당 문화유산의 일부분을 담은 것이야."

4 다음과 같이 돌계단 다리가 놓여 있는 통일 신라의 문화유산 이름을 쓰고, 그 특징을 쓰시오.

▲ 청운교와 백운교

평가 실마리
- **관련 내용** 교과서 28쪽, 개념 톡톡 18쪽
- **출제 의도** 통일 신라의 불교문화 이해하기
- **선생님의 한마디**
"위 자료는 해당 문화유산의 일부분을 담은 것이야."

5 **다음 문화유산이 유네스코 세계 기록 유산이 된 까닭을 쓰시오.**

▲ 팔만대장경판

평가 실마리
- **관련 내용** 교과서 48쪽, 개념 톡톡 38~39쪽
- **출제 의도** 팔만대장경판의 우수성 이해하기
- **선생님의 한마디**
"팔만대장경판의 특징과 장점을 다시 떠올려 봐!"

6 **금속 활자 인쇄술의 장점을 쓰시오.**

▲ 고려 시대 금속 활자

평가 실마리
- **관련 내용** 교과서 49쪽, 개념 톡톡 38~39쪽
- **출제 의도** 금속 활자 인쇄술의 장점 이해하기
- **선생님의 한마디**
"목판과 비교해 금속 활자의 장점을 떠올려 봐!"

7 **다음 내용을 참고해 세종이 훈민정음을 만든 까닭을 쓰시오.**

> 나라의 말소리가 중국과 달라서 한자와는 서로 통하지 않으므로 백성은 말하고자 하는 바가 있어도 뜻이 통하지 않았다. 그래서 내가 이를 가엽게 여겨 새로 스물여덟 자를 만들었으니, 백성으로 하여금 쉽게 익혀 나날이 쓰기 편하기를 바란다. —『훈민정음』「해례본」, 예의편

평가 실마리
- **관련 내용** 교과서 63쪽, 개념 톡톡 54쪽
- **출제 의도** 훈민정음을 만든 이유 이해하기
- **선생님의 한마디**
"세종이 훈민정음을 만든 이유를 찾아봐!"

8 **빈칸에 알맞은 신분을 쓰고, 이들의 생활 모습을 한 가지 이상 쓰시오.**

> 조선의 신분은 양인과 천인(천민)으로 나뉘었으며, 양인에는 양반, 중인, (이)라는 여러 계층이 있었다.

평가 실마리
- **관련 내용** 교과서 67쪽, 개념 톡톡 56쪽
- **출제 의도** 신분에 따른 생활 모습 이해하기
- **선생님의 한마디**
"신분에 따른 생활 모습을 떠올려 봐!"

(1) 새로운 사회를 향한 움직임

❶ 조선 후기의 사회를 개혁하기 위한 노력

영조	탕평책을 펼쳐 왕권을 강화하고 정치를 안정시키고자 했음.
정조	• 왕실 도서관이자 연구 기관인 (❶) 을/를 설치하고, 여러 제도를 고쳤음. • 수원 화성을 건설하여 개혁 정치를 펼치고자 했음.

❷ 조선 후기의 사회 모습

(1) 실학: 사회의 새로운 변화에 따라 현실 문제에 관심을 두고 이를 개혁하려고 등장한 학문이다.

(2) 서민 문화의 발달

① 농업과 상공업의 발달로 경제적 여유가 생기면서 서민 문화가 발달했다.

② 판소리, 탈놀이, 한글 소설, 당시 사람들의 생활 모습을 담은 (❷) 등이 유행했다.

❸ 흥선 대원군의 개혁 정치

인재 등용	세도 정치와 관련된 세력을 몰아내고, 다양한 인재를 등용했음.
서원 정리	세금을 면제받고 백성을 힘들게 한 서원을 일부만 남기고 정리했음.
재정 마련	양반들에게도 세금을 걷어 나라에 필요한 재정을 마련했음.
경복궁 중건	임진왜란 때 불에 탄 경복궁을 중건했음.

❹ 병인양요와 신미양요

병인양요	• 흥선 대원군이 프랑스 신부와 천주교를 믿는 사람을 처형했음. • 프랑스군이 강화도에 침입해 많은 문화재를 약탈해 갔음.
신미양요	• 미국의 배가 평양에 들어와 난동을 피우다 불에 탔음. • 미국 군인이 강화도에 침입해 어재연 장군을 비롯해 많은 사람이 희생되었음.
병인양요와 신미양요 후 흥선 대원군은 전국에 통상 수교 거부 정책을 알리기 위해 척화비를 세웠음.	

❺ 강화도 조약과 갑신정변

강화도 조약	조선이 일본과 맺은 최초의 근대적 조약이지만 조선에 불리한 내용이 담긴 (❸)이었음.
갑신정변	• 김옥균을 중심으로 한 사람들은 청의 간섭에서 벗어나고자 정변을 일으켰음. • 새로운 정부를 구성하고 새로운 개혁을 추진하고자 했으나 3일 만에 실패로 끝났음.

❻ 동학 농민 운동과 갑오개혁

동학 농민 운동	• 고부 군수 조병갑의 횡포와 일본군을 몰아내기 위해 동학 농민군이 일어났음. • 탐관오리 처벌, 노비 문서 폐지, 규정 이외의 불필요한 세금 폐지 등을 제기했음. • (❹)에서 패하고 전봉준이 체포되자 동학 농민군도 해산했음.
갑오개혁	• 계속된 일본의 개혁 요구에 의해 개화파 관리들을 중심으로 개혁을 추진했음. • 신분제 폐지, 지방 제도 개편, 군사 제도 확립 등이 추진되었고, 이전의 개혁에서 제기된 요구가 일부 실현되었음.

(2) 일제의 침략과 광복을 위한 노력

❶ 을미사변과 아관 파천

(1) 을미사변: 명성 황후가 러시아를 통해 일본을 견제하려고 하자 일본은 경복궁에 침입해 명성 황후를 살해했다.

(2) 아관 파천: 고종은 (❺) 공사관으로 거처를 옮겼으나 러시아, 미국 등 여러 나라의 간섭과 경제 침탈이 이어졌다.

❷ 자주 국가를 만들기 위한 노력

독립 협회	• 정부의 관리와 개화 지식인들이 자주독립 의지를 강화하기 위해 세운 단체였음. • 독립문을 세워 자주독립에 대한 의지를 강화했고, (❻)을/를 열어 누구나 나랏일에 대한 자신의 생각을 말할 수 있었음.
대한 제국	• 고종이 경운궁으로 돌아와 나라 이름을 대한 제국으로 변경했음. • 근대 시설 도입, 공장과 회사 설립, 외국에 유학생을 파견하고 학교를 세워 인재를 양성했음.

❸ 을사늑약과 나라를 지키기 위한 노력

(1) 을사늑약: 러·일 전쟁에서 승리한 일본은 조선의 외교권을 강제로 빼앗았다.
(2) 신돌석: 경상도와 강원도 일대에서 평민 의병장으로 의병 투쟁을 하며 태백산 호랑이로 불렸다.
(3) 안창호: 평양에 대성 학교를 세웠고, 미국 샌프란시스코에 흥사단을 세워 우리 민족의 실력을 기르고자 했다.
(4) 안중근: 만주 하얼빈 역에서 이토 히로부미를 저격하여 을사늑약의 부당함을 알렸다.

❹ 일제의 식민 통치로 인한 어려움

1910년대 식민 통치	• 일제는 (❼)을/를 설치하고 헌병 경찰을 앞세워 무력으로 한국인을 통제했음. • 신문과 잡지 등 출판의 자유와 단체를 만들 자유를 없앴음.
1920년대 식민 통치	• 산미 증식 계획을 실시해 늘어난 쌀보다 더 많은 양의 쌀이 일본으로 빠져나갔음.
1930년대 식민 통치	• 침략 전쟁을 확대하여 한국인의 민족성을 없애려 했음. • 신사 참배 강요 및 우리의 성과 이름을 일본식으로 바꾸게 했음.

❺ 3·1 운동과 대한민국 임시 정부

(1) 3·1 운동: 국내에서 종교계와 학생이 중심이 되어 「독립 선언서」를 제작, 배포하고 전국에서 만세 시위를 통해 독립의 뜻을 알렸다.
(2) 대한민국 임시 정부: 3·1 운동의 과정에서 독립운동을 체계적으로 이끌기 위해 중국 (❽) 에 대한민국 임시 정부가 수립되었다.

❻ 독립을 위한 국내외에서의 노력

신채호	일제의 우리 역사 왜곡에 맞서 역사를 연구하며 민족정신을 일깨웠음.
홍범도	봉오동 일대에서 일본군을 무찔렀음.
김좌진	청산리 일대에서 일본군을 크게 무찔렀음.
김구	대한민국 임시 정부에서 독립을 위해 활동했으며, (❾)을/를 조직해 이봉창, 윤봉길 의거 활동을 계획했음.

(3) 대한민국 정부의 수립과 6·25 전쟁

❶ 광복과 분단

(1) 38도선: 광복 이후 일본군의 무장 해제를 이유로 38도선을 기준으로 남쪽은 (❿), 북쪽은 소련군이 주둔했다.
(2) 신탁 통치: 모스크바 3국 외무 장관 회의에서 한반도에 정부가 수립될 때까지 5년간 신탁 통치를 한다는 내용을 결정했다.

❷ 대한민국 정부 수립

5·10 총선거 실시	1948년 5월 10일, 국제 연합은 선거가 가능한 남한만이라도 총선거를 실시하기로 결정했음.
제헌 헌법 공포	총선거로 선출된 국회 의원들은 나라 이름을 '대한민국'으로 정하고, 우리나라 최초의 헌법을 만들어 알렸음.
정부 수립	헌법에 따라 이승만을 초대 대통령으로 선출했고, 1948년 8월 15일 대한민국 정부가 수립되었음.

❸ 6·25 전쟁의 전개

북한군의 남침	1950년 6월 25일 소련의 지원을 받은 북한군이 남한을 침략해 3일 만에 수도 서울이 함락되었음.
국군과 유엔군의 반격	정부는 부산까지 피란을 했고, 국군과 유엔군이 (⓫)을/를 펼쳐 서울을 되찾고, 38도선을 넘어 북으로 진격해 압록강까지 진격했음.
중국군의 개입	중국군이 전쟁에 참여하면서 국군과 유엔군은 서울을 빼앗기기도 했지만 다시 되찾았음.
정전 협정 체결	38도선 부근에서 서로 밀고 밀리는 전쟁이 3년 이상 이어졌고, 마침내 1953년 7월 판문점에서 정전 협정이 맺어졌음.

❹ 6·25 전쟁으로 인한 피해

(1) 국토의 황폐화: 전쟁으로 한반도 곳곳에 폭격이 가해져 산업 시설은 파괴되고 국토는 황폐화되었다.
(2) (⓬)의 발생: 전쟁 중 가족이 서로 헤어져 만나지 못하는 사람이 1,000만 명에 이르렀다.

정답과 해설 26쪽

가로 문제와 세로 문제를 읽고, 퍼즐을 풀어 보시오.

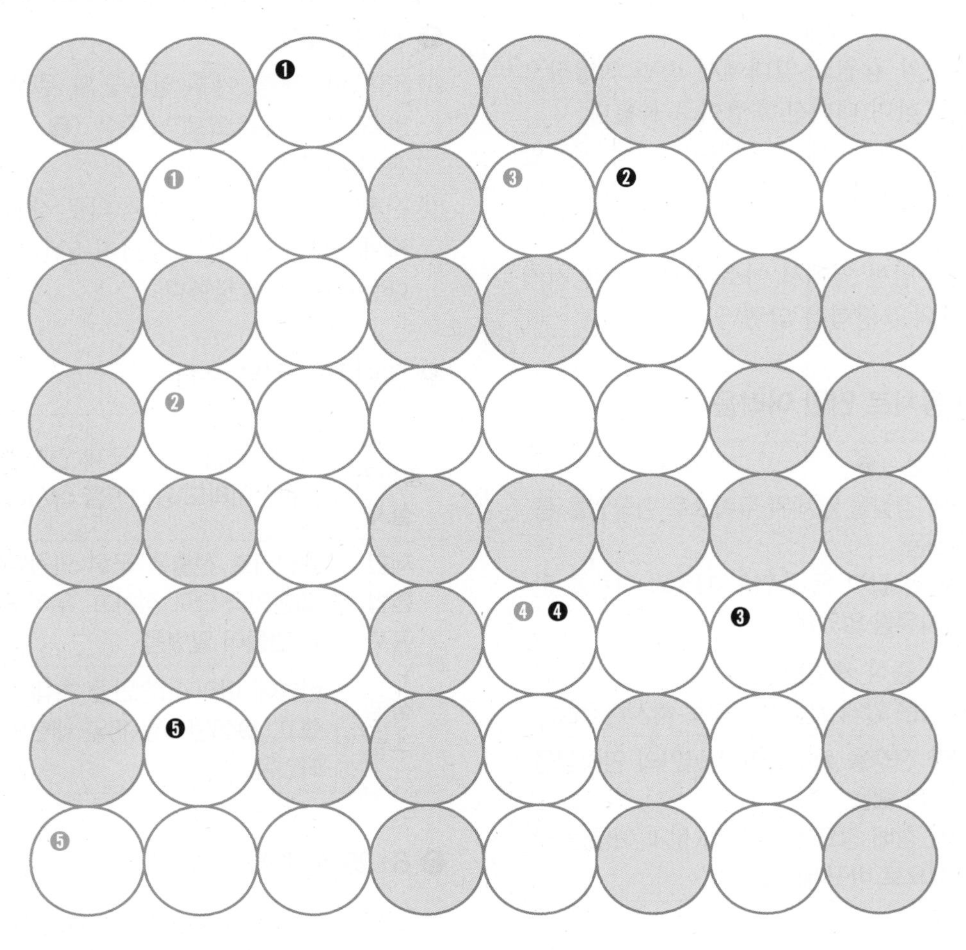

가로 문제

❶ 조선 후기 새로운 사회 변화에 따라 현실 문제에 관심을 두고 연구한 학문을 □□(이)라고 한다.

❷ 독립 협회는 □□ □□□을/를 개최하여 직업과 나이에 상관없이 많은 사람이 나랏일에 대한 자신의 생각을 이야기할 수 있게 했다.

❸ 김옥균을 중심으로 한 사람들은 근대적인 국가를 만들고자 □□□□을/를 일으켰다.

❹ □□□은/는 평양에 대성 학교를 세워 인재를 키워 내고, 우리 민족의 실력을 길러 나라를 지키려고 노력했다.

❺ 을사늑약을 통해 일제는 조선의 □□□을/를 박탈했다.

세로 문제

❶ 개항 이후 농민들의 삶이 더욱 어려워져 고부 봉기를 계기로 □□ □□ □□이/가 일어났다.

❷ 안창호 등이 조직한 비밀 단체인 □□□은/는 학교를 세워 인재를 기르고, 회사외 공장을 설립해 산업을 발전시켰다.

❸ 신돌석은 태백산 □□□(이)라고 불리던 평민 출신 의병이었다.

❹ □□□은/는 만주 하얼빈 역에서 이토 히로부미를 저격하여 을사늑약의 부당함을 알렸다.

❺ 흥선 대원군은 전국에 척화비를 세워 통상 □□ 거부 정책을 널리 알렸다.

정답과 해설 26쪽

단원명 사회의 새로운 변화와 오늘날의 우리

평가 목표 동학 농민 운동의 과정과 결과에 대해 이해할 수 있다.

평가 문항

[1-3] 다음 자료를 보고, 물음에 답해 봅시다.

(가) →	(나) →	(다) →	(라)
전라도 고부 군수 (㉠)은/는 많은 세금을 거두고 농민들을 수탈했다. 이에 동학의 지도자 (㉡)은/는 뜻을 같이 하는 농민을 모아 고부 관아를 공격했다.	동학 농민군이 전주성을 점령하자 조선 정부는 청에 군대를 요청했다. 이에 농민군은 정부로부터 개혁안을 받고 스스로 물러났다. 그리고 자기 고을에서 개혁을 추진하려고 노력했다.	조선은 청과 일본에 군대를 철수하도록 요구했지만, 청과 일본은 이를 무시하고 (㉢)을/를 벌였다. 이 전쟁에서 일본이 승리하게 되고, 조선에 간섭하여 개혁을 강요했다.	일본을 몰아내기 위해 동학 농민군은 다시 일어났다. 그러나 공주 (㉣)에서 벌어진 전투에서 일본군과 관군에게 크게 패했다. 결국 전봉준은 체포되어 처형당했다.

1 ㉠~㉣에 들어갈 알맞은 인물과 내용을 쓰시오.

㉠		㉡	
㉢		㉣	

2 (나)의 밑줄 친 '개혁안'의 일부이다. 이 개혁안을 통해 동학 농민군이 어떤 세상을 꿈꾸었을지 쓰시오.

〈개 혁 안〉
- 탐관오리의 죄상을 조사하여 이를 엄중히 처벌한다.
- 노비 문서를 불태워 없앤다.
- 규정 이외의 모든 세금을 폐지한다.

〈답안 예시〉

3 일본의 강요로 시작된 개혁의 이름과 이 개혁의 내용을 한 가지 쓰시오.

1 **조선 후기 정조가 시행한 정책이 아닌 것은 어느 것입니까?** ( )

① 인재를 고루 뽑아 쓰는 탕평책을 펼쳤다.
② 수원 화성을 건설하여 개혁 정치를 펼쳤다.
③ 임진왜란 때 불에 탄 경복궁을 새로 지었다.
④ 왕권을 강화하고 정치를 안정시키고자 했다.
⑤ 규장각을 설치해 여러 학문을 연구하게 했다.

중요
2 **㉠, ㉡에 들어갈 알맞은 말을 쓰시오.**

- 조선 후기 현실 문제에 관심을 두고 이를 해결하고자 했던 학문을 [㉠](이)라고 한다.
- 박지원과 같은 학자들은 나라를 부강하게 하기 위해 [㉡]의 우수한 문물을 받아들여야 한다고 주장했다.

㉠ ______

㉡ ______

3 **빈칸에 들어갈 알맞은 말을 쓰시오.**

조선 후기에는 농업과 상공업의 발달로 경제적 여유가 생긴 백성들은 판소리, 탈놀이, 한글 소설 등과 같은 [ ][ ] [ ][ ]을/를 즐겼다.

______

4 **다음 작품들은 서민 문화 중 무엇에 해당합니까?** ( )

『춘향전』, 『흥부전』, 『홍길동전』

① 탈놀이　② 판소리
③ 풍속화　④ 한글 소설
⑤ 한문 소설

[5-6] 다음 자료를 읽고, 물음에 답하시오.

흥선 대원군의 개혁 정치
- 세도 정치로 권력을 누린 세력들을 억눌렀다.
- 양반들이 내야 할 세금을 늘려 나라에 필요한 재정을 마련했다.
- 왕실의 권위를 회복하기 위해 임진왜란 때 불에 탄 [㉠]을/를 다시 지었다.

5 **㉠에 들어갈 궁궐의 이름을 쓰시오.**

______

중요
6 **흥선 대원군이 펼친 개혁 정책으로 알맞은 것을 두 가지 고르시오.** (,)

① 양반에게 걷던 세금을 없앴다.
② 서양과의 통상을 적극 장려했다.
③ 왕권을 강화하기 위해 여러 정책을 펼쳤다.
④ 임진왜란 때 불에 탄 경복궁을 다시 지었다.
⑤ 학문이 깊은 유학자들의 제사를 지내기 위해 전국 곳곳에 서원을 세웠다.

7 **강화도 조약에 대한 설명으로 알맞은 것을 보기에서 모두 고르시오.**

보기
㉠ 외국과 맺은 최초의 근대적 조약이었다.
㉡ 강화도 조약 체결 이후 서양의 여러 나라와도 조약을 맺었다.
㉢ 조약의 내용은 우리나라의 권리를 보장하고 매우 평등했다.
㉣ 제주도에서 일본 군함이 들어와 통상을 요구한 사건이 원인이 되었다.

______

정답과 해설 26쪽

맞은 개수 ______개 | 공부한 날 ___월 ___일

1회

8 **갑신정변에서 주장한 개혁안으로 알맞지 <u>않은</u> 것은 무엇입니까?** ( )

① 신분에 상관없이 모두가 평등하다.
② 청에게 바치던 조공을 폐지하도록 한다.
③ 서당을 세워 한문 교육을 강화하도록 한다.
④ 세금 제도를 고쳐 나라 살림을 튼튼하게 한다.
⑤ 조선은 청의 간섭을 받지 않는 자주국가이다.

9 **동학 농민 운동의 전개 과정에서 있었던 일로 알맞지 <u>않은</u> 것은 어느 것입니까?** ( )

① 청과 일본 군대가 조선에 들어왔다.
② 고부 군수 조병갑의 횡포로 일어났다.
③ 일본과 청은 조선에서 전쟁을 벌였다.
④ 동학 농민군은 전주성 전투에서 일본군과 관군에 패한 후 해산했다.
⑤ 일본이 조선의 정치에 더욱 심하게 간섭하자 동학 농민군이 다시 일어났다.

10 **을미사변 이후 고종이 거처를 옮긴 곳은 어디입니까?** ( )

① 청 공사관
② 미국 공사관
③ 영국 공사관
④ 러시아 공사관
⑤ 프랑스 공사관

11 **대한제국이 추진한 개혁에 대해 바르게 말한 사람은 누구입니까?** ( )

① 동현: 미국의 간섭으로 시작된 개혁이었어.
② 석하: 신분제가 유지되는 사회를 주장했어.
③ 신욱: 고종은 미국 공사관에서 돌아와 개혁을 발표했어.
④ 준모: 고종은 국민의 권리를 보장하는 개혁 정책을 추진했어.
⑤ 주영: 여러 가지 근대 시설을 마련하고 학교를 세워 인재를 양성했어.

12 **대한 제국이 추진한 근대적인 개혁의 한계를 쓰시오.**

____

____

중요

13 **밑줄 친 '조약'을 통해 우리나라가 일본에게 빼앗기게 된 권리는 무엇입니까?**

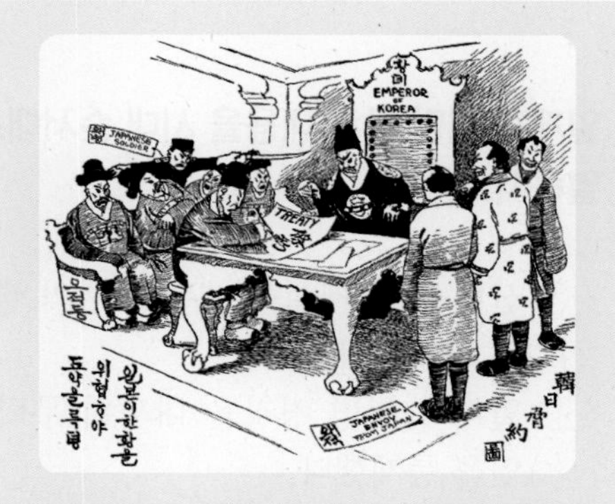

일본군이 칼로 고종을 위협하고 있고, <u>조약</u>을 맺는 데 앞장 선 5명의 신하들이 조약을 맺자 고종이 분노하고 있다.

____

서술형

14 **다음 사건이 의병 운동에 미친 영향을 쓰시오.**

고종이 강제로 물러나고 대한 제국의 군대가 해산되었다.

15 **다음 인물들과 독립을 위해 노력한 업적을 알맞게 선으로 연결하시오.**

(1) 안창호 • • ㉠ 중국의 하얼빈 역에서 이토 히로부미를 저격했다.

(2) 안중근 • • ㉡ 평양에 대성 학교를 세워 인재를 양성하고, 미국에 건너가 흥사단을 설립했다.

(3) 이회영 • • ㉢ 만주로 건너가 신흥 강습소를 세우고 독립군을 길러 냈다.

16 **일제의 식민 통치 내용을 시대 순서대로 알맞게 나열하시오.**

㉠ 산미 증식 계획을 세워 조선의 쌀을 일본으로 가져갔다.
㉡ 일제가 헌병 경찰을 내세워 무력으로 한국인을 통제했다.
㉢ 침략 전쟁을 확대하여 한국인에게도 황국 신민 서사를 외우고, 신사에 참배할 것을 강요했다.

중요

17 **3·1 운동에 대한 설명으로 알맞지 않은 것은 어느 것입니까?** ( )

① 유관순과 같은 독립운동가가 나라를 위해 희생했다.
② 일제는 3·1 운동을 계기로 조선의 독립을 인정했다.
③ 탑골 공원에서 학생과 시민들이 「독립 선언서」를 낭독했다.
④ 만세 시위는 농촌으로 퍼져 나갔고 다양한 계층의 사람들이 참여했다.
⑤ 후에 독립운동의 체계적인 필요성을 느껴 대한민국 임시 정부가 세워지는 계기가 되었다.

서술형

18 **다음과 같이 강주룡이 시위를 한 까닭을 쓰시오.**

1931년 평양 평원 고무 공장의 노동자인 강주룡이 을밀대라는 건물 지붕 위에 올라가 시위를 벌였다.
"우리 한국인 노동자들은 일본 노동자의 임금에 절반도 되지 못합니다."

19 **㉠, ㉡에 들어갈 인물과 단체를 각각 쓰시오.**

• (㉠)은/는 우리말을 가르치고 체계적으로 정리했다.
• (㉡)은/는 『조선말(우리말) 큰사전』을 펴내는 작업을 하며 우리말과 글을 지켰다.

㉠

㉡

20 **밑줄 친 의거가 중국인들에게 미친 영향을 쓰시오.**

일제가 상하이를 점령한 것을 축하하기 위해 홍커우 공원에서 기념식을 열자, 윤봉길은 폭탄을 던져 일본 관리와 군인을 처단했다.

21 **대한민국 정부 수립 과정에서 다음과 같은 주장을 한 사람은 누구입니까?** ( )

"우리는 남북이 함께 총선거에 참여해 통일된 독립 국가를 만들어야 합니다."

① 김구 ② 김원봉
③ 이승만 ④ 윤봉길
⑤ 김일성

22 **대한민국 정부 수립에 대한 설명으로 알맞은 것은 어느 것입니까?** ( )

① 1945년에 수립되었다.
② 초대 대통령으로 김구를 선출했다.
③ 대한민국 임시 정부의 전통을 이었다.
④ 초대 대통령은 직접 선거로 선출했다.
⑤ 남한과 북한의 통일 정권이 수립되었다.

23 **6·25 전쟁의 상황이 우리나라에 유리하게 전개된 사건은 어느 것입니까?** ( )

① 1·4 후퇴 ② 정전 협정
③ 국군 참전 ④ 북한의 남침
⑤ 인천 상륙 작전

24 **정전 협정에 대한 설명으로 알맞지 않은 것은 어느 것입니까?** ( )

① 1953년 7월에 판문점에서 정전 협정을 체결했다.
② 정전은 전쟁 중에 군사적 행동을 멈추는 것을 의미한다.
③ 한반도는 전쟁을 멈춘 상태로 분단되어 오늘에 이르고 있다.
④ 정전 협정은 미국, 중국, 북한군 등의 관계자가 모여 체결했다.
⑤ 미국이 원자 폭탄을 사용하여 북한이 정전 협정을 하게 되었다.

25 **다음 자료를 통해 알 수 있는 6·25 전쟁의 피해를 쓰시오.**

1 **조선 후기 변화된 사회 모습으로 알맞지 않은 것은 어느 것입니까?** ( )

① 전국적으로 장시(시장)가 크게 늘어났다.
② 청, 일본 등 다른 나라와 교역이 활발해졌다.
③ 화폐의 필요성이 높아지면서 상평통보가 전국으로 유통되었다.
④ 백성들은 저수지를 만들고, 새로운 작물과 모내기법으로 소득을 늘렸다.
⑤ 나라에서는 토지와 인구를 조사하고, 농민들에게 강제로 세금을 거두어 들였다.

중요

2 **㉠, ㉡에 들어갈 알맞은 말을 쓰시오.**

> 조선 후기에 학문이나 정치적으로 생각이 같은 사람들이 모여 만든 집단인 (㉠)이/가 생겨 정치가 혼란스러웠다. 영조는 이를 해결하기 위해 인재를 고루 뽑아 쓰는 (㉡)을/를 시행했다.

㉠ ______

㉡ ______

3 **다음에서 설명하는 기구를 쓰시오.**

> 수원 화성을 건설할 때 정약용이 개발한 도구로, 도르래의 원리를 이용해 무거운 물건을 들어 올리는 장치이다.

______

4 **정조가 죽은 이후 세도 정치가 시작된 이유를 쓰시오.**

______

[5-6] 다음 자료를 보고, 물음에 답하시오.

▲ 조선에 침입한 프랑스 군대의 모습

▲ 미군에게 빼앗긴 어재연 장군 깃발

5 **위와 같은 일들이 공통으로 발생한 지역을 쓰시오.**

______

6 **프랑스 군대가 조선을 침입한 이유는 무엇입니까?** ( )

① 조선이 프랑스의 배를 침몰시켜서
② 조선이 프랑스의 문화재를 약탈해서
③ 조선이 프랑스에게 선전 포고를 해서
④ 조선이 프랑스에게 빌린 돈을 갚지 않아서
⑤ 조선 정부가 프랑스 신부와 천주교를 믿는 사람을 처형해서

7 **김옥균에 대한 설명으로 바른 것을 보기에서 골라 기호를 쓰시오.**

> 보기
> ㉠ 영조의 탕평책을 지지했다.
> ㉡ 우정총국 축하연을 계기로 갑신정변을 일으켰다.
> ㉢ 서양의 제도, 기술, 사상까지 받아들여 배우자고 주장했다.
> ㉣ 외세를 몰아내고, 서양의 문화를 받아들이지 말자고 주장했다.

______

8 **동학 농민 운동에 대한 설명으로 알맞지 않은 것은 어느 것입니까?** (　　)

① 고부 농민 봉기로 시작되었다.
② 사발통문을 써서 주동자를 알 수 없게 했다.
③ 공주 우금치 전투에서 패한 후 동학 농민군은 흩어졌다.
④ 김옥균 등이 중심이 되어 동학 농민 운동을 일으켰다.
⑤ 동학 농민군이 전주성을 점령했으나 조선 정부와 화해한 후 해산했다.

9 **빈칸에 들어갈 역사적 사건을 쓰시오.**

> 청·일 전쟁에서 승리한 일본이 조선에서 세력을 넓히자 명성 황후는 러시아 세력을 끌어들여 일본을 견제하고자 했다. 그러자 1895년 일본은 경복궁에 침입해 명성 황후를 살해했는데 이 사건을 □□□□(이)라고 한다.

____

중요

10 **독립 협회에 대한 설명으로 알맞지 않은 것을 두 가지 고르시오.** (　　,　　)

① 대한 제국을 선포했다.
② 학교를 세워 인재를 양성했다.
③ 만민 공동회라는 집회를 열었다.
④ 정부의 관리와 개화 지식인들이 설립했다.
⑤ 자주독립 의식을 높이고자 독립문을 세웠다.

11 **대한 제국이 추진한 개혁으로 알맞지 않은 것은 어느 것입니까?** (　　)

① 외국에 유학생을 파견했다.
② 공장과 회사 설립을 지원했다.
③ 여러 가지 근대 시설을 도입했다.
④ 고종이 미국 공사관에서 돌아온 후 시행했다.
⑤ 고종은 황제 즉위식을 거행하고 개혁을 추진했다.

12 **을사늑약 체결에 대한 우리 민족의 저항으로 알맞지 않은 것은 어느 것입니까?** (　　)

① 을사늑약의 폐기를 요구했다.
② 의병들은 스스로 해산을 결정했다.
③ 을사늑약의 부당함을 신문에 알렸다.
④ 을사늑약 체결에 반대해 목숨을 잃은 사람도 있었다.
⑤ 고종은 을사늑약이 무효임을 국제 사회에 알리고자 노력했다.

13 **안중근이 한 일로 알맞은 것은 어느 것입니까?** (　　)

① 미국으로 건너가 흥사단을 세웠다.
② 만주로 건너가 신흥 무관 학교를 세웠다.
③ 만주 하얼빈 역에서 이토 히로부미를 저격했다.
④ 헤이그 특사로 파견되어 을사늑약의 부당함을 알렸다.
⑤ 의병 부대를 이끌며 '태백산 호랑이'라는 별명을 얻었다.

중요

14 **의병에 대한 설명으로 알맞지 않은 것은 어느 것입니까?** ( )

① 전국 각지에서 의병이 일어났다.
② 여성들도 의병 투쟁에 참여하며 일제에 맞섰다.
③ 유학자나 관리 출신들이 의병 투쟁의 중심이 되었다.
④ 일제가 강제로 군대를 없애자 해산된 군인들도 의병에 합류했다.
⑤ 신돌석은 양반 출신 의병장으로 태백산 호랑이라 불리며 의병 투쟁을 벌였다.

15 **㉠와 ㉡에 들어갈 학교와 단체를 각각 쓰시오.**

안창호는 평양에 (㉠)을/를 세워 나라의 인재를 키워 냈다. 이후 미국으로 건너가 샌프란시스코에서 (㉡)을/를 세워 우리 민족의 실력을 기르고자 했다.

㉠ ______

㉡ ______

16 **일제의 식민 통치에 대한 내용을 보기에서 골라 기호를 쓰시오.**

보기
㉠ 조선 총독부를 설치해 식민 통치를 했다.
㉡ 신문과 잡지 등 출판도 자유롭게 하지 못하게 했다.
㉢ 토지를 가진 사람들은 정해진 기간 내에 신고를 해야 했다.
㉣ 쌀 생산을 늘리는 산미 증식 계획을 실시해 한국인의 쌀 부족을 해결했다.

______

17 **3·1 운동 이후 독립운동가들의 활동에 대한 설명으로 알맞지 않은 것은 무엇입니까?** ( )

① 독립군 부대는 국경을 넘어와 일본군을 공격했다.
② 신돌석은 봉오동에서 일본군을 유인해 큰 승리를 거두었다.
③ 김좌진 부대는 청산리 일대에서 일본군과 싸워 큰 승리를 거두었다.
④ 만주와 연해주에서 독립군 부대를 조직해 무장 독립 투쟁을 벌였다.
⑤ 의열단은 친일파를 암살하고, 조선 총독부를 파괴하며 투쟁을 벌였다.

18 **일제가 다음과 같은 일을 벌인 까닭을 쓰시오.**

- 신사 참배 강요
- 우리말 사용 금지
- 일본식 성과 이름 강요
- 우리 역사의 왜곡과 축소

______

서술형

19 **밑줄 친 '한국광복군'이 독립을 위해 계획한 일을 쓰시오.**

대한민국 임시 정부는 <u>한국광복군</u>을 조직하여 우리 손으로 독립을 이루고자 계획했다.

______

20 **모스크바 3국 외무 장관 회의의 결과로 바른 것을 두 가지 고르시오.** (,)

① 우리 민족은 광복을 맞이했다.
② 남한에서만 총선거를 실시하기로 했다.
③ 한반도에 임시 정부를 수립하기로 했다.
④ 38도선을 경계로 미군과 소련군이 주둔했다.
⑤ 정부가 수립되기 전에 최대 5년간 신탁 통치를 실시하기로 했다.

21 **미소 공동 위원회가 합의를 이루지 못하면서 발생한 일은 어느 것입니까?** ( )

① 6·25 전쟁이 발생했다.
② 북한이 정권을 수립했다.
③ 김구가 대통령으로 선출되었다.
④ 남북한 동시 총선거가 실시되었다.
⑤ 미국이 한국의 문제를 국제 연합에 넘겼다.

중요

22 **대한민국 정부 수립 과정에서 가장 먼저 일어난 일은 어느 것입니까?** ( )

① 제헌 헌법 제정
② 제헌 국회 구성
③ 5·10 총선거 실시
④ 대한민국 정부 수립
⑤ 이승만을 초대 대통령으로 선출

[23-24] 다음 자료를 읽고, 물음에 답하시오.

> 어머니! 전쟁은 왜 해야 하나요.
> 이 복잡하고 괴로운 심정을 어머님께 알려 드려야 내 마음이 가라앉을 것 같습니다.
> 저는 무서운 생각이 듭니다.
> ....(생략)
> 꼭 살아서 가겠습니다.
> -어느 학도병의 편지-

23 **밑줄 친 '전쟁'이 일어나게 된 까닭을 쓰시오.**

____

____

24 **6·25 전쟁의 과정에서 가장 나중에 일어난 일은 어느 것입니까?** ( )

① 중국군 참전
② 서울 수도 함락
③ 인천 상륙 작전
④ 정전 협정 체결
⑤ 낙동강 방어선 구축

25 **6·25 전쟁으로 인한 피해에 대한 설명으로 바른 것을 보기에서 골라 기호를 쓰시오.**

보기
㉠ 많은 사람이 고향을 잃고 피란민이 되었다.
㉡ 북쪽과 남쪽에 두고 온 가족이 생겨 이산가족이 생겼다.
㉢ 여성들은 일본군 '위안부'로 끌려가 인권을 침해당했다.
㉣ 군인들에 의해 이유도 모른 채 희생당한 사람이 생겼다.

____

[1-2] 다음 자료를 보고, 물음에 답하시오.

"두루 원만하고 편을 가르지 않음이 군자의 공정한 마음이고, 편을 가르고 원만하지 못함이 소인의 사사로운 마음이다."

– 탕평비

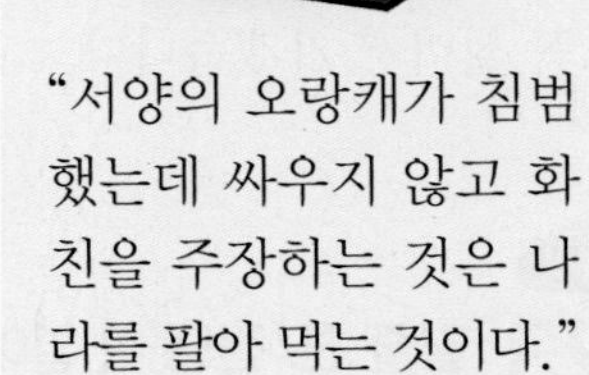

"서양의 오랑캐가 침범했는데 싸우지 않고 화친을 주장하는 것은 나라를 팔아 먹는 것이다."

– 척화비

1 **탕평비와 척화비를 세운 까닭을 각각 쓰시오.**

평가 실마리
- **관련 내용** 교과서 90, 98쪽, 개념 톡톡 85, 90쪽
- **출제 의도** 탕평비와 척화비 건립 이유 알기
- **선생님의 한마디**
"영조와 흥선 대원군의 개혁 정책을 떠올려 봐!"

2 **척화비를 세운 인물이 누구인지 쓰고, 그가 추진했던 정책을 두 가지 쓰시오.**

평가 실마리
- **관련 내용** 교과서 97쪽, 개념 톡톡 88쪽
- **출제 의도** 흥선 대원군의 개혁 정치 이해하기
- **선생님의 한마디**
"흥선 대원군이 펼쳤던 개혁 정치와 그 배경을 떠올려 봐!"

3 **다음 그림을 그린 조선 후기의 대표적인 풍속화가를 쓰고, 풍속화의 의미를 쓰시오.**

평가 실마리
- **관련 내용** 교과서 95쪽, 개념 톡톡 86, 87쪽
- **출제 의도** 조선 후기 풍속화 이해하기
- **선생님의 한마디**
"김홍도가 그린 풍속화의 특징을 떠올려 봐!"

4 **다음 대화의 밑줄 친 부분에 들어갈 내용을 쓰시오.**

재판관: 피고 안중근, 마지막으로 변론할 기회를 주겠다.

안중근: 내가 이토를 죽인 것은 의병 참모 총장의 자격으로 ______________________

평가 실마리
- **관련 내용** 교과서 117쪽, 개념 톡톡 106, 107쪽
- **출제 의도** 안중근의 의거 이유 이해하기
- **선생님의 한마디**
"안중근이 의거를 시행했을 때 일본이 우리나라에 한 일을 생각해 봐!"

[5-6] 다음 자료를 읽고, 물음에 답하시오.

> 윤 군(윤봉길)은 자신의 시계를 나에게 꺼내 주며 "이 시계는 어제 선서식 이후에 선생님 말씀대로 6원을 주고 산 시계인데, 선생님(김구)의 시계는 2원짜리니 저하고 바꿉시다. 제 시계는 앞으로 ㉠ 한 시간밖에는 쓸 데가 없으니까요."
> 하기에 나도 기념으로 윤 군의 시계를 받고 내 시계를 윤 군에게 주었다.
>
> ……
>
> 윤 군은 차창으로 고개를 내밀어 나를 향해 머리를 숙였다. 거사를 치르러 가기 직전의 윤 군의 모습이었다.
>
> –『백범 일지』, 「윤봉길 의거」–

5 윤봉길이 밑줄 친 ㉠과 같이 말한 까닭을 쓰시오.

평가 실마리
- **관련 내용** 교과서 129쪽, 개념 톡톡 113쪽
- **출제 의도** 한인 애국단과 윤봉길 의거 이해하기
- **선생님의 한마디**
  "윤봉길 의사가 독립을 위해 했던 일을 떠올려 봐!"

6 위의 글을 참고하여 김구가 독립운동을 위해 어떤 노력을 했는지 쓰시오.

평가 실마리
- **관련 내용** 교과서 129쪽, 개념 톡톡 112쪽
- **출제 의도** 김구의 항일 독립운동 이해하기
- **선생님의 한마디**
  "김구 선생님이 나라의 독립을 위해 노력했던 일을 생각해 봐!"

7 밑줄 친 신탁 통치 소식이 국내에 알려지자 우리나라에서 어떤 일이 일어났는지 쓰시오.

> 모스크바에서 미국, 영국, 소련의 외무 장관들이 한반도의 문제를 어떻게 처리할지 의논했다(모스크바 3국 외무 장관 회의). 이 회의에서는 한반도에 임시 민주 정부를 세우되, 정부가 수립될 때까지 최대 5년간 신탁 통치를 실시하기로 결정했다.

평가 실마리
- **관련 내용** 교과서 137쪽, 개념 톡톡 125쪽
- **출제 의도** 신탁 통치로 인한 민족 간의 갈등 이해하기
- **선생님의 한마디**
  "광복 후 민족 간에 갈등이 일어나게 된 배경을 생각해 봐"

8 전쟁 초기에 국군이 북한군에게 지도와 같이 밀리게 된 까닭을 쓰시오.

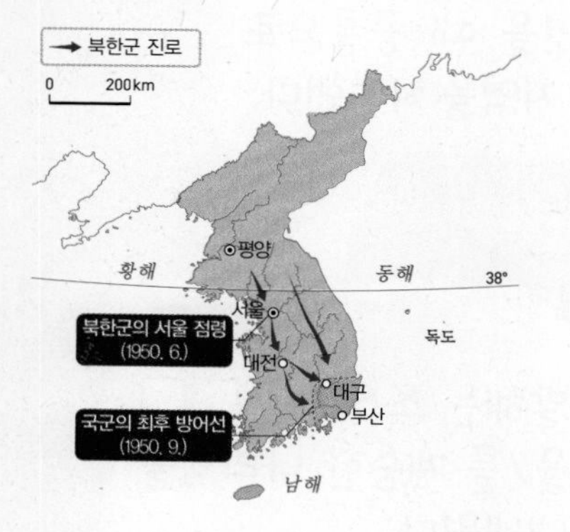

평가 실마리
- **관련 내용** 교과서 142쪽, 개념 톡톡 129쪽
- **출제 의도** 6·25 전쟁 과정 이해하기
- **선생님의 한마디**
  "6·25 전쟁이 일어나게 된 배경을 떠올려 봐!"

재미 쏙쏙 사회 보드게임

출발!

1 12쪽

미송리식 토기, 비파형 동검, □□□ □□□의 분포 지역으로 고조선의 문화 범위를 추측할 수 있다.

2 14, 16쪽

고구려, 백제, 신라는 전성기였을 때 공통으로 □□ 지역을 차지했다.

3 20쪽

발해는 스스로 □□□을/를 계승한 나라임을 내세웠다.

4 32쪽

□□□이/가 이끌던 고려군은 후퇴하던 거란군을 추격해 귀주에서 크게 물리쳤다.

5 34쪽

몽골의 침입으로 고려는 도읍을 개경에서 □□□(으)로 옮겨 몽골의 침입에 맞섰다.

6 38쪽

현재 전해지는 금속 활자 인쇄본 중 가장 오래된 것은 고려 시대에 만들어진 『□□』이다.

7 52쪽

조선을 세운 사람들은 □□을/를 나라의 기본 정신으로 삼았다.

8 54쪽

세종은 백성이 글을 몰라 겪는 어려움을 덜기 위해 □□□□을/를 만들어 반포했다.

9 58쪽

임진왜란 당시 자기 고장과 나라를 지키고자 백성이 스스로 조직한 군대를 □□(이)라고 한다.

보드게임 진행 방법

1. 가위바위보로 주사위를 던질 순서를 정해요.
2. 주사위를 던져서 나온 숫자만큼 이동한 후, 문제에 대한 답을 말해요.
3. 정답을 말하면 제자리, 말하지 못하면 이전 위치로 돌아가요.
4. 화살표가 있는 칸에서 정답을 말하지 못하면 가리킨 곳으로 이동해요.
5. 마지막 칸에 먼저 도착하는 사람이 우승이에요.

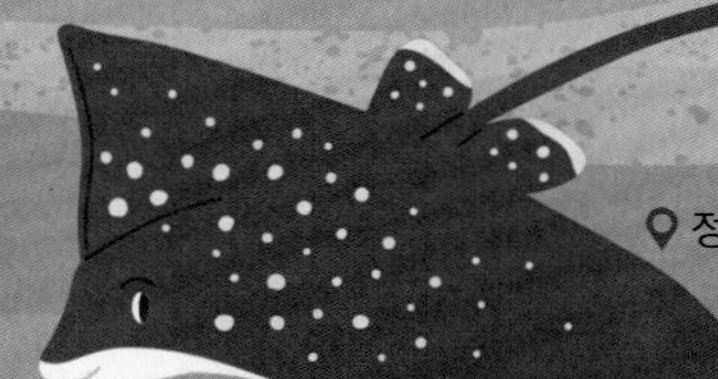

정답과 해설 31쪽

도착!

12 90쪽
흥선 대원군은 전국 각지에 척화비를 세워 서양과 교류를 거부한다는 □□ □□ □□ 정책을 추진했다.

13 104쪽
고종이 러시아 공사관에서 돌아와 황제 즉위식을 하고 대한제국을 선포한 장소는 어디입니까?

11 87쪽
조선 후기의 서민들의 일상생활 모습을 표현하고 풍속화를 많이 그린 대표적인 화가는 누구입니까?

14 110쪽
1919년 종교계와 학생들이 중심이 되어 우리의 독립 의지를 알리고자 □□ □□□을/를 제작해 배포했다.

15 112쪽
김구는 임시 정부의 활동에 활력을 불어 넣고자 □□ □□□을/를 조직했고, 단원으로 이봉창과 윤봉길 등이 활동했다.

10 84쪽
정조는 신도시 □□ □□을/를 건설하여 개혁 정치를 펼치고자 했다.

16 124쪽
미국, 영국, 소련의 외무장관이 모여 한반도에 임시 정부를 세우되, 정부가 수립될 때까지 5년간 신탁 통치를 결정한 회의를 무엇이라고 합니까?

17 126쪽
1948년 5월 10일 총선거로 선출된 국회 의원들은 국회를 구성하고, 나라 이름을 □□□□(으)로 정했다.

18 130쪽
6·25 전쟁으로 인해 남과 북의 가족이 서로 헤어져 만나지 못하는 것을 무엇이라고 부릅니까?

MEMO

초등 사회
자습서&평가 문제집

정답 톡톡

금성출판사

똑똑한
교과서 풀이로
언택트 시대
자기 주도 학습을
돕습니다.

정답과 해설

개념 톡톡 정답과 해설

문제 톡톡 정답과 해설

개념 톡톡 답지

1. 옛 사람들의 삶과 문화

① 나라의 등장과 발전

확인 톡!톡!

13쪽 1 × 2 단군왕검 3 문화
15쪽 1 불교 2 졸본 3 금동 연가 7년명 여래 입상
17쪽 1 진흥왕 2 대가야 3 한강
19쪽 1 신라 2 황산벌 3 석굴암
21쪽 1 × 2 고구려 3 해동성국
23쪽 1 ○ 2 사포 3 「접객도」

25~27쪽

1 ② 2 ㉠ 환웅, ㉡ 단군왕검 3 고조선 4 미송리식 토기 5 돈으로 갚는다. → 곡식으로 갚는다. 6 ⑤ 7 ㉢, ㉣ 8 ④ 9 고구려 10 ③ 11 ② 12 신라 13 ⑤ 14 ㉠ → ㉣ → ㉡ → ㉢ 15 불교 16 (1) ㉡ (2) ㉠ (3) ㉢ 17 예 바람, 비, 구름은 모두 농사에 영향을 미치는 것이다. / 고조선 사람들은 농사를 지으며 생활했음을 알 수 있다. 18 예 발해 석등을 통해 발해에서 불교문화가 발달했음을 알 수 있다. 또한 정효공주 무덤을 통해 발해가 고구려 문화, 당 문화 등의 영향을 받았음을 알 수 있다.

1 청동기 시대에는 농업이 발달하고 생산물이 풍부해지면서 인구가 늘어났다. 또한 사유 재산이 발생하여 빈부 격차가 커지고 계급 사회가 성립했다. 이 과정에서 권력이 있고 재산이 많은 집단이 다른 집단을 정복하거나 그들과 힘을 모으며 성장했다.

오답 확인
① 신석기 시대 이후 처음으로 농사를 짓기 시작했다.
③ 구석기 시대부터 돌로 도구를 만들기 시작했다.
④ 청동기 시대 이후 집단 간에 싸우는 일이 잦아졌다.
⑤ 청동기 시대 이후 지배자가 생기고 계급이 발생했다.

2 제시한 자료는 고조선의 건국 이야기에 대한 것이다. ㉠ 환인의 아들 환웅이다. ㉡ (고)조선을 세운 인물은 단군왕검이다.

3 우리 역사 속 최초의 국가는 고조선이다. 『삼국유사』에는 고조선의 건국 과정에 관한 이야기가 실려 있다.

4 제시한 내용에서 설명하는 문화유산은 미송리식 토기이다. 미송리식 토기, 비파형 동검, 탁자식 고인돌은 고조선을 대표하는 문화유산이며, 그 분포 지역으로 고조선의 문화 범위를 추측할 수 있다.

5 제시한 법 조항 중 잘못된 부분은 '돈'이다. 고조선의 법 조항에 따르면, 남에게 상해를 입힌 자는 곡식으로 갚는다고 되어 있다.

6 고조선은 사회 질서를 유지하기 위해 「8조법」이라는 법률을 만들었다. 그중 3개 조항만이 전해지는데, 이를 통해 고조선 사회의 모습을 알 수 있다. 제시된 법 조항으로 고조선에 신분제와 화폐의 개념이 있었음을 알 수 있다. 또한 도둑질한 사람을 처벌했으며, 법을 통해 사회 질서를 유지했음을 알 수 있다.
⑤ 고구려, 백제, 신라 등에 대한 설명이다.

7 제시한 자료에서 설명하는 나라는 백제이다. 백제의 문화유산에는 익산 미륵사지 석탑, 백제 금동 대향로, 서산 용현리 마애 여래 삼존상 등이 있다.

오답 확인
㉠, ㉡ 신라의 문화유산이다.

한눈에 쏙쏙 백제의 문화유산

백제 금동 대향로	여러 인물과 동물의 모습이 담긴 연꽃 봉오리를 한 마리의 용이 받치고 있는 모습의 향로이다.	
서산 용현리 마애 여래 삼존상	온화한 미소를 띤 이 불상은 '백제의 미소'라고도 불린다.	
익산 미륵사지 석탑	목탑의 모습을 본떠 돌을 쌓아 만들었으며, 우리나라 석탑의 초기 모습을 보여 준다.	

8 제시한 지도는 고구려가 세력을 크게 확대한 5세기이다. 이 무렵 광개토 대왕이 사방으로 영토를 확대했고, 그의 뒤를 이은 장수왕은 평양으로 도읍을 옮겼다.

오답 확인
① 기원전 108년의 사실이다.
② 기원전 18년의 사실이다.
③ 기원전 37년의 사실이다.
⑤ 신라가 세력을 확대한 6세기의 사실이다.

9 삼국은 불교를 받아들여 나라의 종교로 삼고 왕의 권위를 높이는 데 활용했다. 고구려는 그중에서도 가장 일찍 불교를 받아들였다.

10 삼국은 한강 지역을 차지하기 위해 치열하게 경쟁했다.

오답 확인

① 신라가 시작된 지역이다.
② 고구려가 전성기 때 차지한 지역이다.
④ 가야 연맹이 시작된 지역이다.
⑤ 백제, 가야, 신라가 차지한 지역이다.

한눈에 쏙쏙 **삼국의 영역 확장(삼국의 전성기)**

4세기 백제의 영역 확장과 교류 관계

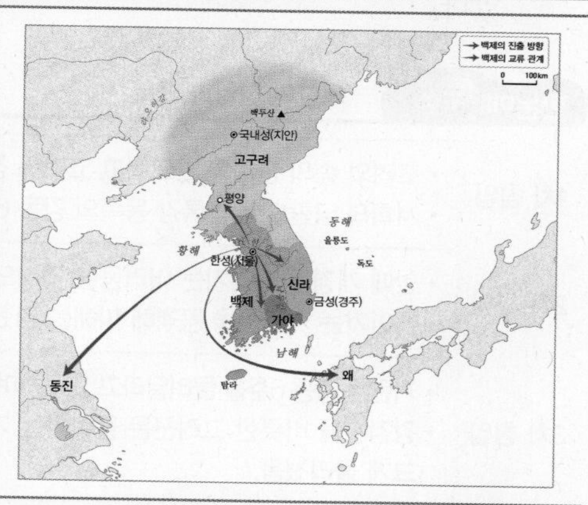

5세기 고구려의 영역 확장

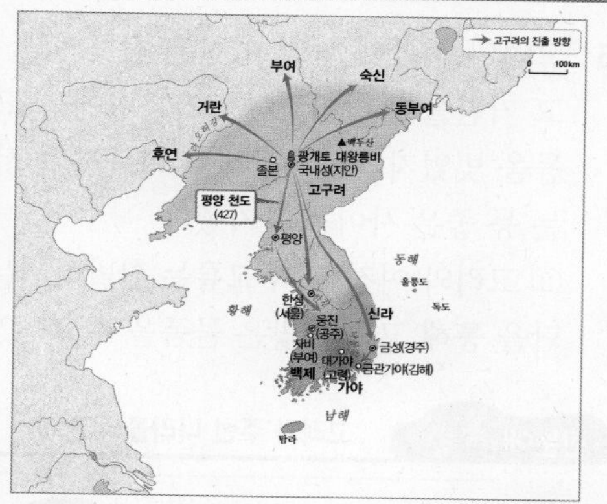

6세기 신라의 영역 확장

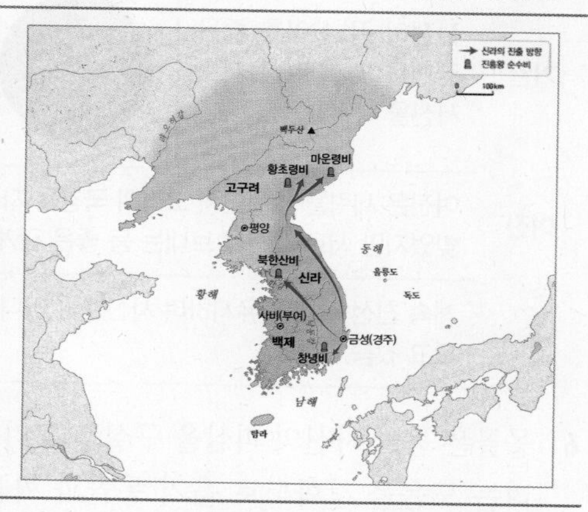

11 제시한 유물은 가야의 철제 판갑옷과 투구이다. 가야는 질 좋은 철이 많이 생산되었다.

오답 확인

① 익산 미륵사지 석탑, 백제 금동 대향로 등이 있다.
③ 발해 석등, 영광탑 등이 있다.
④ 금동 연가 7년명 여래 입상, 많은 고분 벽화 등이 있다.
⑤ 미송리식 토기, 비파형 동검, 탁자식 고인돌이 고조선을 대표하는 문화유산이다.

12 신라의 고분에서 금관, 금제 허리띠 등 많은 금제품이 발굴되었다. 이 외에도 신라는 금으로 만든 각종 장신구, 첨성대와 같은 건축물, 거대한 고분 등 다양한 문화유산을 남겼다.

13 제시한 자료는 고구려 멸망 후 당이 약속을 어기고 더 많은 영토를 차지하려고 한 상황을 표현했다. 이에 신라는 고구려 유민과 힘을 합해 당을 몰아내고 삼국 통일을 이룩했다.

오답 확인

① 백제가 멸망하기 전의 일이다.
② 고구려가 세력을 확대한 5세기의 일이다.
③ 신라가 세력을 확대한 6세기의 일이다.
④ 발해에 대한 설명이다.

14 7세기에 동맹을 맺은 신라와 당은 먼저 백제를 공격했다. 김유신이 이끄는 신라군은 황산벌에서 계백이 이끄는 백제군을 물리쳤다. 백제 멸망 후 신라와 당은 고구려를 공격해 멸망시켰다. 그러나 당이 평양 이남의 땅을 신라에 양보하기로 했던 약속을 어기자 신라는 당을 몰아내고 삼국 통일을 이루었다.

15 제시한 자료는 통일 신라의 불교 문화유산이다. 통일 이후 신라에서는 불교가 발달하고 불교문화가 꽃피었다.

한눈에 쏙쏙 **불국사와 석굴암**

불국사	부처의 나라를 현실에 나타내려는 신라인의 소망을 담아 경주 토함산에 만든 절이다.
석굴암	경주 토함산에 화강암을 쌓아 올려 동굴처럼 만든 절이다.

16 (1) 신라는 경주 지역의 사로국에서 시작했다. (2) 가야는 낙동강 지역에 있던 여러 나라의 연맹으로 시작되었으며, (3) 발해는 대외적으로 고려(고구려) 국왕이라 칭하며 고구려를 계승한 나라임을 내세웠다.

17 고조선의 건국 이야기에 등장하는 바람, 비, 구름은 모두 농사에 영향을 미치는 것이다. 이를 통해 고조선 사람들이 농사를 지었음을 알 수 있다.

[채점 기준] '농사에 영향을 미친다.' 또는 '농사를 지었다.'의 내용을 포함해 바르게 썼다.

18 상경 등 여러 곳에 남아 있는 탑, 석등 등을 보면 발해에서 불교문화가 발달했음을 짐작할 수 있다. 또한 정효 공주 무덤 등의 문화유산을 보면 발해 문화가 고구려 문화뿐만 아니라 당 문화 등의 영향을 받았음을 알 수 있다.

[채점 기준] '불교문화가 발달했다.', '고구려 문화, 당 문화의 영향을 받았다.' 등의 내용을 포함해 바르게 썼다.

❷ 독창적 문화를 발전시킨 고려

확인 톡!톡!

31쪽 1 후백제 2 (태조) 왕건 3 고구려
33쪽 1 강동 6주 2 귀주 3 ○
35쪽 1 강화도 2 김윤후 3 ○
37쪽 1 ○ 2 연등회 3 팔관회
39쪽 1 목판 인쇄술 2 × 3 세계 기록 유산
41쪽 1 중국 2 상감 기법 3 ×
43쪽 1 ○ 2 강감찬 3 금속 활자

45~47쪽

1 ④ 2 서희 3 강동 6주 4 ④ 5 ② 6 ㉠, ㉢ 7 강화도 8 ㉡, ㉢ 9 불교 10 ② 11 ② 12『직지』 13 ④ 14 고려청자 15 상감 16 ㉠, ㉢, ㉣ 17 예 고려 사람들은 부처의 힘으로 몽골의 침입을 이겨내고자『팔만대장경』을 만들었다. 18 예 고려의 목판 제조술, 조각술, 인쇄술 등이 뛰어났음을 알 수 있다.

1 왕건은 송악의 호족으로 궁예를 몰아내고 고려를 세웠다. 이후 고려는 많은 호족의 도움으로 신라의 항복을 받고 후백제를 물리치며 후삼국을 통일했다.
④ 왕건은 발해 멸망 후 발해 유민을 받아들였다.

한눈에 쏙쏙 왕건의 정책

민생 안정	백성의 생활을 안정시키며 세금을 줄였음.
정치 안정	호족들을 적절히 견제하며 좋은 관계를 유지했음.
민족 통합	거란 멸망 후 발해 유민을 받아들였음.
북진 정책	북쪽으로 점차 영토를 넓혀 나갔음.

2 송과의 전쟁을 준비하던 거란은 고려와 송의 관계를 끊기 위해 고려를 침입했다. 고려의 일부 신하들은 거란에 북쪽 땅을 내어 주고 화해할 것을 주장했다. 그러나 서희는 거란의 장수를 만나 송과의 관계를 끊고 거란과 교류할 것을 약속했다(서희의 담판).

3 서희의 담판 결과 거란의 군사는 물러갔고, 고려는 압록강 동쪽의 강동 6주를 차지하게 되었다.

4 강감찬이 이끌던 고려군은 후퇴하던 거란군을 추격하여 귀주에서 크게 물리쳤다. 귀주 대첩 이후 거란은 다시 고려를 침입하지 않았다.

오답 확인
① 거란의 1차 침입 때 서희가 거란의 장수인 소손녕과 담판을 벌였다.
② 거란의 2차 침입 때 수도 개경을 빼앗기기도 했다.
③ 서희의 담판 결과 거란의 군사는 물러갔고, 고려는 압록강 동쪽의 강동 6주를 확보했다.
⑤ 거란은 3차 침입 이후에는 다시 고려를 침입하지 않았다.

한눈에 쏙쏙 거란의 침입과 극복

1차 침입	• 고려와 송의 관계를 끊으려고 고려를 침입했음. • 서희의 담판으로 압록강 동쪽의 강동 6주를 차지했음.
2차 침입	• 한때 개경을 빼앗기는 어려움을 겪기도 했음. • 돌아가는 거란군을 공격해 피해를 입혔음.
3차 침입	• 거란은 강동 6주를 돌려달라고 요구하며 고려를 침입했음. • 강감찬을 비롯한 고려군은 돌아가는 거란군을 귀주에서 크게 물리쳤음.

5 고려의 북쪽에 살던 여진은 점차 힘을 키워 금을 세우고 거란을 멸망시켰다. 그 과정에서 고려와 여진은 갈등을 빚었지만, 곧 관계를 회복하여 서로 사신을 보내는 등 좋은 사이를 유지했다.
② 고려와 여진 간의 교류는 활발하지는 않았지만 사신단을 통해 고려와 많은 물품을 주고받았다.

한눈에 쏙쏙 고려와 주변 나라들의 관계

거란	전쟁이 끝난 이후 좋은 관계를 맺고 매년 서로 사신을 파견했음.  거란의 글자가 새겨진 거울
여진	여진은 세력을 넓히면서 고려의 국경을 자주 침범해 갈등을 빚었지만 서로 사신을 보내는 등 좋은 관계를 유지했음.
송	계속 친선 관계를 유지하며 사신뿐만 아니라 상인들도 자주 오고 갔음.

6 몽골은 몽골 사신의 피살을 구실로 고려를 침입했다. 고려는 도읍을 강화도로 옮겨 몽골과 싸울 준비를 했다. 두 나라의 전쟁은 약 30년 동안 이어졌다. 몽골과 타협을 거부하던 최씨 무신 정권이 무너지자 고려의 태자가 직접 몽골에 화해를 요청하며 전쟁이 마무리되었다.

오답 확인
㉡, ㉣ 몽골과의 타협을 거부하던 최씨 무신 정권이 무너지자 고려는 몽골과 강화를 맺고, 이후 도읍을 다시 개경으로 옮겼다. 그 결과 고려는 일부 영토를 몽골에 내어 주었으나 나라를 유지할 수 있었다.

7 유목 생활을 하던 몽골은 바다에서 하는 싸움에 약했기 때문에 고려는 강화도로 도읍을 옮겼다. 강화도는 전국 각지와 뱃길로 쉽게 연결되어 있었다.

8 고려와 몽골과의 전쟁은 약 30년 동안 이어진 전쟁으로 많은 사람이 죽거나 몽골에 포로로 끌려갔다. 또한 국토가 황폐해졌으며, 초조대장경과 황룡사 9층 목탑 등 많은 문화유산이 피해를 입었다.

오답 확인

㉠ 몽골과의 전쟁은 약 30년 동안 이어졌다.
㉣ 전쟁이 끝난 후 중국어를 익혀 몽골에 드나드는 사람이 늘어나는 등 몽골과 교류가 많아졌다.

9 고려 시대 불교는 왕실의 보호와 지원을 받으며 발전했다. 고려 왕실과 지방 세력은 곳곳에 절을 세우고 불상과 탑을 만들어 백성의 믿음과 존경심을 얻고자 했다.

10 고려는 연등회, 팔관회와 같은 불교 행사를 크게 열었다. 연등회는 이른 봄에 열렸는데, 연등회가 열리면 사람들은 곳곳에서 등불을 밝혀 한 해의 농사가 잘되고 부처의 가르침이 널리 퍼지기를 기원했다.
팔관회는 가을 추수가 끝난 후인 음력 11월에 부처와 고려를 지켜 주는 신들에게 나라의 안녕을 빌기 위해 열렸다. 개경에서 팔관회가 열리면 각지의 관리와 다른 나라 사람들이 찾아와 왕에게 축하 인사를 올렸다.
② 무구정광대다라니경은 통일 신라의 불교 문화유산이다. 불국사 삼층 석탑을 보수하는 과정에서 발견되었다.

한눈에 쏙쏙 고려의 불교 문화유산

▲ 논산 관촉사 석조 미륵보살 입상	▲ 평창 월정사 팔각 구층 석탑	▲ 영주 부석사 무량수전

11 고려는 몽골의 침입으로 초조대장경이 불에 타 버리자 부처의 힘으로 몽골을 물리치고자 『팔만대장경』을 만들었다. 팔만대장경판은 글자가 고르고 틀린 글자도 거의 없다. 이를 통해 고려의 목판 제조술, 조각술, 인쇄술 등이 매우 뛰어났음을 알 수 있다.

12 『직지』는 1377년에 인쇄한 책으로 오늘날 전해지는 금속 활자 인쇄본 중 가장 오래된 것이다. 유럽에서 만든 금속 활자보다 70여 년 이상 앞서 제작되었다. 현재 프랑스 국립 도서관에 보관되어 있다.

13 금속 활자는 필요한 글자를 조합해 활자판을 짰기 때문에 여러 종류의 책을 인쇄할 수 있었다. 또한 보관하기 어려운 목판과 달리 보관이 쉬웠다.

오답 확인

① 갈라지고 휘는 나무의 성질 때문에 보관하기 어려운 목판과 달리 보관이 쉬웠다.
② 당시 금속 활자 인쇄는 목판 인쇄만큼 깨끗하지 않았다.
③ 금속 활자를 만들면 필요할 때마다 활자판을 새로 짤 수 있어 전체를 보관할 필요가 없다.
⑤ 당시 금속 활자 인쇄는 아직 기술이 부족했지만, 조선 시대로 이어져 크게 발전했다.

14 고려청자는 고려 시대를 대표하는 예술품이다. 고려청자는 방수성이 뛰어나고 색과 무늬가 아름다워 다양한 용도로 쓰였다. 청자는 만들기 어렵고 귀한 물건이었기 때문에 왕실과 귀족들이 주로 사용했다. 고려의 왕실과 귀족들은 화려한 문화 생활을 했음을 알 수 있다.

15 청자를 만드는 기술은 본래 중국에서 들어왔기 때문에 처음에는 모양과 무늬가 중국과 비슷한 청자가 많이 만들어졌다. 고려 사람들은 시간이 지나면서 굽는 방법, 빛깔, 형태, 무늬를 발전시켰고, 나중에는 상감 기법이라는 공예 기법을 도자기에 적용하여 독창적인 고려청자를 만들었다.

16 고려 시대는 가마를 만드는 기술, 불을 다루는 기술, 광택을 내고 단단하게 하는 유약을 만드는 기술 등이 발달했다. 또한 청자를 만드는 데 적합한 흙이 있었기 때문에 뛰어난 고려청자를 만들 수 있었다.

㉡ 목판을 만드는 기술은 『팔만대장경』과 관련이 있다.

17 고려는 몽골 침입 이전에 이미 대장경을 만들었다(초조대장경). 몽골 침입으로 대장경판이 불에 타 버리자 부처의 힘으로 몽골의 침입을 이겨내고자 『팔만대장경』을 만들었다.

[채점 기준] '몽골의 침입을 이겨내고자 만들었다.'의 내용을 포함해 바르게 썼다.

18 『팔만대장경』은 지금까지 전해지는 대장경 가운데 완성도가 가장 높다. 『팔만대장경』은 십여 년간 목판 8만여 장에 불경을 새긴 것임에도 글자가 고르고 틀린 글자도 거의 없다. 고려의 목판 제조술, 조각술, 인쇄술 등이 매우 뛰어났음을 알 수 있다.

[채점 기준] '목판 제조술, 조각술, 인쇄술' 중 한 가지 이상을 포함해 바르게 썼다.

❸ 민족 문화를 지켜 나간 조선

확인 톡!톡!

51쪽 1 위화도 2 정도전 3 경복궁
53쪽 1 ○ 2 사관 3 쓰시마섬
55쪽 1 『향약집성방』 2 자격루 3 측우기
57쪽 1 ○ 2 중인 3 신사임당
59쪽 1 ○ 2 명 3 수군
61쪽 1 ○ 2 강화 회담 3 정유재란
63쪽 1 광해군 2 ○ 3 삼전도
65쪽 1 × 2 × 3 사관

67~69쪽

1 ⑤ 2 유교 3 ③ 4 농사직설 5 ③ 6 (1) ㉠ (2) ㉢ (3) ㉡ 7 경국대전 8 ⑤ 9 (1) ㉡ (2) ㉣ (3) ㉢ (4) ㉠ 10 신사임당 11 ① 12 ④ 13 ⑤ 14 ② 15 병자호란 16 ② 17 예 공통점은 시간을 알려 주는 기구이다. 차이점은 앙부일구는 해시계이고, 자격루는 물시계이다. 18 예 백성들이 농사짓는 데 도움을 주었다. 일상생활에서 시간을 알거나 날씨(절기)를 대비하는 데 도움을 주었다.

1 한양은 삼국 시대부터 나라의 중심에 있어 교통이 편리하고 지리적으로 많은 이점이 있었다. 한강을 거쳐 물자를 실어 나르거나 농사짓기에도 좋았다. 또한 세 면이 산으로 둘러싸여서 외적의 침입을 막기에도 유리했다.

오답 확인
① 한강으로 물자를 실어 나르기에도 좋았다.
② 이성계를 중심으로 한 세력은 새로운 왕조를 세우고자 했다. 이후 조선을 세운 후 고려의 도읍이었던 개경에서 한양으로 도읍을 옮겼다.
③ 사람들이 많이 살아서 한양을 도읍으로 정한 것은 아니다.
④ 영토 확장보다는 세 면이 산으로 둘러싸여 있어서 외적의 침입을 막기에 유리했다.

2 조선은 유교를 나라의 기본 정신으로 삼았다. 유교의 가르침에 따라 경복궁의 앞에 관청, 동쪽에 종묘, 서쪽에 사직단을 두었다. 그리고 궁궐과 도성의 사대문을 각각 유교에서 강조하는 덕목인 인의예지신(仁義禮智信)으로 이름을 붙였다. 흥인지문(동대문), 숭례문(남대문), 돈의문(서쪽 문), 숙정문(북쪽 문) 등이 대표적인 예이다.

3 고려 말에는 외적의 침입이 이어지고 권문세족이 토지와 노비를 차지해 사회가 매우 혼란스러웠다. 당시 신진 사대부 중 일부는 외적을 물리치며 성장한 이성계 등의 무인 세력과 손잡고 고려 사회를 개혁하려고 했다.
③ 이성계와 신진 사대부는 반대 세력을 몰아내고 권력을 잡았다.

한눈에 쏙쏙

권문세족	고려 후기의 지배 세력으로, 몽골과의 관계를 배경으로 오랫동안 권력을 누렸음.
신진 사대부	고려 말에 성장한 정치 세력으로 유교의 한 갈래인 성리학을 공부하고 과거 시험으로 관리가 되었음.

4 『농사직설』은 집현전 학자들이 우리나라 환경에 맞게 농사짓는 방법을 정리해 만든 책으로, 각 지역의 관리들에게 나눠 주었다.

5 훈민정음은 '백성을 가르치는 바른 소리'라는 의미로, 배우기 쉽고 거의 모든 소리를 적을 수 있는 과학적이고 독창적인 문자였다. 세종은 백성들이 글을 몰라 어려움을 겪자, 이를 덜어 주려고 우리글을 만들었다.
③ 훈민정음은 당시 주로 한자를 사용하던 양반에게 무시당하기도 했다.

6 조선은 건국 초부터 백성의 생활에 도움이 되는 과학 기술을 발전시키는 데 힘썼다. 세종은 신하들에게 혼천의, 앙부일구, 자격루, 측우기와 같은 과학 기구를 발명하게 했다.

한눈에 쏙쏙 세종 대의 과학 기구

혼천의	우리나라 하늘에서 일어나는 각종 천문 현상을 연구하기 위해 해와 달, 별의 움직임을 관찰할 때 사용하던 관측기구임.	
앙부일구	해 그림자로 시간을 표시하는 해시계임. 그림자가 절기에 따라 달라져 시각뿐만 아니라 절기도 정확하게 알 수 있음.	
자격루	자동으로 시각을 알려 주는 물시계로, 두 시간마다 인형이 종과 북을 울려 시각을 알 수 있도록 만들었음.	
측우기	비가 내린 양을 측정하는 기구로, 한양과 각 고을에 설치되었음. 비의 양을 잰 뒤 그것을 기록해 지역의 기후를 파악하는 데 쓰였음.	

7 『경국대전』은 '나라를 다스리는 큰 법전'이라는 뜻으로 조선에서 지켜야 할 규범을 여섯 개 영역으로 나눠 담았다. 그 내용을 통해 당시 조선 사회의 모습을 엿볼 수 있다.

8 일반 백성들에게도 유교의 정신을 가르치기 위해 『삼강행실도』나 『오륜행실도』 등을 만들어 보급했다.

오답 확인

① 『징비록』은 임진왜란 당시 높은 관리였던 유성룡이 전쟁 때 경험한 일을 기록한 책이다.

② 『농사직설』은 각 지방 농민들로부터 농사짓는 방법을 직접 듣고, 이를 정리하여 만든 책이다.

③ 『난중일기』는 임진왜란 때 이순신이 쓴 일기이다.

④ 『향약집성방』은 우리나라에서 자라는 약재를 활용한 치료법을 정리한 책이다.

9 조선 시대에는 태어날 때부터 신분이 정해져 있었다. 조선의 신분은 양인과 천인(천민)으로 나뉘었으며, 양인에는 양반, 중인, 상민이라는 여러 계층이 있었다.

한눈에 쏙쏙 신분에 따른 조선 시대 생활 모습

양인	양반	유교의 가르침이 담긴 책을 공부하고 관리가 되어 나랏일에 참여하기도 했음.
	중인	궁궐에서 그림을 그리거나 통역을 하는 등 여러 분야에서 전문적인 일을 했음.
	상민	대부분 농사를 지었고, 일부는 장사 등을 했음. 수확 일부를 세금으로 내는 등의 의무를 졌음.
천인(천민)		대부분 나라나 개인의 재산으로 여겨졌으며, 주인을 위해 허드렛일이나 물건을 만드는 일을 했음.

10 신사임당은 어려서부터 글과 시를 잘 썼으며, 그림도 잘 그렸다. 「초충도」와 같은 훌륭한 작품을 많이 남겨 조선을 대표하는 예술가로 자리 잡았다.

11 조선은 나라를 세운 후 200년 동안 평화를 누렸다. 이러한 이유로 임진왜란 이전 군사력이 약화되었고, 전쟁에 대한 대비가 부족했다. 일본의 침략에 대비해야 한다는 의견이 나왔지만 크게 주목받지 못하고, 전쟁이 일어나지 않을 것으로 판단했다.

① 전쟁에 대한 대비가 부족해 군사력이 약했다.

12 『난중일기』는 이순신이 전쟁 중에 쓴 일기이다. 이순신이 이끄는 조선 수군은 노량, 명량, 한산도 등에서 일본에 계속 승리했다.

④ 권율은 행주산성에서 관군, 의병, 승병과 힘을 합해 일본군을 물리쳤는데, 이를 행주 대첩이라고 한다.

13 도요토미 히데요시가 조선과 명을 정복하고자 부산을 공격하며 1592년 임진왜란을 일으켰다.

오답 확인

① 선조는 의주로 피란하여 명에 도움을 요청했다.

② 일본이 대륙까지 침략할 것을 걱정한 명이 조선에 군대를 보냈다.

③ 육지에서 곽재우와 의병이 크게 활약했다.

④ 행주산성에서 권율의 부대가 활약했다.

14 권율이 이끄는 조선군은 행주산성에서 백성과 함께 일본군을 크게 물리쳤다.

오답 확인

①, ③ 조헌, 곽재우는 의병이었다.

④ 김시민은 임진왜란 때 진주에서 큰 승리를 이끌어 낸 조선의 장군이다.

⑤ 이순신은 조선의 수군을 이끌었다.

15 정묘호란을 일으켰던 후금은 나라 이름을 청으로 바꾸고, 조선에 임금과 신하의 관계를 요구했다. 조선이 청의 요구를 거절하자 청은 조선을 다시 침략하여 병자호란을 일으켰다.

16 인조와 신하들은 남한산성에서 청군에 맞섰으나 곧 완전히 포위되었다. 상황이 점점 불리해지고 강화도가 함락되자 인조는 남한산성에서 나와 삼전도에서 청에 항복했다.

② 인조는 삼전도에서 청 태종에게 항복했다.

한눈에 쏙쏙 정묘호란과 병자호란

정묘호란	• 명과 전쟁 중이던 후금은 조선을 굴복시키고자 조선에 쳐들어왔음. • 조선은 전쟁에 패했고, 조선과 후금이 형제 관계를 맺는다는 조건으로 전쟁을 끝냈음.
병자호란	• 청이 조선에 임금과 신하의 관계를 요구해 왔고, 조선이 거절하자 조선을 다시 침입했음. • 인조가 남한산성으로 피신했으나 결국 삼전도에서 청에게 항복하고 조선과 청은 신하와 임금의 관계를 맺었음.

17 앙부일구는 가마솥이 하늘을 우러르고 있는 모양의 해시계이고, 자격루는 종을 쳐서 시각을 알려 주는 물시계이다.

[채점 기준] 앙부일구와 자격루의 '공통점은 시계, 차이점은 해시계와 물시계'라는 내용을 포함해 바르게 썼다.

18 과학 기구의 발명으로 일상생활에서 시간을 알거나 날씨를 대비하는 데 도움을 주었고 농사를 짓는 데 도움이 되었다.

[채점 기준] '농사를 짓는 데 도움', '일상생활에서 시간과 날씨(절기)를 아는 데 도움'이라는 내용을 포함해 바르게 썼다.

쪽지 시험 72쪽

1 청동기 2 비파형 동검 3 백제 금동 대향로 4 장수왕 5 대가야 6 불국사 7 발해 8 ○ 9 강감찬 10 팔관회 11 × 12 훈민정음 13 ○ 14 남한산성

단원 톡톡 문제 73~75쪽

1 ③ 2 ②, ⑤ 3 ⑤ 4 불교 5 ⑤ 6 ② 7 ⑤ 8 ④ 9 ④ 10 ② 11 ④ 12 ③ 13 ① 14 ③ 15 ① 16 ㉠ 4군, ㉡ 6진 17 ⑤ 18 이순신 19 형제 20 ㉠, ㉡

1 환웅이 바람, 비, 구름을 다스리는 신하를 데리고 왔다는 점에서 농업을 중요하게 생각했다는 것을 알 수 있다.

오답 확인

①, ②, ④는 고조선의 법에 관한 내용이다.

⑤ 밑줄 친 부분과 관계가 없다.

한눈에 쏙쏙 고조선의 건국 이야기에 담긴 의미

건국 이야기	의미
환웅은 바람, 비, 구름을 다스리는 신하와 무리 3천여 명을 이끌고 태백산으로 내려왔다.	바람, 비, 구름을 다스리는 신하를 이끌고 내려왔다는 점에서 농업을 중요하게 생각했음을 알 수 있음.
어느 날 곰과 호랑이가 환웅을 찾아와 사람이 되게 해 달라고 빌었다.	곰을 믿는 부족과 호랑이를 믿는 부족이 환웅 부족과 연합하고 싶어 했음을 알 수 있음.
웅녀는 환웅과 결혼하여 아들을 낳았고, 그 아들이 후에 단군왕검이 되었다.	곰을 믿는 부족이 환웅 부족과 연합했다는 것을 알 수 있음.

2 5세기 무렵에는 광개토 대왕이 정복 활동을 하며 사방으로 세력을 넓혔고, 그의 뒤를 이어 왕이 된 장수왕은 평양으로 도읍을 옮기고 남쪽의 한강 지역까지 영토를 더욱 넓혔다.

오답 확인

①, ③ 진흥왕과 무열왕은 신라의 왕이다.

④ 근초고왕은 백제의 왕이다.

3 경주 첨성대는 하늘의 별, 해와 달의 위치 등을 관찰하던 시설로 알려져 있다. 당시 왕들은 자신의 권위를 하늘과 연결하려고 했다.

오답 확인

① 무덤을 장식하기 위한 것과는 관련이 없다.

② 첨성대는 전쟁을 대비한 시설이 아니다.

③ 불교를 전파하기 위해 절, 탑, 불상 등을 만들었다.

④ 영토가 넓어진 것을 기념하기 위해 서울 북한산 신라 진흥왕 순수비 등을 세웠다.

4 금동 연가 7년명 여래 입상은 고구려의 불상이고, 황룡사는 진흥왕 때 만들어진 절이다. 두 문화유산은 불교와 관련이 있다.

5 삼국은 불교를 통해 백성의 마음을 하나로 모으고, 왕의 힘을 더 강하게 만들기 위해 불교를 장려했다.

6 익산 미륵사지 석탑, 서산 용현리 마애 여래 삼존상은 백제의 불교 문화유산이다. 영주 부석사 무량수전, 팔만대장경은 고려의 불교 문화유산이다.

② 광개토 대왕릉비는 장수왕이 광개토 대왕의 업적을 기념하기 위해 세운 비석이다.

7 가야는 질 좋은 철이 많이 생산되어 철을 이용해 다른 나라와 활발히 교역했다.

오답 확인

① 철제 판갑옷과 투구만으로 알 수 없다.

② 철제 판갑옷과 투구는 불교문화와 관련이 없다.

③ 농기구가 아니므로 농업 기술의 발달을 보여 주는 문화유산이 아니다.

④ 가야는 철기를 만들어 다른 나라와 교역을 했으나 철제 판갑옷과 투구만으로는 알 수 없다.

8 고구려 유민인 대조영이 고구려 유민들과 말갈족을 이끌고 동모산 지역에 발해를 세웠다. 발해는 스스로 고구려를 계승했음을 내세웠고, 영토를 넓혀 강한 나라로 발전했다. 이에 당은 '바다 동쪽에서 기운차게 일어나 번성하는 나라'라는 뜻에서 발해를 '해동성국'이라고 불렀다. ④ 무령왕릉은 백제 무령왕의 무덤이다.

한눈에 쏙쏙 발해의 성립과 발전

건국	대조영이 고구려 유민과 말갈족을 이끌고 동모산 지역에서 발해를 세웠음.
발전	• 힘이 강력한 나라로 발전해 고구려의 옛 땅을 대부분 차지했음. • 당에서는 발해를 '해동성국'이라고 불렀음.
문화	• 발해는 고구려의 문화를 바탕으로 다른 나라의 문화를 받아들이면서 독자적인 문화를 발전시켜 나갔음. • 발해의 도읍지였던 상경과 그 주변 지역에서 불교와 관련된 문화유산이 많이 발견되었음.

9 서희는 거란의 장수를 만나 송과의 관계를 끊고 거란과 교류할 것을 약속했다. 그 결과 거란의 군사는 물러갔고, 고려는 압록강 동쪽의 강동 6주를 확보했다.

오답 확인

① 천리장성은 고려 시대 북쪽 경계 지역에 쌓았던 성곽이다.

② 현화사비는 귀주 대첩 직후 세워졌다.
③ 거란의 2차 침입 때 있었던 일이다.
⑤ 귀주 대첩에 대한 설명이다.

10 고려는 금속을 다루는 기술, 활자를 판에 고정하는 기술, 금속 활자 인쇄에 맞는 먹과 종이 등이 발달하여 금속 활자로 책을 찍을 수 있었다.
② 유약을 만드는 기술은 청자의 광택을 내고 단단하게 하기 위한 기술과 관련이 있다.

한눈에 쏙쏙 목판 인쇄술과 금속 활자 인쇄술의 특징

목판 인쇄	• 같은 책을 많이 인쇄하는 데 효과적임. • 갈라지고 휘는 나무의 성질 때문에 보관하기 어려움.
금속 활자 인쇄	• 필요한 글자를 조합하여 여러 종류의 책을 인쇄할 수 있음. • 목판보다 보관이 쉬움.

11 고려의 최씨 무신 정권은 도읍을 개경에서 강화도로 옮겨 몽골의 침입에 맞섰다. 몽골군은 바다에서 하는 싸움에 약했고, 강화도는 물살이 빠르고 갯벌이 넓어 몽골군이 침략하기 어려운 지역이었다. 또한 전국 각지와 뱃길로 쉽게 연결되어 있었다.

12 『직지』는 오늘날 전해지는 금속 활자본 중 가장 오래된 것이고, 팔만대장경판은 고려의 목판 인쇄술의 우수성을 알 수 있다. 청자 상감 운학무늬 매병은 상감 기법으로 만든 고려청자이고, 평창 월정사 팔각 구층탑은 고려의 대표적 석탑이다.
오답 확인
③ 『향약집성방』은 우리나라에서 자라는 약재를 활용한 치료법을 모은 조선 시대 의학 책이다.

13 고려청자는 방수성이 뛰어나고 색과 무늬가 아름다워 다양한 용도로 쓰였다. 그러나 만들기 어렵고 귀한 물건이었기 때문에 지배층이 주로 사용했다.
① 고려 시대의 청자는 최고급 그릇으로 여겨져 만들기도 어려워 주로 지배층이 사용했다.

14 조선을 세운 사람들은 유교를 나라의 기본 정신으로 삼았다. 유교의 가르침에 따르면 백성은 나라에 충성하고 부모와 어른을 공손히 모시며 남자와 여자, 아이와 어른 사이의 예절을 지켜야 한다고 강조했다.
③ 아이와 어른 사이의 예절을 지켜야 한다.

15 조선 시대에는 태어날 때부터 신분이 정해져 있어 신분에 따라 생활 모습이 달랐다.
① 상민의 대부분은 농사를 지었고, 일부는 장사 등을 했다.

16 세종은 여진족이 끊임없이 국경을 넘어오자 북쪽으로 4군과 6진을 개척하고 백성들을 옮겨 살게 해 차지한 땅을 지키도록 했다. 이로써 오늘날과 같이 압록강과 두만강을 경계로 하는 국경이 정해졌다.

한눈에 쏙쏙 조선 전기 주변 나라와의 관계

여진	여진족이 끊임없이 국경을 넘어와 피해를 주자 조선은 세종 대에 압록강 유역에 4군, 두만강 유역에 6진을 설치하여 영토를 넓혔음.
명	조선은 나라를 세운 직후 명과 갈등을 빚었으나 태종 이후부터는 좋은 관계를 유지했고, 서로 사신과 선물을 주고받았음.
일본	일본의 왜구가 침입해 오는 일이 끊이지 않자 조선은 세종 때 그들의 소굴인 쓰시마섬을 정벌했음.

17 의병의 신분은 양반에서 천민에 이르기까지 다양했으며, 백성들은 적극적으로 의병에 참여했고 전국으로 확대되었다.
오답 확인
① 의병은 자기 고장과 나라를 지키고자 백성이 스스로 조직한 군대이다.
② 의병의 활동 지역은 전국으로 확대되었다.
③ 양반에서 천민에 이르기까지 다양한 신분의 사람들이 의병에 참여했다.
④ 백성들은 자발적으로 군대를 조직하여 적극적으로 의병에 참여했다.

18 바다에서는 이순신이 이끄는 조선 수군이 일본군에 계속 승리했다. 이순신의 활약으로 서해를 통해 수군을 북상시켜 육군과 합류하게 하려는 일본의 계획은 물거품이 되었다. 또한 바다를 통해 식량과 무기를 공급하려던 계획도 차질을 빚었다.

19 광해군의 중립 외교 정책을 비판한 세력은 광해군을 쫓아내고 인조를 왕으로 세운 후 명을 가까이하고 후금을 멀리했다. 명과 전쟁 중이던 후금이 명을 돕는 조선을 굴복시키고자 조선을 침략했다. 조선의 관군과 의병이 후금에 맞서 싸웠으나 전쟁에 패했고, 조선과 후금이 형제 관계를 맺는다는 조건으로 전쟁을 끝냈다.

20 인조와 신하들은 남한산성에서 청군에 포위되어 40여 일간 맞서 싸웠다. 하지만 남한산성은 전쟁 준비가 되어 있지 않았고, 식량이 부족했다. 추위에 얼어 죽는 병사들도 생겼다.
㉢ 신하들은 청과 끝까지 싸워야 한다는 김상헌 등의 견해와 싸움을 멈추고 청에 항복하자는 최명길 등의 견해로 나뉘었다.

한눈에 쏙쏙 남한산성에서의 두 가지 주장

청군과 끝까지 싸워야 한다는 신하의 주장	청의 어떠한 요구도 받아들이지 말고 죽음을 각오하고 끝까지 싸워야 함. → 김상헌 등
청군과 싸움을 멈추고 화해하자는 신하의 주장	지금은 상황이 좋지 않으니 잠시 물러나 있다가 힘을 길러서 기회를 보아 청을 물리쳐야 함. → 최명길 등

서술형 톡톡 문제 76쪽

1 서희 2 ⓔ 거란은 고려와 송의 관계를 끊기 위해 고려를 침입했다. 거란은 송과의 전쟁을 준비하기 위해 고려를 침입했다. 3 ⓔ 거란의 군사가 물러갔다. 고려는 강동 6주를 확보했다. 4 상감 기법 / ⓔ 금속, 도자기 등의 표면에 무늬를 새겨서 그 속에 다른 재료를 박아 넣는 기법이다. 5 ⓔ 금속을 다루는 기술, 활자를 판에 고정하는 기술이 발달해야 한다. 금속 활자 인쇄에 맞는 먹을 만드는 기술, 금속 활자 인쇄에 맞는 종이를 만드는 기술이 발달해야 한다. 6 ⓔ 팔만대장경판은 현재까지 전해지는 세계 유일의 대장경판으로, 목판 제조술, 조각술, 인쇄술의 뛰어남을 보여 주어 유네스코 세계 기록 유산이 되었다.

1 제시한 자료는 서희와 거란 장수의 대화이다. 그러므로 ㉠에 들어갈 알맞은 인물은 서희이다. 거란이 고려와 송의 관계를 끊기 위해 고려를 침입하자, 서희는 거란의 진영으로 가서 거란 장수를 만나 담판을 벌였다.

2 후삼국이 경쟁할 무렵 중국의 당이 멸망했다. 중국 북쪽에서는 거란이 세력을 키워 나라를 세웠다. 이후 송이 중국의 대부분을 통합하자 고려는 송과 좋은 관계를 유지하며 국경을 마주한 거란을 경계했다. 송과의 전쟁을 준비하던 거란은 고려와 송의 관계를 끊기 위해 고려를 침입했다.

[채점 기준] '고려와 송의 관계를 끊기 위해', '송과의 전쟁을 준비하기 위해' 등의 내용을 포함해 바르게 썼다.

3 서희가 거란 장수와 만나 고려는 송과의 관계를 끊고 거란과 교류할 것을 약속했다(서희의 담판). 그 결과 거란의 군사는 물러갔고, 고려는 압록강 동쪽의 강동 6주를 차지하게 되었다.

[채점 기준] '거란의 군사가 물러갔다.', '고려가 강동 6주를 확보했다.' 등의 내용을 포함해 바르게 썼다.

4 고려 사람들은 금속, 도자기 등의 표면에 무늬를 새겨서 그 속에 다른 재료를 박아 넣는 상감 기법을 적용해 예술적인 고려청자를 만들었다.

[채점 기준] '표면에 무늬를 새겨서 그 속에 다른 재료를 박아 넣는다.'의 내용을 포함해 바르게 썼다.

5 고려는 금속을 다루는 기술, 활자를 판에 고정하는 기술, 금속 활자 인쇄에 맞는 먹과 종이 등이 발달해 금속 활자로 책을 찍을 수 있었다.

[채점 기준] '금속을 다루는 기술', '활자를 판에 고정하는 기술', '금속 활자 인쇄에 맞는 먹을 만드는 기술', '금속 활자 인쇄에 맞는 종이를 만드는 기술'의 내용 중 두 가지를 포함해 바르게 썼다.

6 고려 사람들은 몽골이 침입해 대장경이 불에 타 버리자 부처의 힘으로 몽골을 물리치고자 『팔만대장경』을 만들었다. 승려들과 백성이 십여 년에 걸쳐 완성한 『팔만대장경』은 목판이 8만여 장에 달하지만, 글자가 고르고 틀린 글자도 거의 없다.

[채점 기준] '세계 유일의', '목판 제조술, 조각술, 인쇄술의 뛰어남(우수성)' 등의 내용을 포함해 바르게 썼다.

한눈에 쏙쏙 고려의 기술과 문화를 알 수 있는 문화유산

고려청자	• 상감이라는 기법을 도자기에 적용해 상감 청자라는 독창적인 예술품을 만들어 냈음. • 주전자, 의자, 찻잔, 베개 등 다양한 용도로 쓰였음. • 만들기가 어렵고 귀한 제품이라 주로 지배층에서 사용했음.
『팔만대장경』	• 몽골의 침입으로 『초조대장경』이 불에 타자 부처의 힘으로 몽골의 침입을 이겨 내고자 대장경을 다시 만들었음. • 고려의 목판 제조술, 조각술, 인쇄술 등이 매우 뛰어났음을 알 수 있음.
금속 활자	• 『직지』는 오늘날 전해지는 금속 활자 인쇄본 중 가장 오래된 것임. • 금속 활자 인쇄술은 여러 종류의 책을 만드는 데 효율적이고 보관하기가 쉬웠음. • 금속 활자 인쇄를 위해서는 금속을 다루는 기술, 활자를 판에 고정하는 기술, 먹과 종이를 만드는 기술이 발달해야 했음.

2. 사회의 새로운 변화와 오늘날의 우리

① 새로운 사회를 향한 움직임

확인 톡!톡!

83쪽 1 ○ 2 상평통보 3 모내기법
85쪽 1 × 2 수원 화성 3 실학자
87쪽 1 × 2 탈놀이 3 풍속화
89쪽 1 × 2 흥선 대원군 3 경복궁
91쪽 1 × 2 초지진 3 강화도 조약
93쪽 1 ○ 2 갑신정변 3 청
95쪽 1 ○ 2 고부 봉기 3 갑오개혁
97쪽 1 ○ 2 등장인물 3 풍자

99~101쪽

1 ④ 2 ㉠ 붕당, ㉡ 탕평비 3 규장각 4 수원 화성 5 실학 6 ⑤ 7 ㉠, ㉢ 8 ② 9 세도 정치 10 ② 11 ④ 12 (1) ㉡ (2) ㉠ (3) ㉢ 13 청 14 ② 15 ㉡ → ㉣ → ㉠ → ㉢ 16 갑오개혁 17 강화도 / 예 프랑스와 미국은 조선에 통상을 요구하기 위해 강화도를 침입했다. 18 예 세도 정치로 인한 나라의 잘못된 점을 고치고, 국왕 중심의 왕권을 강화하기 위해서였다.

1 임진왜란 이후부터 붕당이 나타나 차츰 붕당 간의 대립이 심해졌다. 영조는 각 붕당의 인재를 고루 뽑아 쓰는 탕평책을 실시해 왕권을 강화하고 정치를 안정시키려고 노력했다. 또한 백성을 위해 세금을 낮추고, 홍수 피해를 막기 위해 청계천 정비 공사를 시행했다.
④ 정약용은 정조 때 등용된 인물로 수원 화성 건설을 계획하고, 『목민심서』 등의 책을 남겼다.

2 ㉠은 붕당이다. 붕당은 초기에 서로 다양한 의견을 받으며 정치를 이끌어 나갔다. 그러나 시간이 지나자 붕당은 국가와 백성보다 자신의 이익을 위해 다투어 정치가 혼란스러워졌다. ㉡은 탕평비이다. 영조는 인재를 고루 뽑아 쓰는 탕평 정치의 의지를 알리고자 성균관 입구에 탕평비를 세웠다.

3 규장각은 왕실 도서관이면서 학문 연구 기관이었다. 정조는 젊고 유능한 인재들을 뽑아 이곳에서 여러 정책을 함께 연구했다. 규장각의 가장 중요한 업무는 역대 왕들의 글이나 책 등을 정리하고 이것을 바탕으로 개혁 정치의 방향을 설정하는 것이었다.

4 정조는 영조의 탕평책을 이어받아 정치를 안정시키고자 노력했다. 또한 수원 화성을 건설하여 개혁 정치를 펼치고자 했다. 수원 화성은 우수한 과학 기술과 건축물의 예술적 가치를 인정받아 유네스코 세계 문화유산으로 등재되었다.

5 임진왜란과 병자호란을 겪은 후 조선 후기 백성들의 상황은 매우 어려워졌다. 이로 인해 토지 제도를 바꾸고, 현실 문제에 관심을 둔 실학을 연구하여 사회를 발전시키고자 했다.

6 조선 후기에는 새로운 변화에 따라 여러 제도 개혁이 절실히 필요했다. 정약용, 박지원, 김정호 등의 실학자들은 사회를 개혁하기 위해 정치, 경제, 사회 등 다양한 분야에 걸쳐 개혁을 주장했다.
⑤ 실학자들의 대부분은 권력에서 밀려나 있었기 때문에 이들의 주장은 적극적으로 반영되지 못했다.

한눈에 쏙쏙 실학자들의 다양한 주장

농업에 관심을 둔 실학자	토지 제도를 바꾸고 과학적인 농사 기술을 알려 농민 생활을 안정시키려고 했음. 예 정약용
상공업에 관심을 둔 실학자	청의 문물을 받아들이고 상업과 공업을 발달시켜 백성의 삶을 풍요롭게 하고자 했음. 예 박지원
우리의 고유한 것을 중요시한 실학자	우리나라의 역사, 천문학, 지리, 언어, 자연 등을 연구했음. 예 김정호

7 조선 후기 농업과 상공업의 발달로 경제적 여유가 생긴 서민들이 늘어나면서 문화와 예술 활동에도 관심을 기울이기 시작했다. 서민 문화에는 판소리, 탈놀이, 한글 소설, 풍속화 등이 있으며, 이를 통해 당시 사람들의 생활 모습과 생각을 알 수 있다.
㉡ 『홍길동전』은 허균이 쓴 한글 소설이다.

8 흥선 대원군은 세도 정치로 인한 문제점을 없애기 위해 개혁 정치를 실시하고, 왕권을 강화하기 위해 다양한 정책을 펼쳤다.

오답 확인

① 양반들이 내야 할 세금을 늘려 나라에 필요한 재정을 마련했다.
③ 세금을 면제받고, 백성들을 힘들게 하는 서원의 수를 대폭 줄였다.
④ 사회 문제를 해결하기 위해 왕권을 강화시키는 정책을 추진했다.
⑤ 세도 정치로 권력을 누린 세력들을 억누르고 다양한 인재를 등용했다.

9 정조가 죽은 이후 왕들이 어린 나이에 왕위에 오르자 외척 세력들이 권력을 잡고 나랏일을 마음대로 하는 세도 정치가 나타났다. 이들은 자신의 권력을 이용하여 관직을 사고팔거나 백성들에게 부당한 세금을 거두어 조선 후기 백성들의 삶은 매우 어려워졌다.

10 흥선 대원군이 집권하던 시기 서양의 여러 나라가 조선 해안에 나타나 통상을 요구했다. 강화도에 침입한 프랑스, 미국의 군대와 전쟁을 경험한 후 흥선 대원군은 전국에 척화비를 세워 통상 수교 거부의 뜻을 알렸다.

오답 확인

① 탕평비는 영조가 붕당 정치의 폐단을 없애기 위해 세운 비석이다.

③ 열녀비는 열녀를 기리기 위해 세운 비석이다.

④ 순수비는 신라 시대 진흥왕이 확장된 지역을 돌아보고 신라의 영토임을 알리기 위해 세운 비석이다.

⑤ 정계비는 나라 간에 국경선을 정하기 위해 세운 비로, 백두산 정계비가 있다.

11 개항을 바라는 요구가 높아지고, 일본의 압력을 받게 되자 조선은 강화도에서 일본과 강화도 조약을 맺고 개항했다. 강화도 조약은 일본과 맺은 최초의 근대 조약이지만 조선에 불리한 내용이 담긴 불평등 조약이었다.

④ 강화도 조약은 흥선 대원군이 물러난 후 고종이 직접 정치를 할 때 맺어진 조약이다.

12 개항 이후 조선 사람들은 조선이 나아가야 할 방향에 대해 다양한 생각을 가졌다. 최익현 등은 나라의 문을 여는 개화 정책에 반대했다. 김홍집과 같은 온건 개화파는 청과의 관계를 유지하면서 조선의 법과 제도를 지키며 천천히 해 나가자고 주장했다. 김옥균과 같은 급진 개화파들은 청의 간섭을 물리치고 서양의 제도와 사상까지 받아들여야 한다고 주장했다.

13 김옥균을 중심으로 한 사람들은 갑신정변을 일으켜 청에게 정기적으로 바치던 조공을 없애고, 큰 나라로 섬기던 태도도 버리자고 주장했다. 그러나 그들의 근대적인 개혁은 3일 만에 청군의 개입으로 실패했다.

14 개항 이후 농민들의 삶은 더욱 어려워져 새로운 세상을 바라는 사람들이 많아졌다. 이 시기에 고부 군수 조병갑의 횡포로 일어난 동학 농민 운동은 나쁜 관리가 없고, 모두가 평등하며, 청과 일본으로부터 독립적인 나라를 꿈꾸었다.

② 동학 농민군은 토지를 평균하여 나누어 경작하는 세상을 꿈꾸었다.

15 동학 농민 운동은 고부에서 조병갑의 횡포를 계기로 일어났다. 동학 농민군이 전주성을 점령했으나, 정부로부터 개혁안을 약속받고 스스로 해산했다. 그러나 청과 일본이 우리나라에서 싸우자 동학 농민군은 일본을 몰아내기 위해 다시 일어났다. 일본군의 무기에 밀려 공주 우금치 전투에서 크게 패한 동학 농민군은 뿔뿔이 흩어지고, 결국 전봉준도 체포되어 처형당했다.

한눈에 쏙쏙 1, 2차 동학 농민 운동

구분	내용
1차 동학 농민 운동	• 동학 농민 운동은 초기에 전라도 고부 군수 조병갑의 횡포로 일어났음. • 전주에서 동학 농민군은 외국 군대의 개입을 막으려고 정부와 협상해 개혁안을 약속받고 스스로 해산했음.
2차 동학 농민 운동	• 청과 일본은 조선에서 영향력을 넓히려고 전쟁을 벌였음(청 · 일 전쟁). • 전쟁에서 유리해진 일본이 조선의 정치에 간섭하자 동학 농민군은 일본을 몰아내기 위해 다시 일어났음. • 동학 농민군은 공주 우금치 전투에서 크게 패했고, 후퇴를 거듭하다 해산했음.

16 1894년 여러 세력의 개혁 요구에 조선은 개화파 관리들을 중심으로 갑오개혁을 추진했다. 갑오개혁은 일본의 강요에 의해 시작된 개혁이었지만, 차별적인 신분제가 폐지되고, 세금을 내는 조세 제도도 바뀌어 갑신정변과 동학 농민 운동에서 제기된 요구가 일부 실현되었다.

17 병인양요는 1866년 프랑스 신부를 처형한 것을 구실로 프랑스가 강화도를 침입한 사건이다. 신미양요는 1871년 미국의 제너럴 셔먼호가 평양에 들어와 난동을 피우다 불에 탄 사건을 구실로 강화도를 침입한 사건이다. 두 나라 모두 강화도에 침입해 조선과 전쟁을 치렀으며, 이 사건 이후 통상 수교 거부 의지를 널리 알리고자 흥선 대원군은 전국 곳곳에 척화비를 세웠다.

[채점 기준] '강화도', '통상 요구' 등의 내용을 포함해 바르게 썼다.

18 흥선 대원군은 불에 탔던 경복궁을 다시 지으려고 한참 바쁜 농사철에 농민들을 동원하고, 강제로 기부금을 걷는 등 무리한 정책을 펼쳐 백성들의 불만이 높아졌다. 하지만 흥선 대원군은 세도 정치의 잘못된 점을 고치고 국왕 중심으로 정치를 운영하기 위한 여러 정책을 펼쳤다.

[채점 기준] '세도 정치로 인한 문제점', '왕권을 강화하기 위해서'라는 내용을 포함해 바르게 썼다.

❷ 일제의 침략과 광복을 위한 노력

확인 톡!톡!

103쪽 1 ○ 2 청·일 전쟁 3 을미사변
105쪽 1 × 2 독립문 3 환구단
107쪽 1 ○ 2 신민회 3 안중근
109쪽 1 ○ 2 토지 조사 사업 3 민족 말살 정책
111쪽 1 × 2 독립 만세 3 『독립신문』
113쪽 1 ○ 2 조선어 학회 3 김구
115쪽 1 ○ 2 사진 3 안창호

주제 톡톡 문제 117~119쪽

1 ③ 2 ㉠ 독립 협회, ㉡ 만민 공동회 3 대한 제국 4 외교권 5 ⑤ 6 ㉠ 신돌석, ㉡ 윤희순 7 ④ 8 신민회 9 ① 10 ㉡ → ㉠ → ㉢ 11 토지 조사 사업 12 ④ 13 ㉠, ㉣ 14 유관순 15 (1) ㉡ (2) ㉠ (3) ㉢ 16 홍범도, 김좌진 / 예 독립을 위한 의지로 죽음을 각오했고, 그 지역의 지형과 전술을 잘 활용했기 때문이었다. 17 예 윤봉길 의거는 한국인의 독립 의지를 보여 주었다. 독립운동가들의 의지를 더욱 강하게 만드는 계기가 되었다. 중국이 대한민국 임시 정부의 활동을 도와주는 계기가 되었다.

1 고종은 을미사변 이후 생명에 위협을 느끼게 되었다. 이에 자신의 안전을 지키고 일본의 영향력을 벗어나고자 일본의 감시를 피해 러시아 공사관으로 거처를 옮겼다. 이를 아관 파천이라고 한다.
③ 고종은 일본의 감시를 피해 러시아 공사관으로 거처를 옮겼다.

2 외국 세력의 간섭에서 벗어나기 위해 사람들은 다양한 노력을 했다. 특히 정부의 관리와 개화 지식인들은 독립 협회를 설립하여 독립에 대한 강한 바람과 의지를 나타냈다. 또한 만민 공동회라는 집회를 열어 직업과 나이에 상관없이 모두가 나랏일에 대한 자신의 생각을 말함으로써 정부의 정책과 사회 제도를 비판할 수 있게 했다.

3 고종은 궁으로 돌아와야 한다는 여론이 높아지자 러시아 공사관에 머문지 1년 만에 경운궁(덕수궁)으로 돌아왔다. 환궁 후 대한 제국으로 나라 이름을 바꾸고, 황제 중심의 근대적인 개혁을 추진했다. 이 때 추진된 개혁으로 근대 시설 도입, 공장과 회사 설립, 외국에 유학생 파견 등을 들 수 있다.

한눈에 쏙쏙 대한 제국이 추진한 개혁

개혁 내용	• 여러 가지 근대 시설을 마련하고 공장과 회사 설립을 지원했음. • 외국에 유학생을 보냈고 학교를 세워 인재를 양성했음.
의의	황제의 국가로서 자주독립국임을 국내외에 알리고, 여러 분야에 걸쳐 개혁을 실시했음.
한계	황제의 권리를 지나치게 강조했고, 국민의 권리를 제대로 보장하지 못했음.

4 일본은 러·일 전쟁을 계기로 더욱 우리나라의 침략을 가속화했으며, 1905년 을사늑약을 맺고 외교권을 빼앗아 갔다. 이로 인해 대한 제국은 독립국의 지위를 잃고, 다른 나라와 외교 활동을 할 수 없게 되었다.

5 고종은 헤이그에 특사를 파견하여 을사늑약의 부당함을 국제 사회에 알리고자 했으나 일제의 방해로 성공하지 못했다.

6 나라가 위기에 처하자 전국 각지에서 의병이 일어났다. 유학자나 관리 출신들이 의병 투쟁의 중심이 되었고, 평민과 여성 등 다양한 사람들이 참여하며 항일 의병 전쟁으로 발전했다. 신돌석은 '태백산 호랑이'로 불리며 경상도와 전라도 일대에서 활약했고, 여성 의병장 윤희순은 의병가를 만들어 의병 활동을 장려했다.

7 일제의 침략에 맞서서 안중근, 안창호, 이회영 등 많은 독립운동가가 활동했다. 안중근은 뤼순 감옥에서 재판을 받을 때 당당히 이토 히로부미를 살해한 이유를 밝히고, 일제가 조선을 침략한 것이 부당함을 널리 알리고자 했다.
④ 안중근은 사형 집행으로 뤼순 감옥에서 순국했다.

8 신민회는 1907년 서울에서 조직된 비밀 결사로 안창호 등이 중심 인물이다. 후에 이 단체와 관련해 독립운동가들이 체포되어 105명의 애국지사들이 투옥되었다.

9 미국 대통령 윌슨은 제1차 세계 대전이 끝나갈 무렵 각 민족은 정치적 운명을 스스로 결정할 권리가 있다고 주장했다. 이러한 주장은 강대국의 식민지로 있는 여러 민족에게 희망을 주었다. 우리나라도 이 영향을 받아 3·1 운동이 일어났다.

10 1910년대 일본은 헌병 경찰을 내세워 총칼로 한국인을 통제했다. 또한 토지 조사 사업을 통해 신고를 못한 농민들의 토지를 빼앗았다. 1920년대에는 산미 증식 계획을 실시해 한국의 쌀 생산을 늘려 일본으로 가져갔다. 1930년대 후반 이후에는 침략 전쟁을 확대하여 신사 참배, 일본식 성명 강요 등의 우리 민족정신을 없애려는 민족 말살 정책을 진행했다.

11 일제는 식민 통치에 필요한 재정을 마련하기 위해 토지 조사 사업을 실시했다. 토지를 소유한 사람은 정해진 기간 내에 신고를 해야 했다.

12 일제는 1930년대 후반 침략 전쟁을 확대하면서 한국인의 민족정신을 없애려고 했다. 한국인에게 황국 신민 서사를 외우게 하고, 전국 곳곳에 세워진 신사에 참배할 것을 강요했다. 우리말 대신 일본어를 사용하고, 우리의 이름과 성을 일본식으로 바꿀 것을 강요했다.

오답 확인

① 토지 조사 사업은 1910년대에 실시되었다.
②, ③ 1910년대 헌병 경찰 통치 내용이다.
⑤ 산미 증식 계획은 1920년대에 실시되었다.

한눈에 쏙쏙 신사 참배와 황국 신민

신사 참배	일본의 토속신이나 왕실의 조상, 일제가 일으킨 침략 전쟁에서 공을 세운 사람에게 참배를 하는 것이었음.
황국 신민	일본 왕이 다스리는 나라의 신하가 된다는 뜻으로, 조선의 정체성을 없애기 위해 일본이 사용한 용어였음.

13 독립운동가들은 3·1 운동 과정에서 독립운동을 체계적으로 이끌 중심이 필요하다고 생각했다. 그 결과 여러 임시 정부를 통합해 중국 상하이에 대한민국 임시 정부가 수립되었다. 대한민국 임시 정부는 주권이 국민에게 있음을 명확히 했다.

14 이화 학당 학생이었던 유관순은 천안 아우내 장터에서 만세 시위를 벌이다 감옥에 갇혔다. 유관순은 감옥에서도 만세 운동을 펼쳤으나, 심한 고문으로 숨을 거두었다.

15 신채호는 일제가 역사를 축소하고 왜곡하자 이에 맞서 역사를 연구하며 한국인에게 민족정신을 심어주었다. 홍범도는 봉오동 전투에서 승리했다. 김구는 한인 애국단을 조직하여 이봉창과 윤봉길의 의거를 도왔고, 후에 임시 정부 주석으로 독립운동을 활발히 했다.

16 봉오동 전투와 청산리 대첩은 미리 유리한 지형을 선점하고 기습 전술을 잘 활용해 일본군에게 큰 타격을 입힐 수 있었다.

[채점 기준] '독립에 대한 의지'와 '지형이나 전술을 잘 활용' 등의 내용을 포함해 바르게 썼다.

17 윤봉길 의거로 중국의 장 제스는 100만 대군도 하지 못한 일을 해 냈다고 했으며, 국내외 독립운동가들이 독립에 대한 의지를 다지는 계기가 되었다.

[채점 기준] '한국인의 독립 의지', '독립운동가들의 독립 의지 강화', '중국이 대한민국 임시 정부의 활동을 도와주는 계기' 등의 내용을 포함해 바르게 썼다.

③ 대한민국 정부의 수립과 6·25 전쟁

확인 톡!톡!

123쪽 1 ○ 2 대한민국 정부 3 광복
125쪽 1 × 2 모스크바 3국 외무 장관 회의 3 김구
127쪽 1 ○ 2 이승만 3 조선 민주주의 인민 공화국
129쪽 1 ○ 2 중국군 3 정전 협정
131쪽 1 × 2 민간인 3 이산가족
133쪽 1 ○ 2 장면 3 새롭게 알게 된

주제 톡톡 문제 135~137쪽

1 ④ 2 ㉠ 소련, ㉡ 미국 3 신탁 통치 4 ④ 5 ㉠ 이승만, ㉡ 김구 6 ② 7 국제 연합 8 ⑤ 9 ㉣ → ㉢ → ㉡ → ㉠ 10 ④ 11 ③ 12 중국군 13 ② 14 세진, 경환 15 ㉠ 이산가족, ㉡ 전쟁고아 16 예 미국과 소련은 일본군의 무장을 해제하기 위해서 한반도에 들어왔다. 17 예 6·25 전쟁의 초기로 우리나라가 3일 만에 수도를 빼앗기고 낙동강 방어선을 구축하던 시기이다.

1 우리나라의 광복은 제 2차 세계 대전 중 일본의 항복으로 맞이했다. 광복 이후 이승만, 김구 등의 독립운동가들은 우리나라에 돌아왔다. 대한민국 임시 정부는 건국의 원칙을 발표하고, 국내에서도 단체가 만들어져 치안과 질서를 유지하기 위해 노력했다.
④ 이승만, 김구 등의 독립운동가들은 개인, 단체 자격으로 고국에 돌아왔다.

2 일본이 항복하자 미국과 소련은 일본군의 무장 해제를 위해 38도선을 경계로 남쪽과 북쪽에 각각 주둔했다. 이는 후에 남한은 자본주의, 북한은 공산주의로 나뉘는 계기가 되었다.

3 모스크바 3국 외무 장관 회의에서는 한반도에 임시 정부를 수립하고, 정부가 수립되기 전에 최대 5년간 신탁 통치를 실시한다는 내용을 결정했다.

4 임시 민주 정부 수립을 논의하고자 미소 공동 위원회가 열렸다. 두 나라의 의견이 서로 달라 합의를 이루지 못하자, 미국은 한국의 문제를 국제 연합에 넘겼다.

오답 확인

① 정부 수립 이후인 1950년에 일어났다.
② 5·10 총선거 이후 국회 의원들이 선출했다.
③ 미소 공동 위원회가 열리기 전에 있었다.
⑤ 모스크바 3국 외무 장관 회의에서 결정한 사항이다.

5 대한민국 정부 수립 과정에서 이승만과 김구의 의견은 서로 달랐다. 이승만은 남쪽만이라도 정부를 세워 총선거를 하자고 주장했다. 김구는 통일된 정부를 수립하기 위해 북한에 가서 남북 협상을 진행하기도 했지만 성과를 거두지 못했다.

6 김구는 통일 정부가 수립된 이후에 공산주의든, 민주주의든 논의하자고 했으며, 통일 국가를 세우기 위해 많은 노력을 했다. 38도선을 넘어 김일성과 회담을 하기도 했으나, 만족할 만한 결과를 이끌어 내지는 못했다.

오답 확인

① 미국의 세력과 뜻을 같이하자고 주장한 사람은 이승만이다.

③ 소련과 뜻을 같이해 정부를 세우고자 한 사람은 김일성이다.

④ 공산주의를 주장한 사람은 김일성이다.

⑤ 김구는 남북 협상을 성공적으로 이끌지 못하고, 만족할 만한 결과를 거두지 못했다.

7 국제 연합은 남북한 총선거로 통일 정부를 수립하기로 결정했지만, 소련이 38도선 북쪽으로 한국 임시 위원단이 들어오지 못하게 하자 남한에서만 총선거를 실시하기로 결정했다.

8 1948년 5월 10일 시행된 총선거는 국회 의원을 선출하기 위해 시행되었다. 국회 의원이 구성되어 헌법을 만들고, 대한민국으로 나라 이름을 정했다.

9 대한민국 정부 수립은 5·10 총선거 → 제헌 국회 구성, 헌법 공포 → 초대 대통령 선출 → 대한민국 정부 수립의 순서로 진행되었다.

10 ④ 북한에서는 1948년 9월에 조선 민주주의 인민 공화국이라는 별도의 정권이 수립되었다.

11 우리나라는 전쟁 초기에 북한의 탱크, 전투기 등의 최신 무기에 밀리며 3일 만에 수도 서울이 함락되었다. 이후 낙동강 방어선까지 밀리며 최후의 방어선을 구축했고, 부산에 임시 수도를 정했다.

③ 우리나라는 전쟁 초기에 북한의 최신 무기에 밀려 수도를 내어 주었다.

12 국군과 연합군은 북한군의 보급로를 차단하고 전세를 역전시키기 위해 인천 상륙 작전을 계획했다. 맥아더 총사령관의 작전 계획으로 진행된 인천 상륙 작전은 결국 성공하여 전세를 역전시켰다. 국군과 국제 연합군은 이 기세를 몰아 평양을 비롯한 북한 대부분 지역까지 진격했다. 그러나 중국군의 개입으로 국군과 국제 연합군은 다시 한강 이남으로 후퇴했다.

13 전쟁이 끝나지 않자 정전 협상이 시작되었다. 회담은 2년 가까이 진행되었고, 1953년 7월에 판문점에서 연합군과 북한군은 정전 협정을 맺었다. 이로 인해 3년에 걸친 전쟁은 수많은 사상자를 남긴 채 휴전선을 중심으로 멈추었지만, 남북은 다시 둘로 분단되어 오늘에 이르고 있다.

14 6·25 전쟁은 어느 한 쪽도 승리하지 못한 전쟁이었고, 남과 북 모두에게 많은 피해를 주었다. 전쟁으로 인해 수많은 이산가족과 전쟁고아가 생겨났다. 북한에서 온 피란민들은 고향으로 돌아가지 못하고, 피란 생활을 하던 곳에서 집을 짓고 일자리를 구하며 남한 생활에 정착해 나갔다.

오답 확인

다온: 6·25 전쟁은 어느 한쪽도 승리하지 못하고, 국토는 폭격으로 인해 황폐화되었다.

선민: 남과 북은 휴전선을 기준으로 두 나라로 나뉘게 되어 피란민들은 고향으로 돌아가지 못하고 남한에 정착하여 살아갔다.

15 피란 중에 가족이 헤어져 서로 만나지 못하는 이산가족이 1,000만 명에 이르렀다. 부모를 잃은 아이들은 전쟁고아가 되었고, 전쟁터에서 남편을 잃은 여성들은 가족을 책임져야 했다.

한눈에 쏙쏙 **6·25 전쟁의 피해**

물적 피해	• 국토의 황폐화 • 건물, 도로, 철도, 다리 등 파괴
인적 피해	• 많은 사람이 다치거나 사망 • 이산가족과 전쟁고아 발생

16 소련이 제2차 세계 대전에 참전한 이후 생각보다 빨리 한반도에 진입하여 북한 지역에 들어오게 되자 미국은 38도선을 중심으로 더이상 내려오지 않을 것과 일본군의 무장을 해제할 것을 주장했다.

[채점 기준] '일본군의 무장을 해제하기 위해서'라는 내용을 포함해 바르게 썼다.

17 1950년 6월 25일, 소련으로부터 무기를 지원받아 오던 북한이 기습적으로 남침했다. 전쟁이 일어난 지 3일 만에 서울을 빼앗기고 낙동강 이남까지 밀리게 된 국군은 방어선을 구축하고 더 이상 밀리지 않으려고 했다. 대한민국 정부는 남쪽으로 내려와 부산을 임시 수도로 정했다.

[채점 기준] '6·25 전쟁 초기로 수도가 3일 만에 함락했다.'의 내용을 포함하여 바르게 썼다.

쪽지 시험 140쪽

1 탕평책 2 규장각 3 실학 4 풍속화 5 병인양요 6 우정총국 7 동학 농민 운동 8 ○ 9 일본 10 대한 제국 11 ○ 12 청산리 대첩 13 ×

단원 톡톡 문제 141~143쪽

1 ③ 2 ㉠ 판소리, ㉡ 탈놀이 3 흥선 대원군 4 강화도 조약 5 갑신정변 6 ② 7 ㉠, ㉢ 8 ③ 9 독립 협회 10 ③ 11 ② 12 의병 13 ② 14 3·1 운동 15 ④ 16 윤봉길 17 5·10 총선거 18 미국 19 ④ 20 ⑤

1 영조는 인재를 고루 뽑아 쓰는 탕평책을 펼쳤고, 백성을 위해 세금을 낮추며 왕권을 강화하기 위해 노력했다. 정조는 왕실 도서관이자 연구 기관인 규장각을 설치하고, 이곳에서 젊은 학자들을 뽑아 여러 정책을 함께 연구했다.
③ 수원 화성을 건설해 개혁 정치를 펼치고자 한 왕은 정조이다.

2 조선 후기에는 농업과 상공업의 발달로 경제적 여유가 생긴 사람들이 늘어나면서 판소리와 탈놀이와 같은 서민 문화가 발달했다. 서민 문화를 통해 백성들의 희노애락을 표현하기도 했으며 작품에 양반을 풍자하는 내용을 담기도 했다.

3 흥선 대원군이 집권하던 시기에 서양 여러 나라는 조선 해안에 나타나 통상을 요구했다. 조선이 이를 거부하자, 프랑스와 미국은 강화도에 침입했다. 흥선 대원군은 두 차례의 전쟁을 겪은 후 서양과 교류를 하지 않겠다는 의지를 알리고자 척화비를 전국에 세웠다.

한눈에 쏙쏙 흥선 대원군의 정책

서원 정리	세금을 면제받고 부당하게 재산을 쌓던 서원을 일부만 남기고 모두 정리했음.
경복궁 중건	임진왜란 때 불에 탄 경복궁을 다시 지었음. → 백성들과 양반들의 불만이 높았음.
통상 수교 거부 정책	병인양요와 신미양요 후 한양과 전국 각지에 척화비를 세워 서양과 교류하지 않겠다는 의지를 널리 알렸음.

4 흥선 대원군이 물러나고 조선의 개항을 바라는 나라 안의 요구가 높아지고, 일본의 압박을 받게 되자 조선은 강화도에서 일본과 조약을 맺고 개항했다. 이를 강화도 조약이라고 한다.

5 개항 이후 관리들은 개화에 대한 속도에 대해 의견이 다양했다. 김옥균 등의 급진 개화파는 서양의 제도와 사상까지 받아 빠른 개혁을 원했다. 개화의 속도가 느리자 1884년 일본에게 군사적 지원을 받아 우정총국 축하연에서 갑신정변을 일으켰다. 이들은 새 정부를 조직하고 주요 개혁 정책을 발표했다.

6 김옥균을 중심으로 한 사람들은 우정총국 개국 축하 잔치를 틈타 정변을 일으켰다. 갑신정변 참가자들이 정변을 일으켜 정권을 잡자 청군이 개입했다. 갑신정변은 3일 만에 끝나 버리고, 김옥균은 박영효, 서광범 등과 함께 일본으로 피신했다.

오답 확인
① 김옥균, 박영효 등이 중심이 되어 일으킨 사건이다.
③ 일본 군사의 도움을 받아 진행되었다.
④ 청군의 개입으로 3일 만에 실패하여 개혁은 성공하지 못했다.
⑤ 청 간섭에서 벗어나 근대적 국가를 만들고자 했다.

7 동학 농민 운동은 1894년 전봉준이 고부 군수 조병갑의 횡포를 막기 위해 일어난 것을 계기로 시작되었다. 2차에 걸쳐 일어난 동학 농민 운동은 평등 사회, 외세로부터의 독립 등을 주장한 아래로부터의 개혁이었다. 동학 농민군은 후퇴를 거듭하다 우금치 전투에서 패했고, 전봉준은 체포되어 처형을 당했다.

오답 확인
㉡ 동학을 믿는 세력이 중심이 되어 일어나게 된 사건이다.
㉣ 동학 농민군은 전주성을 점령하고 개혁을 약속하고 정부와 화해했다.

8 청·일 전쟁에서 승리한 일본은 경복궁에 침입하여 명성 황후를 살해했다. 생명의 위협을 느낀 고종은 러시아 공사관으로 거처를 옮겼고, 이 시기 러시아와 미국 등의 서양 세력의 이권 침탈이 심해졌다.
③ 고종은 일본의 감시를 피해 러시아 공사관으로 거처를 옮겼다.

한눈에 쏙쏙 을미사변과 아관 파천

을미사변	• 청·일 전쟁 이후 일본의 간섭이 심해지자 고종과 명성 황후는 러시아 세력을 끌어들여 일본의 간섭을 막고자 했음. • 일본은 경복궁에 침입해 명성 황후를 살해하고 시신을 불태우는 만행을 저질렀음.
아관 파천	• 고종은 을미사변 후 자신의 안전을 지키고 일본의 영향력을 벗어나고자 러시아 공사관으로 거처를 옮겼음. • 조선에서 일본의 영향력은 줄었지만, 러시아와 미국 등 여러 나라의 간섭과 경제적 침략이 심해졌음.

9 조선 정부의 관리와 개화 지식인들은 독립 협회를 결성했다. 독립 협회는 독립문을 세워 자주독립에 대한 강한 바람과 의지를 보여 주었다. 또한 만민 공동회라는 집회도 열었다.

10 고종은 러시아 공사관에서 돌아와 환구단에서 황제 즉위식을 거행하고, 대한 제국을 선포했다. 동시에 황제 중심의 개혁을 추진했는데 근대 시설 도입, 공장과 회사 설립, 근대적 학교 설립, 외국에 유학생 파견 등이 진행되었다.
③ 만민 공동회는 직업과 나이에 상관없이 많은 사람이 독립 협회의 주최로 모여 나랏일에 대한 생각을 이야기하는 집회였다.

11 고종은 을사늑약의 부당함을 알리기 위해 1907년 세계 만국 평화 회의가 열리는 네덜란드 헤이그에 특사를 파견했으나 일본의 방해로 특사는 회의장에 들어가지 못했다. 그러나 특사들은 회의장 앞에서 연설과 신문 인터뷰를 통해 을사늑약의 부당함을 알렸다.

12 1905년 을사늑약을 기점으로 나라가 위기에 처하자 전국 각지에서 의병이 일어났다. '태백산 호랑이'라 불리는 평민 의병장 신돌석, 여성 의병 윤희순 등 다양한 의병이 활동했다. 일제가 강제로 군대를 없앤 뒤 군인들도 의병에 합류하고 각계각층의 사람들이 합류하면서 의병 투쟁은 항일 의병 전쟁으로 발전했다.

13 1910년대 일본은 헌병 경찰을 앞세운 무단 통치로 한국인을 억압하고, 토지 조사 사업을 통해 농민의 땅을 빼앗았다. 이로 인해 많은 사람이 삶의 터전을 잃고, 만주와 러시아로 이주했다.
② 일제가 우리말 대신 일본어를 쓰도록 강요한 것은 1930년대 이후이다.

14 일제의 식민 통치로 많은 어려움을 겪으면서 한국인들은 독립에 대한 의지가 강해졌다. 국외 독립운동가들은 우리의 독립 의지를 세계에 알렸고, 국내에서는 학생들이 중심이 되어 독립 선언서를 제작 · 배포하고, 민족 대표는 독립 선언식을 했다. 이를 계기로 1919년 3월 1일 만세 운동이 일어나 전국적으로 확대되었으며, 해외 동포들도 참여했다.

15 3 · 1 운동의 영향으로 독립을 위한 힘을 하나로 모으기 위해 임시 정부의 필요성이 대두되었다. 이에 따라 중국 상하이에서 민주주의 정치 체제를 지닌 대한민국 임시 정부가 수립되었다.
④ 일본의 강압적인 탄압이 있기는 했지만 한국인들의 독립을 향한 의지는 줄어들지 않았고, 많은 사람이 해외로 건너가서 독립운동을 이어 갔다.

한눈에 쏙쏙 대한민국 임시 정부와 한인 애국단

대한민국 임시 정부	3 · 1 운동 전후로 국내외에서 임시 정부가 만들어졌음. 여러 지역의 임시 정부는 독립을 위한 힘을 하나로 모으기 위해 1919년 중국 상하이에서 대한민국 임시 정부를 수립했음.
한인 애국단	대한민국 임시 정부에서 김구는 독립운동을 더욱 체계적으로 하기 위해 한인 애국단을 조직하고, 무력으로 일제에 저항했음.

16 일제가 상하이를 점령한 것을 축하하기 위해 훙커우 공원에서 기념식을 열자, 윤봉길은 폭탄을 던져 일본의 관리와 군인을 처단했다. 윤봉길 의거는 일제와 싸우던 중국인들에게 깊은 인상을 주었고, 이를 계기로 중국은 대한민국 임시 정부의 활동을 도와주었다.

17 미소 공동 위원회 결렬 이후 국제 연합은 남북한 총선거로 통일 정부를 수립하기로 결정했다. 그러나 소련의 반대로 선거가 가능한 남한만이라도 총선거를 하자고 주장하는 쪽과 통일 정부를 수립하자는 쪽으로 나뉘어 대립했다. 국제 연합은 남한에서만 총선거를 하기로 결정했다. 이에 남한에서는 1948년 5월 10일 선거가 실시되었다.

18 1945년 38도선을 기준으로 한반도 북쪽에는 소련군이, 남쪽에는 미군이 주둔했다. 우리나라는 미국의 자본주의 민주주의 체제를 적용하고 후에 많은 영향을 받게 되었다.

19 6 · 25 전쟁이 발발하고 3일 만에 국군은 수도를 빼앗기고 정부는 부산으로 피란했다. 낙동강에 최후의 방어선을 설정하고 연합군과 국군은 인천 상륙 작전을 성공하여 전세를 역전시켰다. 북한의 대부분 땅을 점령하는 듯했으나 중국군의 개입으로 전세가 다시 역전되어 지지부진한 전쟁이 3년 동안 이어졌다.

20 6 · 25 전쟁으로 국토가 대부분 폭격당해 황폐해졌고, 건물, 도로, 철도, 다리 등이 파괴되어 복구하는 데 많은 시간과 비용이 들었다. 전쟁 중 가족이 서로 헤어져 만나지 못하는 이산가족과 피란 중에 부모를 잃은 전쟁고아가 발생했다. 또한 북한에서 내려온 피란민들은 고향에 돌아갈 수 없게 되기도 했다.
⑤ 제2차 세계 대전에서 일본이 원자 폭탄으로 인해 큰 피해를 입었다.

144쪽

1 김홍집 2 예 개항과 개화 정책을 추진하면 외국 세력이 조선을 침략할 수 있고, 급하게 이루어진 개혁은 나라의 혼란을 일으킬 수도 있기 때문이다. 3 예 우정총국 개국 축하연에서 일본군의 도움을 받아 갑신정변을 일으켰다. 4 ㉠ 안창호, ㉡ 이회영 5 예 일제의 탄압으로 국내 활동이 어려워졌기 때문이다. 6 안중근 / 예 이토 히로부미가 대한 제국을 일제의 식민지로 만드는 데 앞장섰기 때문이었다. 7 예 독립운동가들은 독립을 위한 힘을 하나로 모아 독립운동을 체계적으로 이끌 중심이 필요하다고 생각했기 때문이다.

---

1 개항 이후 사람들은 조선이 나아가야 할 방향에 대해 다양한 생각을 가지고 있었다. 개화 정책에 반대하는 사람도 있었고, 조선을 개화해야 한다는 사람들도 있었다. 김홍집은 온건 개화파의 중심 인물로, 조선의 정치와 제도는 그대로 유지하고 청을 본받아 서양의 기술을 천천히 받아들일 것을 주장했다.

2 1880년 대에 이르러 조선의 통상 수교 거부 정책에 대한 정책이 비판을 일으켰고, 다른 나라의 발달된 기술과 문물을 받아들여야 한다는 주장이 나왔다. 그러나 개화와 개항에 대한 속도에 대한 차이는 관리와 지식인들마다 서로 달라 갈등이 생겼다.

[채점 기준] '개항과 개화 정책을 추진하면 외국의 세력이 조선을 침략한다', '급하게 이루어진 개혁은 나라를 혼란에 빠뜨릴 수 있다.' 등의 내용을 포함해 바르게 썼다.

3 1884년 김옥균을 중심으로 한 급진 개화파는 새로운 정부를 구성하고 그들이 추구한 개혁안을 발표했다. 이 개혁안은 청에 대한 조공을 폐지하고, 신분제가 없는 모두가 평등한 사회를 주장했다. 그러나 청군의 개입으로 3일 만에 개혁은 실패하고 말았다.

[채점 기준] '우정총국 축하연'에서와 '일본군의 도움을 받아 갑신정변' 등의 내용을 포함해 바르게 썼다.

4 안창호는 평양에 대성 학교를 세워 나라의 인재를 키워 냈으나 나라가 망할 것을 예상하고 신민회 간부들과 함께 중국으로 망명했다. 이후 미국으로 건너가 샌프란시스코에서 흥사단을 세워 한국인들의 실력을 양성하는 운동에 앞장섰다. 이회영은 가족들과 함께 만주로 건너가 신흥 강습소(신흥 무관 학교)를 설립해 많은 독립운동가와 독립군을 키워 냈다.

5 일제의 탄압과 수탈이 계속되자 만주와 연해주 등 국외로 떠나는 사람들이 계속 늘어났다.

[채점 기준] '일제의 탄압'의 내용과 '국내 활동의 어려움'등의 내용을 포함해 바르게 썼다.

6 이토 히로부미는 초대 통감으로 을사늑약 과정에서 고종을 위협했고, 대한 제국을 일제의 식민지로 만드는 데 앞장섰다. 안중근은 1909년 만주의 하얼빈에서 이토 히로부미를 저격하여 암살했다. 재판 과정에서 이토 히로부미를 죽인 이유를 을사늑약과 연관지어 당당히 밝히며, 일제가 조선을 침략한 부당함을 널리 알렸다.

[채점 기준] '이토 히로부미가 대한 제국을 일제의 식민지로 만드는 데 앞장 섰다.', '을사늑약의 부당함', '대한의 독립과 동양 평화를 위한 것' 등의 내용을 포함해 바르게 썼다.

7 독립운동가들은 3·1 운동 과정에서 독립운동을 체계적으로 이끌어갈 중심이 필요하다고 생각했다. 이에 3·1 운동 전후로 국내외에서 임시 정부가 세워졌다. 여러 지역의 임시 정부는 독립을 위한 힘을 하나로 모으기 위해 통합 정부를 수립하려고 노력했다. 그 결과 1919년 9월, 여러 임시 정부를 통합한 대한민국 임시 정부가 중국 상하이에서 수립되었다.

[채점 기준] '독립을 위한 힘을 하나로 모으기 위해' 또는 '체계적으로 독립운동을 진행하기 위해' 등의 내용을 포함해 바르게 썼다.

1. 옛 사람들의 삶과 문화

2~3쪽

❶ 비파형 동검 ❷ 한강 ❸ 금관가야 ❹ 대조영 ❺ 왕건 ❻ 서희 ❼『직지』 ❽ 상감 ❾ 위화도 ❿ 유교 ⓫ 훈민정음 ⓬ 양인 ⓭ 이순신

가로 톡 세로 톡 퍼즐

4쪽

탐구 팡팡 수행 평가

5쪽

1 ㉠ 백제, ㉡ 신라, ㉢ 고려, ㉣ 조선 2 ㉡ 당, ㉣ 행주산성 3 예 금속, 도자기 등의 표면에 무늬를 새기고, 그 속에 다른 재료를 박아 넣는 방법이다.

1 ㉠ 서산 용현리 마애 여래 삼존상은 백제, ㉡ 문무왕은 신라, ㉢ 청자 상감 운학무늬 베개는 고려, ㉣ 권율은 조선과 관련이 있다.

2 ㉡ 문무왕은 당을 몰아내고 삼국 통일을 완성한 인물이다. ㉣ 권율은 군대와 백성을 이끌고 행주산성에서 일본군을 크게 물리친 인물이다.

3 청자를 만드는 기술은 본래 중국에서 들어왔지만, 고려는 상감이라는 공예 기법을 도자기에 적용해 고려청자라는 독창적인 예술품을 만들어 냈다.

[채점 기준] '표면에 무늬를 새긴다.', '다른 재료를 박아 넣는다.' 등의 내용을 포함해 바르게 썼다.

6~9쪽

1 ①, ② 2 고구려 3 예 신분의 높고 낮음에 따라 사람의 크기를 달리 그렸다. 4 가야 5 ③ 6 ③ 7 ② 8 ② 9 대조영 10 해동성국 11 ③ 12 ② 13 귀주 14 ② 15 ① 16 ㉠, ㉢ 17 예 위화도에서 군대를 돌려 개경으로 돌아왔다. 18 ② 19 ④ 20 ㉠, ㉡, ㉢ 21 세종 22 예 백성들이 농사를 짓는 데 도움이 되었다. 일상생활에서 시간을 알거나 날씨를 대비하는 데 도움이 되었다. 23 ② 24 ② 25 예 궁궐에서 그림을 그리거나 통역을 하는 등 여러 분야에서 전문적인 일을 했다.

1 '남의 물건을 훔친 사람은 노비로 삼는다.'라는 조항으로 보아 신분제가 있었다는 것을 알 수 있고, '죄를 면하려면 50만 전을 내야 한다.'라는 조항에서 화폐의 개념이 있었다는 것을 알 수 있다.

오답 확인

③ 개인의 재산 인정은 '남에게 상해를 입힌 사람은 곡식으로 갚는다.'라는 조항에서 확인할 수 있다.

④ 농업을 중요하게 생각했다는 것은 고조선의 건국 이야기를 통해 알 수 있다.

⑤ '사람을 죽인 자는 사형에 처한다.'라는 조항을 통해 큰 죄는 법으로 엄격하게 다스렸음을 알 수 있다.

한눈에 쏙쏙 **고조선의 법**

고조선에는 사회 질서를 유지하기 위한 법 조항 여덟 개가 있었는데, 현재는 세 개만 전해지고 있다.

고조선의 법	고조선의 사회 모습
사람을 죽인 사람은 사형에 처한다.	큰 죄를 지은 사람을 법으로 엄격하게 다스렸음.
남에게 상해를 입힌 사람은 곡식으로 갚는다.	개인의 재산을 인정했음.
남의 물건을 훔친 사람은 데려다 노비로 삼으며, 죄를 면하려면 50만 전을 내야 한다.	신분제가 있었고, 화폐의 개념이 있었음.

2 고구려인은 많은 고분을 만들었는데, 그 안에 무덤 주인이 살아 있을 때 쓰던 물건을 묻고, 무덤 벽과 천장에 그림을 그렸다. 고분 벽화에 옷, 음식, 집의 모습까지 자세하게 표현했다. 이를 통해 고구려인의 생활 모습과 생각을 짐작할 수 있다.

3 수산리 고분 「곡예도」를 살펴보면 시중을 드는 사람을 작게 그린 것으로 보아, 신분에 따라 크기를 달리했음을 알 수 있다.

[채점 기준] '신분에 따라 크기가 다르다.' 등의 내용을 포함해 바르게 썼다.

4 낙동강 지역의 여러 나라 연맹으로 시작된 가야는 철기를 만들어 백제, 왜 등 다른 나라와 교역을 하며 발전했다. 가야의 고분에서는 철로 만든 갑옷과 투구 등 많은 철기 문화유산이 나왔다. 가야금은 백제의 악기로 오늘날까지 전해지고 있다.

5 백제는 4세기 무렵 근초고왕 때 영토를 크게 넓혔다. 고구려는 5세기 무렵 광개토 대왕 때 영토를 넓혔고, 그 뒤를 이은 장수왕 때 한강 지역까지 영토를 넓혔다. 신라는 6세기 진흥왕 때 영토를 크게 넓혔다.

6 무열왕의 뒤를 이은 문무왕은 당과 함께 고구려를 멸망시켰다. 당이 평양 이남의 땅을 신라에게 양보하려고 했던 약속을 어기자 신라는 고구려 유민과 힘을 합해 당을 몰아내고 삼국 통일을 이루었다.

오답 확인

① 삼국 통일 과정에서 무열왕(김춘추), 김유신 등이 공을 세웠다.
② 진흥왕은 6세기에 고구려와 백제를 공격해 영토를 넓혔으며, 가야 연맹을 완전히 정복했다.
④ 근초고왕은 4세기 무렵 백제의 왕이다.
⑤ 5세기 무렵 고구려의 광개토 대왕은 정복 활동을 하며 사방으로 세력을 넓혔다.

7 통일 신라의 불교문화를 대표하는 불국사는 석굴암과 함께 유네스코 세계 유산으로 지정되었다. 불국사에는 불국사 삼층 석탑, 불국사 다보탑, 불국사 청운교와 백운교 등이 있다.
② 금동 대향로는 백제의 문화유산이다.

한눈에 쏙쏙 불국사의 문화유산

▲ 불국사 다보탑

▲ 불국사 삼층 석탑

▲ 무구정광대다라니경

▲ 불국사 청운교와 백운교

8 석굴암은 경주 토함산에 화강암을 쌓아 올려 동굴처럼 만든 절이다. 그 내부에는 본존불이 있고, 불교의 여러 신과 인물들이 조각되어 있다. 석굴암은 조각의 아름다움과 뛰어난 건축 기술, 정밀한 수학적 계산 등으로 유명하다. 돔형 천장은 돌을 여러 방향에서 쌓아 올려 중앙에 기둥이 없어도 튼튼하게 만들었다. 석굴암 본존불은 수학적 비례를 사용하여 안정감이 느껴지도록 했다.
② 절의 구조와 건축물로 불교의 이치를 표현한 곳은 불국사이다.

9 옛 고구려의 장수였던 대조영은 당에서 반란이 일어난 틈을 타 고구려 유민과 말갈인을 이끌고 당의 지배로부터 탈출했다. 그는 698년 동모산을 도읍지로 정하고 발해를 세웠다.

10 발해는 스스로 고구려를 계승한 나라임을 내세웠다. 또한 당의 문물과 말갈의 전통을 받아들이고 영토를 넓혀 강한 나라로 발전했다. 이에 당은 바다 동쪽에서 크게 번성하는 나라라는 뜻에서 발해를 '해동성국'이라고 불렀다.

한눈에 쏙쏙 고구려를 계승한 발해

견고려사 목간	• 일본은 발해를 '고려(고구려가 5세기 이후 주로 사용한 이름)'라고 표현했음. • 일본이 발해에 파견한 사신을 '견고려사'라 부르는 것에서도 발해가 고구려를 계승했음을 알 수 있음.
고구려 기와와 발해 기와	발해의 문화유산을 보면 발해 문화가 고구려의 영향을 받았음을 알 수 있음.    ▲ 고구려 기와 ▲ 발해 기와

11 여러 호족 중에서 세력을 키운 견훤은 후백제를 세웠고, 궁예는 후고구려를 세우면서 후삼국 시대가 열렸다.

한눈에 쏙쏙 고려의 건국과 후삼국 통일

신라 말의 상황	신라 말 연이은 자연재해와 왕위 다툼으로 나라가 혼란해지자 지방 세력이 권력을 키워 갔음.
후삼국의 성립	힘을 키운 호족 중 견훤은 후백제를 세웠고, 궁예는 후고구려를 세웠음.
고려의 건국	왕건은 송악의 호족으로 궁예를 돕다가 그를 몰아내고 고려를 세웠음. 이후 고려는 많은 호족의 도움으로 신라의 항복을 받고 후백제를 물리치며 후삼국을 통일했음.

12 왕건은 호족과 좋은 관계를 유지하면서도 중앙 정부의 힘을 키워 나갔다. 또한 거란에 멸망한 발해 유민을 받아들였으며 북쪽으로 점차 영토를 넓혀 나갔다.
② 왕건은 불교를 장려했으며, 유교는 조선에서 나라를 다스리는 기본 정신으로 삼았다.

13 거란의 3차 침입 때는 거란의 공격에 대비해 고려가 곳곳에서 승리를 거두었다. 특히 강감찬은 귀주에서 거란을 크게 물리쳐 이를 귀주 대첩이라고 한다.

14 고려가 강화도로 도읍을 옮긴 것은 몽골군이 바다에서 하는 싸움에 익숙하지 않았기 때문이다. 또한 강화도는 전국 각지와 뱃길로 쉽게 연결되어 있었다. 강화 천도 이후 육지에 남은 백성들은 힘을 합쳐 귀주성, 처인성, 충주성 등에서 몽골군을 물리쳤다. 고려의 태자가 직접 몽골에 가서 강화를 요청하며 전쟁이 끝났다. 그 후 고려 정부는 개경으로 돌아왔다.

② 권율은 임진왜란 때 행주산성에서 백성과 함께 일본군을 크게 물리쳤다.

15 『직지』는 현재 전해지는 금속 활자 인쇄본 중 가장 오래된 것으로 고려 시대에 만들어졌다. 1377년에 인쇄한 책으로, 유럽 최초의 금속 활자 인쇄본보다 70여 년 이상 앞서 제작되었다. 현재 원본은 프랑스 국립 도서관에 보관되어 있으며, 유네스코 세계 기록 유산으로 등재되었다.

① 현재 남아 있는 목판 인쇄물 중 가장 오래된 것으로 알려진 것은 무구정광대다라니경이다.

16 고려청자는 만들기 어렵고 귀한 물건이었기 때문에 지배층이 주로 사용했다. 당시 지배층은 차나 술을 마실 때, 글을 쓰거나 그림을 그릴 때 그리고 잔칫상이나 제사상을 차릴 때도 청자를 활용했다.

오답 확인

㉡ 만들기 어렵고 귀했기 때문에 주로 지배층이 사용했다.

㉣ 차나 술을 마실 때, 글을 쓰거나 그림을 그릴 때 그리고 잔칫상이나 제사상을 차릴 때도 활용했다.

17 중국의 명이 고려에 북쪽 땅의 일부를 내놓으라고 통보했다. 고려 정부는 이성계에게 명의 요동 지역을 공격하게 했다. 그러나 이성계는 요동으로 가던 중 위화도에서 군대를 돌려 개경에 있던 반대 세력을 몰아내고 권력을 잡았다. 이를 위화도 회군이라고 한다.

18 한양은 나라의 중심에 있어 교통이 편하고 한강으로 물자를 실어 나르기에 좋았다. 그리고 세 면이 산으로 둘러싸여서 외적의 침입을 막기에도 유리했다.

② 옛 고조선은 평양성에 도읍을 정했다.

19 조선은 명, 여진, 일본 등의 주변 나라와 안정적인 관계를 맺어 백성을 지키고 나라를 발전시키고자 했다. 이를 위해 상대 나라와 국제 상황에 따라 적절한 외교 정책을 펼쳤다.

④ 조선은 나라를 세운 직후 명과 갈등을 빚었으나, 태종 이후부터는 좋은 관계를 유지했다. 조선과 명은 서로 사신과 선물을 주고받았다.

20 『경국대전』은 '나라를 다스리는 큰 법전'이라는 뜻으로, 조선에서 지켜야 할 규범을 여섯 개 영역으로 나눴다.

오답 확인

㉣ 『삼강행실도』에 대한 설명이다. 『삼강행실도』는 중국과 우리나라에서 유교의 가르침을 잘 실천한 사람들의 이야기를 골라 담은 책이다. 유교의 가르침에 따르면 백성은 나라에 충성하고 부모와 어른을 공손히 모시며 남자와 여자, 아이와 어른의 예절을 지켜야 한다고 강조했다.

21 세종은 집현전을 설치해 학자들을 키우고 의례와 제도 등을 연구했다. 세종 대에는 인쇄술도 발전하여 다양한 책을 만들어 보급했다. 특히 집현전 학자들은 우리나라 환경에 맞는 농사법을 모은 『농사직설』을 펴냈다. 세종은 신하들에게 혼천의, 앙부일구, 자격루, 측우기와 같은 여러 과학 기구를 만들게 했다.

22 『농사직설』은 우리나라 환경에 맞는 농사법을 담은 책이고, 앙부일구는 해시계이다. 앙부일구를 통해 시각뿐만 아니라 절기도 정확하게 알 수 있었다. 절기와 농사법을 알게 되면서 백성들이 농사짓는 데 도움이 되었다.

[채점 기준] '농사에 도움', '시간을 알거나 날씨에 대비' 등의 내용을 포함해 바르게 썼다.

23 일본을 통일한 도요토미 히데요시는 1592년에 부산으로 침입해 왔다. 전쟁에 제대로 대비하지 못한 조선은 일본군이 쳐들어온 지 20여 일 만에 도읍인 한양을 빼앗겼다. 당시 왕이었던 선조는 의주로 피란하여 명에 도움을 요청했다. 조선에 불리하던 상황은 수군과 의병의 활약으로 점차 바뀌었다. 바다에서는 이순신이 이끄는 조선 수군이 일본군에 계속 승리했다. 육지에서는 곽재우를 비롯한 의병이 활약했으며, 관군과 협력하여 큰 승리를 거두기도 했다. 그 후 일본이 대륙까지 침략할 것을 걱정한 명이 조선에 군대를 보냈다.

24 명은 임진왜란 이후 급격히 힘이 약해졌다. 그 무렵 여진은 부족을 통합하여 후금을 세우고 명을 위협했다. 선조의 뒤를 이은 광해군은 명과 후금 사이에서 어느 한쪽에 치우치지 않고자 중립 외교 정책을 폈다. 그러나 이를 반대한 세력은 광해군을 쫓아내고 인조를 왕으로 세웠다.

② 광해군은 명에 군대를 파견했지만, 장수에게 상황에 대처하도록 하여 후금과의 전쟁을 피했다.

25 조선 시대에는 신분에 따라 생활 모습이 달랐다. 궁궐에서 그림을 그리거나 통역을 하는 등 여러 분야에서 전문적인 일을 했던 신분은 중인이다.

[채점 기준] '궁궐에서 그림 그리기', ' 통역', '전문적인 일을 했다.' 등의 내용을 포함해 바르게 썼다.

한눈에 쏙쏙 조선 시대 신분에 따른 생활 모습

양반	유교의 가르침이 담긴 책을 공부하고 관리가 되어 나랏일에 참여하기도 했음.
중인	궁궐에서 그림을 그리거나 통역을 하는 등 여러 분야에서 전문적인 일을 했음.
상민	대부분 농사를 지었고, 일부는 장사 등을 했음. 수확의 일부를 세금으로 내고 노동력을 제공했음.
천민	대부분 나라와 개인의 재산으로 여겨졌으며, 주인을 위해 허드렛일이나 물건을 만드는 일을 했음.

10~13쪽

1 ⑤ 2 ④ 3 예 광개토 대왕릉비를 세웠다. 평양으로 도읍을 옮기고 한강 지역까지 영토를 넓혔다. 4 진흥왕 5 ③ 6 예 발해는 고구려를 계승하고자 했다. 발해는 고구려 문화의 영향을 받았다. 7 ④ 8 호족 9 ③ 10 ② 11 ③ 12 ② 13 나무가 뒤틀리는 것을 막기 위해 귀퉁이를 구리판으로 마감했다. 14 ⑤ 15 ② 16 ③ 17 훈민정음 18 ⑤ 19 ④ 20 ⑤ 21 자격루, 앙부일구 22 예 비가 내린 양을 측정하는 기구이다. 23 ㉢, ㉣ 24 ① 25 남한산성

1 고조선은 우수한 청동기 문화를 바탕으로 고조선만의 독특한 문화를 발전시켰는데, 그중에서도 미송리식 토기, 비파형 동검, 탁자식 고인돌은 고조선을 대표하는 문화유산이다. 이 유물들의 분포 지역으로 고조선의 문화 범위를 추측할 수 있다.
⑤ 빗살무늬 토기는 신석기 시대의 대표적 토기이다.

2 미륵사는 백제 무왕 때 지은 절로 현재 익산 미륵사지 석탑과 건물의 터만 남아 있다. 익산 미륵사지 석탑은 현재 우리나라에 남아 있는 석탑 중 가장 크고 오래된 것으로 석탑의 초기 모습을 보여 준다. 목탑의 모습을 본떠 잘 다듬은 돌을 쌓아 만들었다.

오답 확인
① 영광탑은 발해의 문화유산이다. 무덤 위에 세워진 탑으로 발해의 독특한 문화를 잘 보여 준다.
② 불국사 다보탑은 통일 신라의 문화유산으로 화려하면서도 균형 있는 독특한 석탑이다.
③ 불국사 삼층 석탑은 통일 신라의 문화유산으로 비례와 균형을 갖춘 석탑이다. 석가탑이라고도 불린다.
⑤ 황룡사 9층 목탑은 신라의 문화유산으로 선덕 여왕 때 세워졌다.

3 광개토 대왕의 뒤를 이어 왕이 된 장수왕은 광개토 대왕의 업적을 기념하기 위해 광개토 대왕릉비를 세웠다. 또한 평양성으로 도읍을 옮기고 남쪽의 한강 지역까지 영토를 더욱 넓혔다.

[채점 기준] '광개토 대왕릉비를 세웠다.', '평양으로 도읍을 옮겼다.', '한강 지역까지 영토를 넓혔다.' 등의 내용을 포함해 바르게 썼다.

한눈에 쏙쏙 고구려의 전성기(5세기)

광개토 대왕	서쪽으로는 요동 지역을 차지하고, 남쪽으로는 백제의 영역이었던 한강 지역으로 세력을 확장했음.
장수왕	• 광개토 대왕릉비를 세워 광개토 대왕의 업적을 기념했음. • 평양 지역으로 수도를 옮기고 남쪽으로 영역을 더욱 확장했음.

4 진흥왕은 백제 연합군과 함께 고구려가 차지했던 한강 유역을 빼앗았다. 이후 한강 유역을 놓고 백제와 전쟁을 벌여 한강 유역을 차지했다. 신라는 한강 지역을 차지함으로써 중국과 교류할 길을 확보했다. 또한 진흥왕은 가야 연맹을 완전히 정복했으며, 점령한 지역에 순수비를 세웠다.

5 삼국 중 가장 일찍 불교를 받아들인 고구려는 불교와 관련된 문화가 발달했다. 현재 고구려의 절은 남아 있지 않지만, 불상으로 금동 연가 7년명 여래 입상이 전해진다.

오답 확인
① 백제 금동 대향로는 백제의 문화유산이다.
② 첨성대는 신라의 문화유산으로 하늘의 별, 해와 달의 모습을 관찰하는 시설로 알려져 있다.
④ 금관총 금관은 신라의 문화유산이다.
⑤ 철제 판갑옷과 투구는 가야의 문화유산이다. 가야 사람들은 철을 이용해 다른 나라보다 우수한 칼과 창, 갑옷 등을 만들어 냈다.

6 발해는 고구려의 문화를 바탕으로 여러 나라와 활발히 교류해 다른 나라의 문화를 받아들이면서 독자적인 문화를 발전시켜 나갔다. 또한 발해는 스스로 고구려를 계승한 나라라고 생각했고 주변 나라도 인정했다. 발해의 문화유산을 보면 발해 문화가 고구려 문화의 영향을 받았음을 알 수 있다.

[채점 기준] '고구려를 계승', '고구려 문화의 영향' 등의 내용을 포함해 바르게 썼다.

7 백제를 멸망시킨 신라와 당은 고구려를 공격했다. 당시 고구려는 잦은 전쟁으로 국력이 약해졌으며, 지배층 사이에 분열이 일어난 상태였다. 전쟁에 대처하기 힘들었던 고구려는 평양성을 빼앗기면서 멸망했다.
④ 백제를 멸망시킨 신라와 당은 고구려를 공격했다.

8 신라 말 연이은 자연재해와 왕위 다툼으로 나라가 혼란해지자 지방에서는 호족이 권력을 키워 갔다. 그중 견훤은 후백제를 세웠고, 궁예는 후고구려를 세웠다. 이들이 신라와 경쟁하던 시기를 후삼국 시대라고 한다.

9 송이 중국의 대부분을 통합하자 고려는 송과 좋은 관계를 유지하며 국경을 마주한 거란을 경계했다. 송과의 전쟁을 준비하던 거란은 고려와 송의 관계를 끊기 위해 고려를 침입했다.

한눈에 쏙쏙 거란의 침입과 극복

1차 침입	• 거란은 고려와 송의 관계를 끊으려고 고려를 침입했음. • 서희의 외교 담판으로 압록강 동쪽의 강동 6주를 차지했음.
2차 침입	개경을 빼앗기는 어려움을 겪기도 했지만, 고려는 돌아가는 거란을 공격해 많은 피해를 주기도 했음.
3차 침입	• 거란이 강동 6주를 돌려 달라고 했으나 고려가 돌려주지 않자 침입했음. • 강감찬을 비롯한 고려군은 돌아가는 거란군을 귀주에서 크게 물리쳤음(귀주 대첩).

10 고려와 몽골의 전쟁은 약 30년 동안 이어졌다. 오랜 전쟁으로 고려 국토는 황폐해졌으며, 많은 사람이 죽거나 몽골에 포로로 끌려갔고, 황룡사 9층 목탑 등의 문화유산이 파괴되었다. 고려는 몽골과 강화를 맺고, 도읍을 다시 개경으로 옮겼다. 그 결과 고려는 일부 영토를 몽골에 내어 주었으나 나라를 유지할 수 있었다.
② 몽골과의 전쟁이 끝난 후 몽골과 고려는 관료, 승려, 상인 등이 두 나라를 오가며 여러 가지 물자를 주고받았다. 두 나라는 문화적으로 교류하며 가깝게 지내면서 고려 사람들은 세계 곳곳의 다양한 물건과 정보 등을 접할 수 있었다.

11 팔관회는 가을 추수가 끝난 음력 11월에 부처와 고려를 지켜 주는 신들에게 나라의 안녕을 빌기 위해 열렸다. 개경에서 팔관회가 열리면 각지의 관리와 다른 나라 사람들이 찾아와 왕에게 축하 인사를 올렸다. 궁궐 안에서는 공연이 밤늦도록 이어졌고, 개경 시내 곳곳에서 사람들이 놀이를 즐겼다.
③ 연등회가 열리면 사람들은 곳곳에 등불을 밝히며 농사가 잘되고 부처의 가르침이 널리 퍼지기를 기원했다.

12 고려 시대 불교는 왕실의 보호와 지원을 받으며 발전했다. 고려 왕실과 지방 세력은 곳곳에 절을 세우고 불상과 탑을 만들어 백성의 믿음과 존경심을 얻고자 하였다. 고려는 연등회, 팔관회와 같은 불교 행사를 크게 열었다.
② 익산 미륵사지 석탑은 백제의 문화유산이다.

13 갈라지고 휘는 나무의 성질 때문에 목판은 보관하기 어려웠다. 이렇게 나무가 뒤틀리는 것을 막기 위해 귀퉁이를 구리판으로 마감하고 옻칠을 해 보관했다.

[채점 기준] '나무가 뒤틀리는 것을 막기 위해' 등의 내용을 포함해 바르게 썼다.

14 금속 활자는 판을 새로 짤 수 있어 여러 종류의 책을 만드는 데 효율적이었다. 고려는 금속을 다루는 기술, 활자를 판에 고정하는 기술, 금속 활자 인쇄에 맞는 먹과 종이 등이 발달하여 금속 활자로 책을 찍을 수 있었다.
⑤ 당시 금속 활자 인쇄는 목판 인쇄만큼 깨끗하지 않고 아직 기술이 부족했지만, 조선 시대로 이어져 크게 발전했다.

15 청자는 본래 중국에서 들어왔기 때문에 처음에는 모양과 무늬가 중국의 것과 비슷한 청자가 많이 만들어졌다. 고려 사람들은 굽는 방법, 빛깔, 형태, 무늬를 발전시켰고, 나중에는 상감 기법을 적용하여 독창적인 고려청자를 만들었다.
② 청자를 만드는 기술은 본래 중국에서 들어왔다.

16 고려 말에는 외적의 침입이 이어지고 권문세족이 토지와 노비를 많이 차지하여 사회가 매우 혼란스러워졌다. 당시 신진 사대부 중 일부는 외적을 물리치며 성장한 이성계 등의 무인 세력과 손잡고 고려 사회를 개혁하려고 했다.
③ 고려 말에 명은 고려의 북쪽 땅 일부를 내어놓으라고 통보해 왔다. 고려 정부는 이성계에게 요동 지역을 공격하게 했다.

17 세종은 일부 신하들의 반대에도 불구하고 우리말을 소리 나는 대로 적을 수 있는 문자인 훈민정음을 만들어 반포했다. 훈민정음은 당시 주로 한자를 사용하던 양반에게 무시를 받기도 했지만, 배우기 쉽고 거의 모든 소리를 적을 수 있는 과학적이고 독창적인 문자였다.

18 조선 시대에는 신분에 따라 생활 모습이 달랐다. 조선의 신분은 양인과 천인(천민)으로 나뉘었고, 양인에는 양반, 중인, 상민이라는 여러 계층이 있었다.
⑤ 주인을 위해 허드렛일이나 물건을 만드는 일을 하는 것은 천민의 생활 모습이다.

19 집현전 학자들은 우리나라 환경에 맞는 농사법을 모은 『농사직설』을 펴냈다. 『농사직설』은 각 지방 농민들로부터 농사법을 직접 듣고 그것을 정리한 것으로, 각 지역의 관리들에게 나눠 주었다.

오답 확인

① 훈민정음을 읽는 방법을 설명한 책은 『훈민정음』 「해례본」이다. 유네스코 세계 기록 유산으로 지정되어 있다.

② 『조선왕조실록』은 조선의 왕들이 나라를 다스린 기록을 모은 역사책이다.

③ 『향약집성방』은 우리나라에서 자라는 약재를 활용한 치료법을 모아 펴낸 책이다.

⑤ 『삼강행실도』는 유교의 가르침을 잘 실천한 사람들의 이야기를 모아 만든 책이다.

20 세종 대에는 안정된 왕권을 바탕으로 과학 기술과 문화, 국방 등 여러 분야가 크게 발달했다. 이러한 배경은 고려 말에 중국과의 교류로 다양한 문화적 배경이 형성되었고, 세종 대에 이르러 왕권이 강화되었기 때문이었다.

⑤ 압록강 유역에 4군, 두만강 유역에 6진을 설치해 국경을 압록강과 두만강까지 확대했다.

21 자격루는 자동으로 시각을 알려 주는 물시계이다. 두 시간마다 인형이 종과 북을 울려 시각을 알 수 있도록 만들었다. 앙부일구는 해 그림자로 시간을 표시하는 둥근 솥 모양의 해시계이다. 그림자가 계절에 따라 달라져 시각뿐만 아니라 절기까지도 정확하게 알 수 있었다. 혼천의는 우리나라 하늘에서 일어나는 각종 천문 현상을 연구하기 위해 해와 달, 별의 움직임을 관측할 때 사용하던 관측기구이다.

22 측우기는 비가 내린 양을 측정하는 기구로 한양과 각 고을에 설치되었다. 비의 양을 잰 뒤 그것을 기록해 지역의 기후를 파악하는 데 쓰였다.

[채점 기준] '비가 내린 양을 측정한다.' 등의 내용을 포함해 바르게 썼다.

23 임진왜란 초기 조선에 불리하던 상황은 수군과 의병의 활약으로 점차 바뀌었다. 바다에서는 이순신이 이끄는 조선 수군이 일본군에 계속 승리했다. 육지에서는 곽재우를 비롯한 의병이 일어나 활약했으며, 조선군과 협력하여 큰 승리를 거두기도 했다.

오답 확인

㉠ 거란의 1차 침입 때 서희의 담판으로 거란군은 물러갔고, 고려는 압록강 동쪽의 강동 6주를 확보했다.

㉡ 신진 사대부는 고려 말에 등장한 새로운 세력이다. 신진 사대부 중 일부는 신흥 무인 세력과 손잡고 고려 사회 문제를 해결하려 했다.

한눈에 쏙쏙 임진왜란 이전 조선의 상황

오랜 평화	조선은 나라를 세운 후 오랫동안 큰 전쟁 없이 평화가 지속되면서 군사력이 약화되었음.
일본인의 반발	조선에 머무는 일본인의 수가 많아지고 그들의 무역 요구가 늘어나자 조선은 일본인에 대한 통제를 강화했음. 이에 일본인들이 반발하며 두 나라의 갈등이 심해졌음.
전쟁에 대한 대비 부족	일본의 침략을 대비해야 한다는 의견이 나왔지만 전쟁이 일어나지 않을 것이라고 판단했음.

24 명과 후금 사이에서 신중한 중립 외교 정책을 펴던 광해군을 쫓아내고 인조를 왕으로 세운 세력은 명을 가까이하고 후금을 멀리했다. 명과 전쟁 중이던 후금은 조선을 침략하여 정묘호란을 일으켰다. 조선군과 의병이 후금군에 맞서자, 후금은 일단 조선과 형제 관계를 맺고 물러났다.

오답 확인

② 청은 조선에 임금과 신하의 관계를 요구해 왔다. 조선이 청의 요구를 거절하자 청은 조선을 다시 침략하며 병자호란을 일으켰다.

③ 분열되어 있던 일본을 통일한 도요토미 히데요시는 조선과 명을 정복하기 위해 부산으로 침입하며 임진왜란을 일으켰다.

④ 고려에 왔던 몽골 사신이 돌아가는 길에 죽자, 몽골은 이를 구실로 삼아 고려에 쳐들어왔다.

⑤ 임진왜란 때 일본군은 경상도 해안으로 물러나 강화 회담을 제안했다. 하지만 강화 회담이 실패하자 일본은 다시 조선을 침략하며 정유재란을 일으켰다.

25 남한산성은 높은 산봉우리를 연결해 쌓은 성이다. 지형이 가파르고 험한 곳에 있으며, 안쪽은 평평해서 전쟁시 머무르면서 적의 공격을 막는 데 유리했다. 각종 방어 시설이 잘 갖추어져 있는 남한산성은 그 가치를 인정받아 유네스코 세계 유산으로 지정되었다.

14~15쪽

1 예 고조선의 문화 범위를 추측할 수 있다. 2 예 한강 지역을 차지했다. 영토를 크게 넓혔다. 3 불교 / 예 불교를 받아들여 왕의 권위를 높이는 데 활용했다. 4 불국사 / 예 우리나라 절의 특징을 잘 보여 주며, 건축물이 아름답고 독특하다. 5 예 팔만대장경판은 고려의 목판 제조술, 조각술, 인쇄술의 뛰어남을 잘 보여 주었기 때문이다. 6 예 필요한 글자를 조합해 여러 종류의 책을 인쇄할수 있었다. 오래 보관할 수 있었다. 7 예 백성이 글(한자)을 몰라서 겪는 어려움을 덜기 위해 훈민정음을 만들었다. 8 상민 / 예 대부분 농사를 지었고, 일부는 장사 등을 했다. 나라에 세금을 내고 노동력을 제공했다.

---

1 고조선은 청동기 문화를 바탕으로 영토를 확장하고 성장해 왔다. 미송리식 토기, 비파형 동검, 탁자식 고인돌은 고조선을 대표하는 문화유산이다. 이 유물들의 분포 지역을 보면 고조선의 문화 범위를 추측할 수 있다. 이것들은 고조선의 특징을 담고 있는 유적과 유물이기 때문이다.

[채점 기준] '고조선의 문화 범위 추측' 등의 내용을 포함해 바르게 썼다.

2 백제는 4세기 근초고왕, 고구려는 5세기 광개토 대왕과 장수왕, 신라는 6세기 진흥왕 때 전성기를 맞이했다.

[채점 기준] '한강 지역 차지', '영토를 넓혔다.' 등의 내용을 포함해 바르게 썼다.

3 삼국은 불교를 받아들여 백성에게 믿도록 했고, 백성이 왕을 부처처럼 섬기도록 함으로써 왕의 권위를 높이는 데에도 활용했다. 이에 많은 절을 짓고 탑, 불상 등을 만들었다.

[채점 기준] '왕의 권위를 높인다.', '왕권을 강화한다.' 등의 내용을 포함해 바르게 썼다.

4 통일 이후 신라에서는 불교가 발달하고 널리 퍼지면서 불교문화가 꽃피었다. 신라인은 많은 절을 세우고 뛰어난 예술성을 갖춘 불상, 탑, 종 등을 만들었다. 불국사와 석굴암은 이 시기를 대표하는 문화유산이다. 불국사는 경주 토함산에 신라인이 바라는 부처의 나라를 본떠 만든 절이다. 절을 이루는 건축물이 아름답고 독특할뿐만 아니라 그 배치와 형식이 당시 절 중 뛰어난 사례로 인정받았기 때문에 유네스코 세계 유산으로 지정되었다.

[채점 기준] '우리나라 절의 특징', '건축물이 아름답고 독특' 등의 내용을 포함해 바르게 썼다.

5 고려 사람들은 몽골이 침입해 대장경이 불에 타 버리자 부처의 힘으로 몽골을 물리치고자 『팔만대장경』을 만들었다. 승려들과 백성이 십여 년에 걸쳐 완성한 『팔만대장경』은 목판이 8만여 장에 달하지만, 글자가 고르고 틀린 글자도 거의 없다.

[채점 기준] '목판 제조술의 뛰어남', '목판 조각술의 뛰어남', '목판 인쇄술의 뛰어남' 등의 내용을 포함해 바르게 썼다.

6 오늘날 세계에서 가장 오래된 금속 활자본은 『직지』로, 유럽 최초의 금속 활자본보다 70여 년이나 앞서 인쇄되었다. 금속 활자는 필요한 글자를 조합하여 활자판을 짰기 때문에 여러 종류의 책을 인쇄할 수 있었다. 또한 갈라지고 휘는 나무의 성질 때문에 보관하기 어려운 목판과 달리 보관이 쉬웠다.

[채점 기준] '필요한 글자를 조합', '여러 종류의 책을 인쇄', '보관하기 쉽다.' 등의 내용을 포함해 바르게 썼다.

7 세종은 백성에게 사람이 지킬 도리를 가르치고 그들이 글(한자)을 몰라 겪는 어려움을 덜기 위해 새로운 문자가 필요하다고 여겼다. 이에 일부 신하들의 반대에도 불구하고 우리말을 소리 나는 대로 적을 수 있는 문자인 훈민정음을 만들어 반포했다. 훈민정음은 배우기 쉽고 거의 모든 소리를 적을 수 있는 과학적이고 독창적인 문자였다. 세종은 한자로 쓰인 책들 중에 백성이 알아야 하는 것을 훈민정음으로 풀어서 보급했다.

[채점 기준] '백성이 글을 몰라 겪는 어려움' 등의 내용을 포함해 바르게 썼다.

한눈에 쏙쏙 **훈민정음**

훈민정음은 혀와 입술의 모양에서 과학적 원리를 찾아 창제했다.

만든 까닭	백성들이 글을 몰라 겪는 어려움을 덜어 주기 위해서
백성들의 생활 변화	• 나라에서 백성들에게 알려야 하는 내용을 쉽게 전달할 수 있게 되었음. • 백성들이 자신의 생각이나 뜻을 훈민정음으로 표현할 수 있게 되었음.
『삼강행실도』	중국과 우리나라의 충신과 효자, 열녀의 이야기를 담았으며, 성종 때에는 한글로 뜻을 풀어 썼음.

8 조선 시대에는 태어날 때부터 신분이 정해져 있었으며 신분에 따라 생활 모습이 달랐다. 조선의 신분은 양인과 천인(천민)으로 크게 나뉘었으며, 양인에는 다시 양반, 중인, 상민이라는 여러 계층이 있었다.

[채점 기준] '농사를 지었다.', '장사를 했다.', '세금을 내고 노동력을 제공했다.' 등의 내용을 포함해 바르게 썼다.

2. 사회의 새로운 변화와 오늘날의 우리

16~17쪽

❶ 규장각 ❷ 풍속화 ❸ 불평등 조약 ❹ 우금치 전투 ❺ 러시아 ❻ 만민 공동회 ❼ 조선 총독부 ❽ 상하이 ❾ 한인 애국단 ❿ 미군 ⓫ 인천 상륙 작전 ⓬ 이산가족

가로톡 세로톡 퍼즐

18쪽

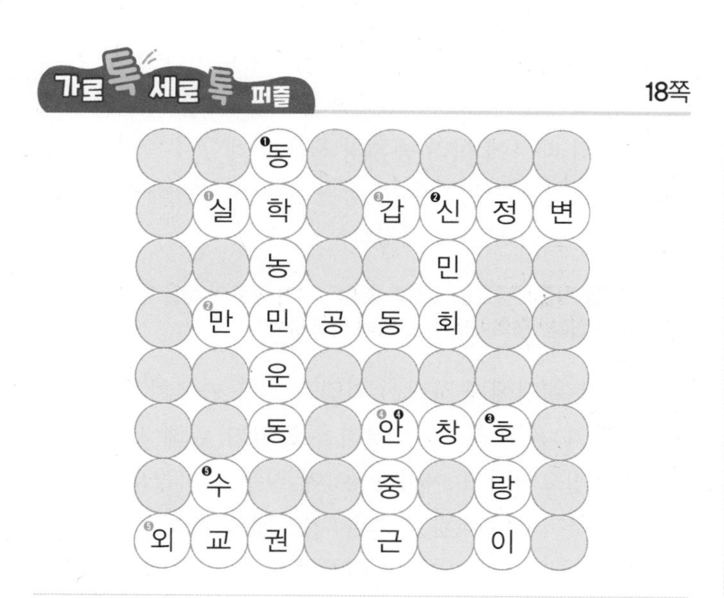

탐구 팡팡 수행 평가

19쪽

1 ㉠ 조병갑, ㉡ 전봉준, ㉢ 청·일 전쟁, ㉣ 우금치 **2** 동학 농민군은 나쁜 관리가 없고, 모든 사람이 평등하며, 불필요한 세금이 없는 살기 좋은 세상을 꿈꾸었다. **3** 갑오개혁 / 예 모든 사람이 평등하다는 내용이 반영되어 신분제가 폐지되었다.

1 동학 농민 운동은 2차에 걸쳐 일어났다. 1차 봉기는 전라도 고부 군수 조병갑의 횡포로 일어났다. 농민군은 전주성을 점령하고, 정부군과 화약을 맺었다. 그러나 청과 일본의 내정 간섭이 심해지며 청·일 전쟁이 일어나자 일본군이 물러날 것을 주장하며 2차 농민 봉기가 일어났다. 일본군과의 우금치 전투에서 동학 농민군은 크게 패하고, 동학 농민군은 해산했다.

2 개항 이후 농민들의 삶은 더욱 어려워지고, 평등한 사회를 강조한 동학이 유행했다. 이로 인해 동학 농민군은 모두가 평등하고 외세의 간섭 없이 독립된 국가에서 살아가는 세상을 꿈꾸었다.

[채점 기준] '나쁜 관리가 없는', '평등한', '불필요한 세금이 없는' 등을 포함하여 바르게 썼다.

3 갑오개혁은 일본의 강요로 시작된 개혁이었지만, 갑신정변과 동학 농민 운동에서 제기된 요구가 일부 실현되었다. 신분제 폐지, 지방 제도의 개편, 조세법을 개정하는 등 농민에게 필요한 개혁이 실시되었다.

[채점 기준] '신분제 폐지', '지방 제도 개편', '조세법 개정' 등의 내용을 포함해 바르게 썼다.

단원 팡팡 문제 1회

20~23쪽

1 ③ **2** ㉠ 실학, ㉡ 청 **3** 서민 문화 **4** ④ **5** 경복궁 **6** ③, ④ **7** ㉠, ㉡ **8** ③ **9** ④ **10** ④ **11** ⑤ **12** 예 대한 제국의 개혁은 황제 중심으로 이루어져 황제의 권리가 지나치게 강화되었다. 외국 세력의 간섭으로 큰 성과를 거두지 못했다. **13** 외교권 **14** 예 해산된 군인들이 의병에 참여하면서 전국 각지에서 의병 투쟁이 한층 강하게 전개되었다. **15** (1) ㉡ (2) ㉠ (3) ㉢ **16** ㉡ → ㉠ → ㉢ **17** ② **18** 예 강주룡은 여성에 대한 차별과 노동자들이 받은 부당한 대우를 널리 알리고자 했다. **19** ㉠ 주시경, ㉡ 조선어 학회 **20** 예 일제와 싸우던 중국인들에게 깊은 인상(큰 용기)을 주었다. 이를 계기로 중국은 대한민국 임시 정부의 활동을 도와주었다. **21** ① **22** ③ **23** ⑤ **24** ⑤ **25** 예 전쟁으로 학교 건물이 파괴되어 학생들은 운동장에서 수업을 받았다.

1 조선 후기에는 사회를 개혁하기 위해 영조와 정조가 다양한 개혁 정책을 펼쳤다. 영조는 탕평책을 펼쳐 붕당 간의 균형을 통해 정치가 안정적으로 운영되도록 했고, 정조는 규장각을 세우고 수원 화성을 건설해 개혁 정치를 펼쳤다. 하지만 정조가 죽은 이후 붕당 간의 다툼은 여전히 남아 있었고, 조선은 더욱 혼란에 빠졌다. ③ 임진왜란 때 불에 타 경복궁을 다시 새로 지은 것은 흥선 대원군 때의 일이다.

2 조선 후기에는 새로운 사회 변화에 따라 여러 제도 개혁이 절실히 필요했다. 이에 실생활에 기반을 둔 학문인 실학이 등장했으며, 실학자들은 서양과 청의 문물을 받아들여야 한다고 주장했다. 대표적인 실학자로는 박지원, 김정호, 정약용 등이 있다.

3 조선 후기 경제적 여유가 생긴 사람들이 문화에 관심을 가지기 시작했다. 서민 문화에는 판소리, 탈놀이, 한글 소설 등이 있으며, 주로 백성의 어려운 삶과 사회 문제를 다루면서 양반을 풍자하기도 했다.

4 조선 후기에는 『춘향전』, 『흥부전』, 『홍길동전』, 『심청전』, 『장화홍련전』 등 다양한 한글 소설이 보급되었다. 이에 사람들에게 돈을 받고 책을 읽어 주는 '전기수'라는 직업이 생겼다.

오답 확인

① 탈놀이는 탈을 쓰고 하는 연극과 춤으로, 사람이 많이 모이는 장터 등에서 공연되었다.
② 판소리는 창(노래), 사설(이야기)로 엮은 공연으로 서민뿐만 아니라 양반들도 즐겼다.
③ 풍속화는 당시 사람들의 생활 모습을 담은 그림으로, 김홍도와 신윤복이 대표적 화가이다.
⑤ 한문 소설은 한문으로 쓰고 읽혔던 것이다.

5 흥선 대원군은 왕실의 권위를 회복하기 위해 경복궁 중건을 시도했다. 그러나 농민들에게 공사에 필요한 돈을 강제로 거두기도 하고, 경복궁을 짓는 데 바쁜 농사철에 농민들을 동원해 백성들의 원성을 사기도 했다.

6 고종이 왕이 되자 흥선 대원군이 고종을 대신하여 정치적 실권을 차지했다. 흥선 대원군은 서원을 일부만 남기고 모두 정리했고, 임진왜란 때 불에 탔던 경복궁을 중건했다. 한편 흥선 대원군은 전국에 척화비를 세우고 통상 수교 거부 정책을 강화했다.

오답 확인

① 양반들이 내야 할 세금을 늘려 나라에 필요한 재정을 마련했다.
② 서양과의 수교를 거부했다.
⑤ 세금을 면제받고 백성을 힘들게 하는 서원을 일부만 남기고 정리했다.

한눈에 쏙쏙 병인양요와 신미양요

병인양요	• 1866년 프랑스 신부와 천주교 신자를 박해한 것을 이유로 프랑스군이 강화도에 침입해 일어난 사건임. • 프랑스군은 조선군에 패하고 물러가면서 귀중한 책과 무기 등을 약탈해 갔음.
신미양요	• 1871년 미국이 이전에 미국의 상선이 평양에 들어와 불에 탄 사건을 이유로 강화도에 침입해 일어난 사건임. • 광성보가 함락되고 어재연 장군을 비롯한 많은 사람이 희생되었음.

7 조선의 개항을 바라는 나라 안의 요구가 높아지고, 일본의 압박을 받게 되자 조선은 일본과 강화도 조약을 맺었다. 강화도 조약은 외국과 맺은 최초의 근대적 조약이었다. 그러나 조약의 내용은 일본의 치외법권을 인정하는 등 불평등한 내용이 담겨 있다. 조선은 강화도 조약을 계기로 서양의 여러 나라와도 조약을 맺어 교류하기 시작했다.

오답 확인

ㄷ 조약의 내용은 일본의 입장에서 유리하게 서술되었으며, 조선의 입장에서는 매우 불평등했다.
ㄹ 강화도에서 일본 군함이 들어와 통상을 요구한 운요호 사건이 원인이 되었다.

8 갑신정변은 1884년 급진적인 개혁을 주장하던 김옥균, 박영효 등이 중심이 되어 우정총국 축하연을 틈타 일어났다. 김옥균 등은 서양의 제도와 사상까지 배우자고 주장했고, 빠른 개혁과 조선의 변화를 주장했으나 청군의 개입으로 3일 만에 실패하고 말았다.

③ 갑신정변에는 한문 교육을 위해 서당을 세우자는 내용은 없다.

9 동학 농민 운동은 고부 군수 조병갑의 횡포로 일어났다. 이후 정부군과 화친을 맺었지만 청·일 전쟁이 일어나 청과 일본 군대가 조선에 들어왔다. 동학 농민군은 일본군을 몰아내기 위해 다시 일어났다. 그러나 공주 우금치 전투에서 패해 해산했다.

④ 동학 농민군은 2차 봉기에서 공주까지 전진했으나 일본군과 마주친 우금치 전투에서 크게 패하고 말았다.

10 고종은 1895년 명성 황후가 살해되는 을미사변을 경험한 뒤 일본의 감시를 피해 러시아 공사관으로 거처를 옮겼다. 이 무렵 조선에서 일본의 영향력은 줄어들었으나 러시아, 미국 등의 서양 세력의 간섭과 경제적 침략은 더욱 심해졌다.

11 고종은 러시아 공사관에 머문 지 1년 만에 경운궁(덕수궁)으로 돌아왔다. 고종은 나라 이름을 대한 제국으로 고치고, 환구단에서 황제 즉위식을 거행했다. 그리고 황제 중심의 개혁 정책을 펼치고자 했지만, 외국 세력의 간섭으로 큰 성과를 거두지는 못했다.

오답 확인

① 고종과 대한 제국이 독자적으로 진행한 개혁이었다.
② 신분제는 이전의 갑오개혁에서 없어졌다.
③ 고종은 러시아 공사관에서 돌아와 개혁을 발표했다.
④ 고종은 황제 중심으로 황제의 권리를 강화하는 개혁 정책을 추진했다.

12 대한제국은 황제 중심으로 근대적인 개혁을 추진했다. 여러 가지 근대 시설을 마련하고 공장과 회사 설립을 지원했다. 외국에 유학생을 파견하고 학교를 세워 인재를 양성했다.

[채점 기준] '황제 중심', '황제의 권리 강화', '외국 세력의 간섭' 등을 포함하여 바르게 썼다.

13 일본은 1905년 이토 히로부미를 대한 제국에 특사로 보내 을사늑약을 맺고 외교권을 빼앗았다. 외교권은 독립된 국가로서 다른 나라와 교류할 수 있는 권리인데 대한 제국은 독립국의 지위를 잃고 다른 나라와 외교 활동을 할 수 없게 되었다. 을사늑약 때 일본의 편에서 조약을 체결하게 한 이완용을 포함한 조선의 신하 5명을 을사오적이라고 한다.

14 일본은 고종을 강제로 물러나게 하고, 대한 제국의 군대마저 없애 버렸다. 이로 인해 해산된 군인들도 의병에 합류했고, 전국 각지에서 의병 운동이 한층 강하게 전개되었다. 일제는 대대적으로 의병 운동을 탄압했고, 많은 의병이 다치거나 죽었다.

[채점 기준] '해산된 군인 합류'와 '항일 의병 투쟁 강화' 등을 포함하여 바르게 썼다.

15 안창호는 실력을 길러 독립운동을 활성화하고자 노력했다. 안중근은 이토 히로부미를 저격하여 외교권을 박탈한 죄를 묻고, 재판을 받았다. 이회영은 6형제와 만주로 건너가 신흥 강습소(신흥 무관 학교)를 세워 독립군을 길러 내는 데 중요한 역할을 했다.

한눈에 쏙쏙 신흥 무관 학교와 의열단

신흥 무관 학교	• 이회영과 6형제가 만주에 건너가 세운 학교로, 독립군을 양성하기 위해 설립했음. • 체계적인 교육을 통해 3,000명이 넘는 독립군을 길러 내며 독립운동에 중요한 역할을 했음.
의열단	적극적인 의거 활동이 필요하다고 생각한 김원봉 등이 조직하여 일본 고위 관리 및 친일파를 암살하고, 조선 총독부 등 식민 통치 기구를 파괴하는 투쟁을 벌였음.

16 일본은 1910년대에 힘으로 억누르는 헌병 경찰 통치를 시행했고, 1920년대 산미 증식 계획을 통해 조선의 쌀을 반출해 갔다. 1930년대 후반에는 한국인에게 황국 신민 서사를 외우게 하고, 전국 곳곳에 세워진 신사에 참배하게 하는 등 민족 말살 정책을 펼쳤다.

17 일제는 3·1 운동에 참여한 사람들을 무자비하게 탄압했고, 많은 사람이 감옥에 갇히거나 목숨을 잃었다. 3·1 운동을 계기로 대한민국 임시 정부가 수립되어 독립운동을 체계적으로 해 나갔다.
② 일제는 3·1 운동을 오히려 더 탄압하고 참여한 사람들을 체포해 독립 의지를 꺾고자 했다.

18 1931년 평양 평원 고무 공장 한국인 사장은 노동자들에게 임금 17% 삭감을 일방적으로 통보했다. 이에 평원 고무 공장 여성 노동자들은 파업을 선언했다. 그러나 공장 측이 별다른 대응을 하지 않자, 강주룡은 을밀대에 올라가 일제에 억압받는 공장 노동자들의 부당한 처우를 널리 알리고자 했다. 이 사건은 당시 언론에도 보도되었다.

19 주시경은 우리나라의 말과 글을 연구하여 현재의 한글을 편하게 사용할 수 있게 연구한 학자이다. 그리고 한글을 통해 우리 민족의 정신과 얼을 잊지 않기 위해 노력했다. 조선어 학회는 『조선말(우리말) 큰사전』을 펴내는 작업을 하며 우리말과 글을 지켰다.

20 1930년대에는 중국의 많은 사람도 일본의 군인과 싸우고 있는 상황이었다. 윤봉길의 의거로 중국인들도 큰 용기를 얻고 장 제스를 중심으로 한 지도자들은 대한민국 임시 정부 활동에 큰 도움을 주었다.

[채점 기준] '중국인들에게 깊은 인상', '중국인들에게 큰 용기', '대한민국 임시 정부 활동에 도움을 주었다.' 등의 내용을 포함해 바르게 썼다.

21 김구는 대한민국 임시 정부의 주석으로 광복 후 귀국하여 통일 국가를 주장했다. 남북의 분단 속에서도 남북 협상을 위해 끝까지 노력했으나 후에 암살되었고, 남한은 단독 정부를 수립했다.

오답 확인
② 김원봉은 적극적인 의거 활동이 필요하다고 생각해 의열단을 조직해 활동한 독립운동가이다.
③ 이승만은 남한 단독 정부 수립을 주장했다.
④ 윤봉길은 한인 애국단의 단원으로 일본에 대항해 의거를 일으킨 독립운동가이다.
⑤ 김일성은 소련의 편에 서서 북한에 단독 정부를 수립했다.

22 대한민국 정부 수립은 대한민국 임시 정부의 전통을 이었고, 독립 정부를 수립했다는 점에서 의의가 있다.

오답 확인
① 1948년 8월 15일에 수립되었다.
② 초대 대통령으로 이승만이 선출되었다.
④ 초대 대통령은 국회에서 간접 선거로 선출했다.
⑤ 남한과 북한에 각기 다른 정부가 세워졌다.

23 국군은 전쟁 초기 수도를 3일 만에 빼앗기는 등 밀렸으나 후에 국제 연합군과 인천 상륙 작전에 성공하여 전세를 역전시키고 압록강까지 진격했다.

24 1953년 7월 국제 연합군, 북한군, 중국군은 정전 협정을 체결하게 되었다. 이승만 대통령은 정전 협정을 반대했으나, 미국의 군사적 지원과 원조를 확인받은 후에 정전 협정에 동의했다.
⑤ 미국의 원자 폭탄 사용은 제2차 세계 대전 때이다.

25 전쟁으로 학교 건물이 파괴되었지만, 그 와중에도 배움의 열기는 높았다. 6·25 전쟁 중 교실이 불에 탄 상황에서 학생들은 운동장에서도 공부했다.

24~27쪽

1 ⑤ 2 ㉠ 붕당, ㉡ 탕평책 3 거중기 4 예 정조 이후 왕들이 어린 나이로 왕위에 올라 외척 세력들이 권력을 잡았기 때문이다. 5 강화도 6 ⑤ 7 ㉡, ㉢ 8 ④ 9 을미사변 10 ①, ② 11 ④ 12 ② 13 ③ 14 ⑤ 15 ㉠ 대성 학교, ㉡ 흥사단 16 ㉠, ㉡, ㉢ 17 ② 18 예 우리 민족의 민족성(민족정신)을 없애기 위해서였다. 19 예 일제가 태평양 전쟁을 일으키자 즉시 선전 포고를 하고, 전쟁을 벌일 준비를 했다. 20 ③, ⑤ 21 ⑤ 22 ③ 23 예 북한군이 1950년 6월 25일 남한을 불법으로 침략했기 때문이다. 24 ④ 25 ㉠, ㉡, ㉣

---

1 조선 후기에는 많은 사회적 변화가 있었다. 임진왜란과 병자호란으로 국토가 황폐해지기도 했으나 나라에서는 농민들의 부담을 줄이는 정책을 폈고, 백성들도 새로운 작물과 모내기법으로 소득을 늘렸다. 상업도 활발해져 상평통보가 전국적으로 유통되고, 전국적으로 시장이 크게 늘어났다.
⑤ 나라에서는 토지와 인구를 조사하고, 농민들의 부담을 줄이는 정책을 시행했다.

2 임진왜란 무렵부터 붕당이 나타나기 시작했다. 처음에 각 붕당은 각자의 의견을 교환하며 정치를 이끌어 나갔으나 차츰 각 붕당의 이익을 위해 다투었다. 영조는 이러한 정치적 혼란을 없애고자 인재를 고루 뽑아 쓰는 탕평책을 펼쳤다.

3 정약용은 수원 화성을 설계하고 거중기를 만들어 공사 기간을 단축시켰다. 이 외에도 『목민심서』, 『경세유표』 등 여러 저서를 남겨 백성들이 더욱 살기 좋은 세상을 만들기 위해 노력했다.

4 정조가 죽은 이후 순조, 헌종, 철종 등은 어린 나이에 왕위에 올라 외척 세력들이 권력을 잡고 세도 정치가 행해졌다. 이로 인해 백성들의 삶은 더욱 힘들어졌다.

[채점 기준] '어린 나이에 왕위에 올라'와 '외척 세력이 권력을 잡았다.' 등의 내용을 포함해 바르게 썼다.

5 병인양요와 신미양요 모두 강화도에 침입한 프랑스, 미국의 군대와 충돌한 사건이다. 이 사건 이후 흥선 대원군은 전국 각지에 척화비를 세워 통상 수교 거부의 뜻을 널리 알렸다.

6 흥선 대원군이 천주교를 믿는 사람들과 프랑스 신부를 처형하자, 프랑스는 이를 구실로 1866년 조선에 침입했다(병인양요). 조선은 이들을 물리쳤으나, 의궤를 비롯한 많은 문화재를 약탈당했다.

7 김옥균은 청의 간섭에서 벗어나 빠른 속도로 서양의 제도와 사상을 배우고자 하는 급진 개화파였다. 1884년 우정총국 축하연에서 갑신정변을 일으켰으나 청군의 개입으로 3일 만에 실패로 끝났다.

오답 확인
㉠ 영조의 탕평책은 김옥균이 활동하기 훨씬 이전인 1700년 중반에 시행된 정책이다.
㉣ 외세를 몰아내고 개화를 하지 말자는 것은 최익현의 주장이다.

8 동학 농민 운동의 지도자 전봉준은 고부 군수 횡포를 막기 위해 농민들과 봉기했다. 동학 농민군은 공주 우금치 전투에서 일본군과 관군에게 크게 패했다.
④ 동학 농민 운동의 지도자는 전봉준이었다.

9 일본의 간섭이 심해지자 명성 황후는 일본을 견제하기 위해 러시아와 가까이 지내려고 했다. 그러자 일제는 1895년 자객을 경복궁에 침투시켜 명성 황후를 살해했다. 이로 인해 고종은 큰 충격을 받고 자신의 안전을 위해 러시아 공사관으로 피신했다.

10 정부의 관리와 개화 지식인들은 1896년 독립 협회를 설립했다. 독립 협회는 독립문을 세워 자주독립에 대한 강한 바람과 의지를 보여 주었다. 또한 만민 공동회라는 집회도 열었다.

11 고종은 환궁 여론이 높아지자 1년 만에 러시아 공사관에서 경운궁으로 돌아왔다(1897년). 환구단에서 황제 즉위식을 거행한 후에 대한 제국을 선포하고 근대적 개혁을 추진했다.
④ 고종은 러시아 공사관에서 경운궁으로 돌아왔다.

12 1905년 일제의 특사로 대한 제국에 온 이토 히로부미는 궁궐을 포위한 상태에서 을사늑약을 체결하고 외교권을 빼앗아 갔다.
② 을사늑약이 강제로 체결되자 전국 각지에서 의병이 다시 일어났다.

13 안중근은 1909년 하얼빈 역에서 을사늑약을 맺는 데 앞장선 이토 히로부미를 저격하고 의거 직후 체포되었다. 재판 과정에서 의거를 일으킨 이유를 당당하게 밝혔고, 뤼순 감옥에서 순국했다.

오답 확인
① 안창호는 평양에 대성 학교를 세웠고, 미국으로 건너가 흥사단을 세웠다.
② 이회영은 만주에 건너가 신흥 무관 학교를 세웠다.
④ 헤이그에 파견된 특사는 이준, 이상설, 이위종 등이다.
⑤ '태백산 호랑이'라 불리는 의병장은 신돌석이다.

14 을사늑약 이후 일제는 조선의 외교권을 빼앗고 군대도 강제로 해산했다. 이로 인해 나라가 어려워지자 나라를 지키기 위한 의병들이 많이 생겼다. 많은 노동자와 농민, 상인 등 각계각층의 사람들이 참여하면서 의병 투쟁은 항일 투쟁으로 발전했다.
⑤ 신돌석은 평민 출신의 의병장으로 '태백산 호랑이'로 불리며 경상도와 강원도 일대에서 활약했다.

15 안창호는 국민을 일깨우고 실력을 길러 나라를 지키고자 했다. 신민회라는 비밀 단체에서 활동하며 평양에 대성 학교를 세우고 인재를 키워 냈다. 흥사단은 안창호가 미국으로 건너가 우리 민족의 실력을 기르고자 만든 단체이다.

16 1910년 대한 제국의 국권을 강제로 빼앗은 일제는 조선 총독부를 설치해 식민 통치를 했다. 그리고 헌병 경찰을 앞세워 무력으로 한국인을 통제하고 독립운동을 탄압했다. 일제는 식민 통치에 필요한 재정을 마련하기 위해 토지 조사 사업을 실시했다. 또한 일본에서 쌀값이 크게 오르자, 한국에서 쌀을 들여와 이 문제를 해결하기 위해 산미 증식 계획을 실시했다.
오답 확인
㉣ 일제는 쌀 생산을 늘리는 산미 증식 계획을 실시했다. 하지만 늘어난 양보다 더 많은 양의 쌀이 일본으로 빠져나가 한국인은 쌀 부족의 어려움을 겪었다.

17 3·1 운동 이후 일부 독립운동가들은 만주와 연해주에서 독립군 부대를 조직해 무장 독립 투쟁을 벌였다. 독립군 부대는 국경을 넘어와 일본군을 공격하고, 일제 통치 시설을 파괴했다. 홍범도 부대는 봉오동 일대에서 일본군에 승리했고, 김좌진과 홍범도 연합군 부대는 청산리 일대에서 일본군과 싸워 승리했다. 의열단은 일본 고위 관리 및 친일파를 암살하고 식민 통치 기구를 파괴하는 투쟁을 벌였다.
② 신돌석은 경상도와 강원도 일대에서 의병 활동을 했으며, 봉오동 전투에서 일본군에게 큰 승리를 거둔 인물은 홍범도이다.

18 1930년대 후반 일제는 한국인의 민족성을 없애기 위해 내선일체를 강조하며 여러 민족 말살 정책을 펼쳤다. 우리말을 사용하지 못하게 하고, 신사 참배와 일본식 성명을 강요했다.

[채점 기준] '우리의 민족 정신을 없애기 위해서' 등의 내용을 포함해 바르게 썼다.

19 김구는 임시 정부의 활동에 활력을 불어 넣고자 한인 애국단을 조직했다. 그뿐만 아니라 한국광복군을 조직하여 우리 스스로 독립을 쟁취하고자 했다. 한국광복군은 1940년 중국 충칭에서 조직된 대한민국 임시 정부의 정규군이다.

[채점 기준] '일본이 태평양 전쟁을 일으키자 선전 포고를 했다.' 등의 내용을 포함해 바르게 썼다.

20 미국, 영국, 소련의 외무 장관은 모스크바에 모여 한반도에 임시 민주 정부를 세우되, 정부가 수립될 때까지 최대 5년간 신탁 통치를 실시하기로 결정했다. 이 소식이 국내에 전해지자 신탁 통치를 반대하는 세력과 회의 내용을 찬성하는 세력이 나뉘어 민족 간의 갈등이 더욱 심해졌다.
오답 확인
① 모스크바 3국 외무 장관 회의는 광복을 맞이한 이후에 열렸다.
② 1948년 5월 10일, 국제 연합의 결정대로 남한에서 총선거가 실시되었다.
④ 일본이 항복하자 미국과 소련은 일본군의 무장 해제를 위해 한반도에 들어왔다.

21 미소 공동 위원회가 결렬되자 미국은 한국 문제를 국제 연합에 넘겼다. 국제 연합은 남북한 총선거로 통일 정부를 수립하기로 결정했지만, 소련과 북한이 이를 받아들이지 않자 선거가 가능한 지역만 총선거를 실시해 정부를 세우기로 했다.

22 대한민국 정부 수립은 5·10 총선거 실시(1948. 5. 10.) → 제헌 국회의 헌법 공포(1948. 7. 17.) → 초대 대통령 선출 → 대한민국 정부 수립(1948. 8. 15.) 과정을 거쳐 이루어졌다.

23 1950년 6월 25일 북한은 모든 방향의 전선에서 남쪽으로 탱크를 몰고 불법으로 침입했다. 3년간에 걸친 전쟁은 남북한 모두에게 아물지 않은 상처를 주었다.

24 6·25 전쟁 초기에는 북한군의 무력에 밀려 국군은 낙동강 이남까지 후퇴했으나, 인천 상륙 작전을 계기로 전세가 역전되었다. 하지만 중국군이 개입하면서 국군과 국제 연합군은 한강 이남으로 다시 후퇴했다. 38도선을 중심으로 치열한 전투가 벌어졌고, 1953년 7월에 판문점에서 정전 협정이 맺어졌다.

25 전쟁으로 인해 수많은 사람이 희생되었고, 남과 북에서 고향을 잃고 피란민이 생겼다. 전쟁 중에 헤어진 가족들을 찾지 못하는 이산가족과 전쟁고아 발생 등 남과 북은 모두 피해를 입었다.
㉢ 여성들이 일본군 '위안부'로 끌려가 인권을 침해당한 것은 일제 식민 통치 시기이다.

28~29쪽

1 예 탕평비는 붕당에 관계없이 인재를 고루 등용하는 탕평 정치의 의지를 널리 알리기 위해서였다. 척화비는 통상 수교 거부 의지를 널리 알리기 위해서였다. **2** 흥선 대원군 / 예 서원을 일부만 남기고 정리했다. 양반들이 내야 할 세금을 늘려 나라에 필요한 재정을 마련했다. 임진왜란 때 불에 탄 경복궁을 다시 지었다. **3** 김홍도 / 예 풍속화는 조선 후기에 당시 사람들의 생활 모습을 담은 그림이다. **4** 예 대한의 독립과 동양 평화를 위한 것이다. **5** 예 목숨을 걸고 독립운동을 계획한 결과 곧 한 시간 뒤에 의거를 진행해야 했기 때문이다. **6** 예 김구는 한인 애국단을 조직하고 의거 활동을 계획하는 등 대한민국 임시 정부를 이끌며 독립운동을 하는 데 앞장섰다. **7** 예 신탁 통치에 반대하는 사람들과 모스크바 3국 외무 장관 회의 결정 내용을 지지하는 사람들이 나뉘어 대립했다. **8** 예 전쟁 전부터 소련에게 무기를 지원받은 북한군이 전쟁을 먼저 준비하고 남한을 침략했기 때문이다.

1 임진왜란 때부터 붕당이 나타나 정치가 혼란스럽자 영조는 탕평책을 실시하여 인재를 고루 뽑고 왕권을 강화시키고자 했다. 흥선 대원군은 병인양요와 신미양요를 겪은 후, 통상 수교 거부 정책을 널리 알리기 위해 척화비를 전국에 세웠다.

[채점 기준] '탕평비는 탕평 정치의 의지를 알리기 위해'와 '척화비는 통상 수교 거부 정책을 널리 알리기 위해' 등의 내용을 포함하여 바르게 썼다.

2 세도 정치기의 사회적 혼란 속에서 고종이 어린 나이에 왕이 되었고, 아버지인 흥선 대원군은 사회 문제를 해결하고 왕권을 강화하기 위해 여러 정책을 펼쳤다. 이에 양반에게도 세금을 부과해 나라와 재정을 늘렸고, 서원을 정리했으며, 경복궁을 다시 지었다.

[채점 기준] '서원 정리', '양반들이 내야 할 세금을 늘려 나라에 필요한 재정 마련', '경복궁을 중건' 등의 내용을 포함하여 두 가지 이상 바르게 썼다.

3 조선 후기에는 당시 사람들의 생활 모습을 담은 풍속화가 유행했다. 김홍도와 신윤복은 당시 대표적인 풍속화로 알려졌다. 김홍도는 주로 서민들의 일상생활 모습을 표현했다.

[채점 기준] '당시 사람들의 생활 모습을 담은 그림' 또는 '서민들의 생활 모습을 그린 그림' 등의 내용을 포함하여 바르게 썼다.

4 안중근은 1909년 하얼빈 역에서 이토 히로부미를 암살했다. 일본이 조선을 침략하여 외교권을 빼앗았고, 무고한 사람들을 죽인 죄 등으로 이토 히로부미를 처단했다고 했다. 그러나 안중근의 주장은 받아들여지지 않고 사형을 선고받았다.

[채점 기준] '대한의 독립과 평화를 위해' 또는 '일본이 대한 제국의 외교권을 빼앗았다.' 등의 내용을 포함하여 바르게 썼다.

5 윤봉길은 일제가 상하이를 점령한 것을 축하하기 위해 훙커우 공원에서 기념식을 열자 폭탄을 던져 일본 관리와 군인을 처단했다. 이로 인해 윤봉길은 체포된 뒤 사형을 당했지만, 많은 사람에게 독립에 대한 의지를 심어 주었다.

[채점 기준] '목숨을 걸고 의거를 계획', '한 시간 뒤 의거 진행' 등의 내용을 포함하여 바르게 썼다.

6 김구는 대한민국 임시 정부의 주석으로서 독립운동에 활력을 불어 넣고자 한인 애국단을 조직했다. 이봉창, 윤봉길 등과 함께 의거를 계획해 일제에 저항했고, 한국광복군을 조직해 우리 손으로 독립을 이루고자 했다.

[채점 기준] '한인 애국단을 조직했다.', '대한민국 임시 정부를 이끌며 의거 활동을 계획했다.' 등의 내용을 포함해 바르게 썼다.

7 광복 후 38도선 북쪽을 기준으로 소련이, 남쪽은 미국이 분할 통치했고, 이로 인해 좌우익 세력이 대립했다. 모스크바 3국 외무 장관 회의에서 결정된 신탁 통치를 받아들이는 입장에 따라 두 세력이 나뉘었다.

[채점 기준] '신탁 통치를 반대하는 세력과 모스크바 3국 외무 장관 회의 내용을 지지하는 세력의 대립' 등의 내용을 포함하여 바르게 썼다.

8 북한은 소련으로부터 탱크와 전투기 등의 최신 무기를 지원받고 오래 전부터 전쟁을 준비했다. 1950년 북한의 남침으로 시작된 전쟁은 초반에 무기의 열세로 국군이 밀렸으나, 낙동강에서 최후의 방어선을 구축하고 후에 반격의 계기를 마련했다.

[채점 기준] '소련의 지원', '북한이 먼저 전쟁을 준비하고 일으켰기 때문에' 등의 내용을 포함해 바르게 썼다.

30~31쪽

1 탁자식 고인돌 **2** 한강 **3** 고구려 **4** 강감찬 **5** 강화도 **6** 직지 **7** 유교 **8** 훈민정음 **9** 의병 **10** 수원 화성 **11** 김홍도 **12** 통상 수교 거부 **13** 환구단 **14** 독립 선언서 **15** 한인 애국단 **16** 모스크바 3국 외무 장관 회의 **17** 대한민국 **18** 이산가족

MEMO